L'Église et les projets d'avenir du peuple canadien-français

richard arès

L'Église et les projets d'avenir du peuple canadien-français

NOTRE QUESTION NATIONALE

Tome I : *Les faits.* Montréal, les Éditions de l'Action Nationale, 1943.

Tome II : *Positions de principes.* Montréal, les Éditions de l'Action Nationale, 1945.

Tome III : *Positions patriotiques et nationales.* Montréal, les Éditions de l'Action Nationale, 1947.

Tome IV : *Nos grandes options politiques et constitutionnelles.* Montréal, les Éditions Bellarmin, 1972.

Tome V : *L'Église et les projets d'avenir du peuple canadien-français.*

Richard Arès, S. J.

L'Église et les projets d'avenir du peuple canadien-français

Les Éditions Bellarmin
8100, boulevard Saint-Laurent, Montréal
1974

Dépôt légal — 1er trimestre 1974 — Bibliothèque Nationale du Québec

ISBN 0-88502-023-5

Introduction

INTRODUCTION

Telle qu'elle fut conçue à l'origine, la série *Notre Question nationale* devait comporter une étude sur les rapports entre le catholicisme et le peuple canadien-français, le premier étant considéré comme l'une des sources d'inspiration du second dans sa marche à travers l'histoire.Depuis que l'annonce d'une pareille étude a été mise par écrit, trente ans ont passé et des changements radicaux sont survenus dans notre milieu. Vatican II a proclamé le principe de la liberté religieuse et l'autonomie des réalités terrestres ; la « révolution tranquille » a amorcé un courant de sécularisation qui a peu à peu atteint la plupart de nos institutions traditionnelles et transformé le Québec en une société à la fois ouverte et pluraliste, où peuvent se donner libre cours et se concurrencer toutes les idéologies, toutes les croyances comme toutes les incroyances.

Dans ces conditions, on conçoit que la question des rapports entre le catholicisme et le peuple canadien-français ne se pose plus avec la même simplicité ni avec la même clarté qu'autrefois. D'autant plus que l'un et l'autre sont en pleine crise et s'interrogent sur leur identité propre, sur leur place originale et leur rôle spécifique dans le monde d'aujourd'hui. Et ce qui ne facilite pas l'entreprise, le prestige tant du catholicisme que de l'Église a subi une forte dévaluation en ces dernières années, alors que la société québécoise, pour sa part, est devenue de plus en plus jalouse de son autonomie retrouvée ainsi que méfiante à l'égard de toute intervention religieuse, se qualifiant volontiers de société adulte capable désormais de vivre par elle-même.

Et pourtant, même si la réponse doit maintenant être formulée en des termes différents, la question n'en continue pas moins à se poser. Ne pas le reconnaître serait explicitement admettre que toutes les religions, croyances et idéologies seraient libres d'influencer le milieu et les hommes qui y vivent, à l'exception du catholicisme et de l'Église qui, eux, n'auraient désormais plus rien à dire ni plus rien à faire. Ce qui, évidemment, est absurde et contredit un enseignement qui n'a jamais varié depuis deux mille ans, depuis le jour où le Christ a confié à ses apôtres la mission d'évangéliser toutes les nations jusqu'à celui où Vatican II, dans ses constitutions *Lumen Gentium* et *Gaudium et Spes,* a précisé la vraie nature et le rôle de l'Église dans le monde d'aujourd'hui.

C'est dire que, quoi qu'il arrive, le peuple canadien-français et l'Église continueront à entretenir des rapports. Il est de l'intérêt de l'un et de l'autre que ces rapports soient aussi harmonieux, aussi positifs et constructifs que possible. Aussi est-ce en ce sens que le présent ouvrage oriente ses recherches. Il est né d'une double conviction : d'une part, que le catholicisme doit se faire aujourd'hui, autant sinon plus qu'autrefois, le compagnon de route du peuple canadien-français, en participant à ses joies et à ses espoirs comme à ses tristesses et à ses angoisses, et, d'autre part, que, pour mener à bon terme ses projets d'avenir, le peuple canadien-français a tout intérêt à accepter cette compagnie de l'Église. À expliciter cette double conviction les pages qui suivent sont consacrées.

Avant d'aborder l'objet principal de ce travail, toutefois, quelques précisions s'imposent, à partir du titre même qui lui a été donné. Si complexe que soit ce titre, il l'est encore moins que la réalité qu'il prétend traduire. Chez nous, en effet, rien n'est simple et tout est maintenant devenu fluide. Un seul exemple : ce nom de Canadiens français que nous portons et dont la permanence est de plus en plus compromise, écartelé qu'il est entre ces deux autres noms qui le rongent : *Canadians* et Québécois.

Les précisions à donner ici portent sur les trois éléments qui composent le titre choisi : peuple canadien-français, projets d'avenir, Église.

Le peuple canadien-français

Par *peuple canadien-français,* j'entends l'ensemble des citoyens canadiens qui sont de langue et de culture françaises, par la naissance ou autrement, et cela en quelque province qu'ils résident. Sans doute, sera-t-il principalement question des Québécois francophones, mais pas uniquement, du moins dans la première partie de cette étude. À ceux qui disent qu'il n'existe plus de Canadiens français mais seulement des Québécois et que c'est là une expression qui dégage un relent de passé, on ne peut s'empêcher de demander si pareille assertion ne mutile pas volontairement la réalité présente au profit d'un futur encore au simple état de désir. Peut-être sera-t-elle une vérité de demain, mais, pour le moment, pourquoi ne pas objectivement reconnaître qu'il existe encore, dans les autres provinces canadiennes, près d'un million de Canadiens de langue maternelle française qu'il serait injuste ici d'ignorer par principe ?

Tous ces citoyens canadiens-français sont, au point de départ, considérés comme formant un *peuple.* Pourquoi avoir choisi ce mot plutôt qu'un autre, plutôt, par exemple, que le mot nation ? Je réponds que ce mot peuple en est un qui prête peu à controverse, est accepté par à peu près tout le monde, ne dénote aucune position préétablie et est employé couramment pour caractériser, du moins initialement, ce groupe humain que forment les Canadiens-français [1].

Les projets d'avenir

De ce peuple — et c'est là la deuxième précision à apporter dès le début — je me borne à considérer ici les *projets d'avenir.* Il a certes conscience et volonté d'avoir un avenir propre, mais de quelle manière le conçoit-il et entend-il le réaliser ? Tenter de répondre à pareille question, c'est s'engager dans une voie parsemée de difficultés.

Le peuple dont il s'agit est, en effet, un peuple aujourd'hui divisé dans ses options économiques, sociales, politiques, religieuses, et qui, par conséquent, ne s'exprime pas d'une seule voix quand il énonce ses projets d'avenir. De plus, parmi la multitude des voix qui se font entendre de nos jours, comment parvenir à distinguer celles qui peuvent, à juste titre, parler au nom du peu-

---

1. Voir, par exemple, Edmond de NEVERS, *L'avenir du peuple canadien-français,* Paris, 1896 — LE CONSEIL DE LA VIE FRANÇAISE, *L'avenir du peuple canadien-français,* Québec, 1965. — Le mandat confié à la Commission d'enquête sur le bilinguisme et le biculturalisme la chargeait de recommander les mesures à prendre pour que « la Confédéraiton canadienne se développe d'après le principe de l'égalité entre les deux peuples qui l'ont fondée » (*Rapport préliminaire,* Ottawa, 1965, p. 143).

ple canadien-français de celles qui ne sont le porte-parole que d'une faction, d'une classe ou d'un parti ? Difficulté non moins grande, enfin, quand il s'agit de déterminer ce qui est vraiment projet d'avenir dans la foule d'idées, d'aspirations, d'espoirs, d'ambitions et de visées qui s'expriment et s'entremêlent actuellement au Québec [2].

Et pourtant, on peut arriver à surmonter ces difficultés en prenant les choses de haut, à cette hauteur, en tout cas, où une certaine unanimité apparaît encore possible. Ce mot peuple appliqué aux Canadiens français revêt deux sens principaux : communauté et société. En tant que peuple, ils peuvent être considérés comme formant à la fois une *communauté* linguistique et culturelle répandue par tout le Canada et une *société* distincte fortement implantée et structurée au Québec. À ces deux mots peuvent se ramener les projets d'avenir des Canadiens français : d'une part, ils veulent que leur *communauté survive et s'épanouisse librement en tant que nation,* et d'autre part, ils aspirent à constituer au Québec une *société nouvelle, à la fois moderne et humaine.* En d'autres termes, le peuple canadien-français veut aujourd'hui se projeter dans l'avenir à la fois comme nation et comme société. De cette volonté sont nés deux grands projets d'avenir que, pour fins de commodité, j'appelle ici, l'un, *projet de nation,* l'autre, *projet de société.*

Sur le principe même de ces deux projets, tout le monde ou à peu près, je pense, s'entend. Le désaccord survient quand il s'agit soit de déterminer à quel projet il faut accorder la priorité : au *national* ou au *social,* soit surtout d'établir les programmes et de choisir les moyens les plus aptes à réaliser l'un et l'autre. Mon objectif ici n'est pas d'entrer dans ce débat, mais bien plutôt d'étudier ces deux projets dans la mesure seulement où ils intéressent et concernent l'Église, et cela en vue de déterminer, d'une part, si cette dernière peut les appuyer et jusqu'où, et d'autre part,

---

2. Un seul témoignage, venant, en outre, de l'extérieur : « At a time when the survival of French Canada is more in question than perhaps ever before, there is no clear consensus about the appropriate goals and strategy » (Ken McROBERTS, « Quebec : Canada's Special Challenge and Stimulus », dans le volume *The Canadian Condominium,* edited by Thomas A. HOCKIN, Toronto, 1972, p. 53).

s'il y a pour elle une place à tenir et un rôle à jouer dans ces projets, et si oui, quelle place et quel rôle.

L'Église

L'Église dont il est ici question est évidemment l'Église catholique, à laquelle se réfèrent encore la grande majorité des Canadiens français. C'est aussi, principalement mais non exclusivement l'Église-*institution,* celle qui exerce l'autorité, qui enseigne, fait des déclarations officielles et donne des directives. Ce n'est pas que j'assimile l'Église à la seule hiérarchie, mais une nécessité pratique m'impose des restrictions, donc un choix. Sans doute, ne sont-ils pas toute l'Église, mais les évêques, le pape en tête, ont, plus que les autres fidèles, le droit et le devoir de parler au nom de l'Église et ainsi des titres à être considérés comme la voix de l'Église. Ayant à traiter de l'attitude de l'Église à l'égard des projets d'avenir du peuple canadien-français, il me faut donc considérer d'abord et surtout les prises de position de ceux qui dans l'Église ont mission d'enseigner et de diriger [3].

À bien noter qu'il s'agit ici des projets d'avenir du *peuple canadien-français,* et non de ceux de l'Église. Ces derniers ont déjà fait l'objet d'une vaste enquête menée par la commission Dumont, enquête que je n'ai aucunement l'intention de reprendre, mais dont je voudrais m'inspirer, parce qu'elle me fournit un point de départ en même temps qu'une orientation. En gros, dans son rapport, la commission Dumont a dit ceci qui nous intéresse particulièrement ici : l'Église ne définira plus nos destins culturels, économiques et politiques, mais elle ne peut se retirer de la lutte ; il lui faut, au contraire, se situer au cœur des enjeux les plus cruciaux de notre société et participer aux projets profanes de justice dans la cité ; en dépit de ses déficiences et de ses faiblesses, elle reste le principal véhicule de l'action de l'Esprit dans l'histoire de notre collectivité [4].

---

3. Sur les multiples conceptions que les fidèles se font de l'Église, voir le rapport soumis aux évêques du Québec, en mars 1973, par Pierre CHOUINARD, « Les interventions de l'Église du Québec et/ou des évêques dans les événements de la société québécoise ». Texte dans *L'Église canadienne,* juin-juillet 1973, pp. 185-194.

4. COMMISSION D'ÉTUDE SUR LES LAÏCS ET L'ÉGLISE, *L'Église du Québec : un héritage, un projet,* Montréal, 1971, aux pages 14, 96 et 132.

Telle est aussi ma conviction. Cette Église qui, durant trois siècles, a été la compagne de route de la communauté francophone au Canada, communauté dont elle a non seulement partagé mais forgé le destin à la fois national et social, ne peut, sans trahir sa mission et sans se nuire gravement à elle-même, maintenant s'en désintéresser, sous prétexte que les projets profanes de celle-ci ne la concerneraient pas. Son action passée, son intérêt propre et tout l'enseignement de Vatican II l'incitent, au contraire, à considérer ces projets comme autant de *signes des temps,* c'est-à-dire comme autant de phénomènes qui, parce qu'ils expriment les besoins et les aspirations des hommes d'aujourd'hui, conditionnent la vie de milliers d'êtres humains et sont porteurs d'avenir, font en quelque sorte signe à l'Église, requièrent son attention et exigent sa présence.

Tant au projet national qu'au projet social que nourrit la communauté francophone, au Canada en général comme au Québec en particulier, l'Église de chez nous ne peut demeurer étrangère. Il lui revient de scruter l'un et l'autre, de les interpréter à la lumière de l'Évangile, de les purifier et de les animer de l'intérieur, pour qu'ils puissent tourner au plus grand bien de l'homme d'ici et répondre de la façon la plus satisfaisante à ses besoins et à ses aspirations véritables. Pour accomplir cette tâche, elle n'a nul besoin de s'imposer et de dominer, il lui suffit d'aimer sincèrement et de servir courageusement, comme le demande sa mission spirituelle.

Je n'ai pas la prétention de parler ici au nom ni de l'Église ni du peuple canadien-français. Mon propos, à la fois simple et difficile, vise plutôt à les laisser parler le plus possible, à montrer qu'entre les deux, même s'ils doivent revêtir une forme nouvelle, des rapports harmonieux et fructueux doivent encore exister, et à déterminer aussi comment et jusqu'où l'Église peut accompagner le peuple canadien-français dans ses projets d'avenir.

PREMIÈRE PARTIE

Le projet de nation:

survivre et s'épanouir librement en tant que nation

À première vue, ce rapprochement entre les deux mots « projet » et « nation » apparaît quelque peu forcé, voire inconvenant. La nation, du moins entendue en tant que communauté, n'est-elle pas un fait de nature plutôt qu'un projet à réaliser, ne doit-elle pas ses origines à des liens préexistants plutôt qu'à une volonté rationnelle ? En d'autres termes, alors qu'il est tout normal de parler de « projet de société », il le semble beaucoup moins d'utiliser l'expression « projet de nation ».

Et pourtant l'expression se justifie. Un peu partout à travers le monde, il existe des individus qui font des projets pour leur nation, qui la veulent, par exemple, libre, grande et prospère : « Toute ma vie, a écrit le général de Gaulle dans ses Mémoires, je me suis fait une certaine idée de la France... Bref, à mon sens, la France ne peut être la France sans la grandeur. » De plus, on a défini la nation comme un peuple qui a pris conscience de sa singularité culturelle et développé la volonté de la vivre en se projetant toujours davantage dans l'existence. En ce sens, je pense qu'il n'y a aucune difficulté à parler de projet de nation.

De toute façon, s'il est un projet collectif qui rallie l'immense majorité des Canadiens français, c'est bien celui qu'ils entretiennent, depuis deux siècles, de se maintenir comme communauté linguistique et culturelle distincte au Canada. Ce projet, ils ne l'ont pas toujours soutenu avec le même degré de conscience et de volonté, mais ils ne l'ont jamais abandonné et ils ne peuvent le faire aujourd'hui sans renoncer à tout avenir propre. Là où ils sont en minorité, c'est-à-dire dans neuf provinces sur dix, le projet s'est traduit et se traduit encore par la *lutte pour la survivance,* et là où ils constituent la majorité, c'est-à-dire au Québec, ce même projet se manifeste, en plus, par la *recherche d'un complet épanouissement national,* d'un épanouissement collectif en tant que nation.

Avec ce projet, l'Église d'ici est depuis longtemps familière. Elle l'a rencontré et connu sous le nom de *nationalisme canadien-français.* Elle l'a habituellement soutenu et parfois critiqué. Elle a même mêlé si intimement son propre projet chrétien à celui du peuple canadien-français qu'on avait souvent beaucoup de difficultés, sinon à les distinguer, du moins à les séparer dans la vie quotidienne. Mais aujourd'hui la situation est renversée : non seulement la distinction est un fait accompli, mais encore la question se pose de savoir si l'Église demeurera encore présente au projet d'avenir que nourrit actuellement le nationalisme canadien-français.

À cette question j'ai déjà donné, dans mon Introduction, une réponse globale ; je reprends ici l'une et l'autre, c'est-à-dire la question et la réponse, pour les détailler et les préciser.

CHAPITRE PREMIER

Le nationalisme canadien-français

Il existe un nationalisme canadien-français. C'est à la fois un fait et une idéologie. Plus précisément, ce fut longtemps un fait, un « fait de vie collective », sur lequel s'est greffée une certaine idéologie, laquelle aujourd'hui est en train d'être remplacée par une autre. Ayant déjà longuement écrit sur le sujet [1], il me paraît inutile de tout reprendre ici en détail. Je me borne, en conséquence, à situer le nationalisme canadien-français et à en définir les objectifs, considérations qui permettront de mieux faire comprendre plus tard l'attitude de l'Église à son égard.

Situation

Loin d'être un cas isolé et exceptionnel, le nationalisme canadien-français s'insère dans un phénomène mondial qui a marqué de son empreinte aussi bien le XIXe siècle que le XXe. À l'origine de ce phénomène, on retrouve, entre autres influences, celle de la Révolution française. En déplaçant l'accent, jusque-là sur le roi, vers la nation, elle a donné à cette dernière une conscience propre et lui a fait prendre conscience de sa force et de ses droits, en particulier de son droit de contrôler l'État qui la couronnait [2]. Il en résulta par la suite un mouvement visant à unir le plus intimement possible la nation et l'État, mouvement qui se développa sous une double forme. D'une part, les nations ou embryons de nation qui ne possédaient pas encore leur État propre entre-

---

1. Voir *Notre Question nationale,* tome III, en particulier les chapitres sur la nation et le nationalisme.

2. Cf. Jean-René SURATTEAU, *L'idée nationale, de la Révolution française à nos jours,* Paris, 1972.

prirent de s'en donner un et, d'autre part, les États cherchèrent à développer chez leurs peuples une conscience nationale toujours plus sensible et plus vive ainsi qu'à leur imprimer des caractères proprement étatiques, c'est-à-dire l'unité, la suffisance et la puissance.

À chacune de ces deux formes on donna le nom de nationalisme. Ainsi le mot servit aussi bien pour désigner les tentatives de libération de la part des peuples colonisés, divisés, opprimés, que pour caractériser la volonté des États déjà constitués de renforcer leur unité nationale, de se suffire autant que possible à eux-mêmes et de faire prédominer leur intérêt dit national. Quand donc on parle de nationalisme, il importe de bien marquer de quel nationalisme il s'agit, de bien préciser quel est le sujet ou l'agent de ce nationalisme. Car, les objectifs sont loin d'être les mêmes selon que ce sujet ou agent est une collectivité à la recherche d'un État ou un État déjà constitué qui veut défendre ses intérêts nationaux et prétend se suffire à lui-même. Dans le premier cas, la collectivité lutte pour le respect de ses droits, en particulier de ses droits à la vie, à l'égalité et à la liberté ; dans le second, l'État travaille à faire primer et triompher son intérêt national, c'est-à-dire, en pratique, l'intérêt de la nation dont il a la charge.

Après ces quelques explications, il n'est pas difficile de saisir où se situe le nationalisme canadien-français. Il n'a jamais été le fait d'un État désireux de se suffire à lui-même, de renforcer son unité, d'exalter sa puissance et de faire prédominer son intérêt, et cela pour la bonne raison que les Canadiens français n'ont jamais eu vraiment à eux un État à la fois complet et libre. Leur nationalisme a toujours été — du moins jusqu'ici — le fait d'une communauté, autrefois conquise par les armes et insérée dans un empire étranger, qui a dû lutter pour se maintenir dans l'existence et dont les aspirations à l'égalité et à la liberté sont encore loin aujourd'hui d'être satisfaites. Cette communauté — est-il besoin de le dire ? — n'a jamais fait partie du club des grandes nations, de ces nations qui en dominent d'autres politiquement, économiquement et culturellement, ce qui leur permet de faire prédominer leur propre intérêt sur celui des plus petites et des plus faibles.

Objectifs

Déjà se laisse entrevoir le contenu du nationalisme canadien-français. Il a été longtemps, ce nationalisme, centré sur un seul objectif : *survivre.* C'était, pour le groupe, l'équivalent de l'instinct de conservation chez l'individu. Et survivre voulait dire maintenir en terre canadienne la langue et la culture françaises, garder l'héritage ancestral, demeurer fidèle au passé. D'où les devises et les mots d'ordre d'alors : « Je me souviens », « Notre langue, nos institutions et nos lois », « Notre maître le passé ». D'où le conseil de l'historien Garneau à ses compatriotes d'être fidèles à eux-mêmes, de ne pas se laisser séduire par les nouveautés et de garder leurs traditions. D'où le fameux passage du roman de Louis Hémon, *Maria Chapdelaine,* où l'héroïne, tentée de quitter le pays, se fait dire par une voix, qui est celle des ancêtres, qu'il faut rester et continuer à maintenir tout ce qu'ils ont apporté avec eux et qui doit demeurer jusqu'à la fin : culte, langue, vertus et jusqu'aux faiblesses [3].

Si le nationalisme canadien-français restreignait son contenu à ce seul objectif de la survivance, et d'une survivance plus ou moins folklorique qui ne dérange personne, il ne susciterait guère d'opposition et serait considéré par la majorité dominante un peu comme les revendications des Indiens qui veulent survivre dans leurs réserves. Mais il n'en est pas ainsi : au moment de la conquête anglaise, la communauté francophone était déjà solidement implantée sur les bords du Saint-Laurent et possédait ses propres institutions sociales. L'arrivée et la formation progressive d'une autre communauté linguistique et culturelle eurent pour résultat de susciter chez elle, non seulement une réaction vitale de défense de son être national, mais aussi plus tard et peu à peu une aspiration à être traitée comme une égale sur le plan politique.

---

3. Quelques phrases de ce passage devenu classique : « Nous sommes venus il y a trois cents ans et nous sommes restés... Nous avions apporté d'outre-mer nos prières et nos chansons : elles sont toujours les mêmes... Ici toutes les choses que nous avons apportées avec nous, notre culte, notre langue, nos vertus et jusqu'à nos faiblesses deviennent des choses sacrées, intangibles et qui devront demeurer jusqu'à la fin... Mais au pays de Québec, rien n'a changé. Rien ne changera, parce que nous sommes un témoignage. De nous-mêmes et de nos destinées, nous n'avons compris clairement que ce devoir-là : persister et nous maintenir... »

À son contenu primitif le nationalisme canadien-français ajouta alors un autre objectif : celui d'une association, dans l'égalité, des deux communautés, l'anglophone et la francophone ; la lutte pour la survivance se doubla d'une lutte pour la coexistence, *the struggle for life* devint, en plus, *the struggle for equal partnership.* Des hommes comme Louis-Hippolyte LaFontaine, Georges-Étienne Cartier et Henri Bourassa firent de ce deuxième objectif l'idéal à poursuivre dans leur carrière politique. Bourassa surtout ne cessa de préconiser un nationalisme canadien, dans lequel s'insérerait un nationalisme canadien-français revendicateur, tant pour les individus que pour la communauté francophone elle-même, de l'égalité de droits et de chances par tout le Canada.

Le gouvernement Pearson devait donner à ce deuxième objectif de la *coexistence dans l'égalité* une reconnaissance officielle en instituant la Commission royale d'enquête sur le bilinguisme et le biculturalisme avec le mandat de « recommander les mesures à prendre pour que la Confédération se développe d'après le principe de l'égalité des deux peuples qui l'ont fondée ». Commission qui ne tarda guère à constater, dès les débuts de son enquête, qu'il existe « un espoir traditionnel au Canada français : celui d'être l'égal, comme partenaire, du Canada anglais ». À la réalisation de cet espoir la survivance même du Canada lui apparut désormais liée. Aussi écrivit-elle : « Si l'on estime que cette idée est irréalisable parce qu'on ne peut concevoir une telle égalité ou qu'on ne peut l'accepter, nous croyons que de la déception naîtra l'irrémédiable. Une importante fraction du Québec francophone est déjà tentée de faire cavalier seul. » En conséquence, ajouta-t-elle, il faut que les Canadiens de langue anglaise « acceptent, comme nécessaire à la survivance du Canada, une association réelle comme il n'en peut exister qu'entre partenaires égaux » [4].

Partageant cet avis, le gouvernement Trudeau entreprit, en 1969, dans des circonstances extrêmement difficiles, d'assurer à la langue française un statut juridique et administratif plus juste et fit adopter sa loi sur les langues officielles au Canada. Sans doute, y avait-il dans les mesures alors adoptées une volonté de « contrecarrer l'attrait du séparatisme » et de développer un

4. *Rapport préliminaire,* Ottawa, 1965, nos 131 et 135.

« nationalisme fédéral »[5] ; elles n'en donnaient pas moins reconnaissance et légitimité au deuxième objectif poursuivi par le nationalisme canadien-français, à savoir la coexistence dans l'égalité.

Dans le même temps, toutefois, un troisième objectif prenait la vedette au Québec, transformait le nationalisme canadien-français en mouvement de pointe et lui faisait jouer le rôle de « flèche de l'évolution ». Dynamique et exaltant, le nationalisme d'*indépendance* envahissait la scène québécoise, reléguait dans l'ombre les deux autres objectifs et absorbait peu à peu tout le contenu du mot nationalisme.

Reprenant à son compte le vieux rêve qui hante la conscience nationale depuis l'époque troublée de 1837, ce nationalisme veut faire du Québec un État français, un État pleinement souverain, voire indépendant, qui à la fois façonnerait et couronnerait une société québécoise nationalement intégrée, c'est-à-dire où se réaliserait l'accord fondamental de la langue et de la culture françaises, d'une part, et de l'économique et du politique, d'autre part[6].

Pour expliquer la résurgence et l'emprise de cette troisième forme de nationalisme, on a donné bien des raisons, chacune contenant sa part de vérité. Peut-être la meilleure, celle qui les ramasse toutes et va le plus au fond des choses, est-elle la suivante : la conviction qui gagne de plus en plus de Canadiens français au Québec que les deux premiers objectifs ne peuvent être atteints que par l'intermédiaire du troisième ; *la conviction,* en d'autres termes, *que la survivance et la coexistence ne peuvent désormais être assurées que par l'indépendance.*

Au fond, c'est parce qu'ils veulent mieux assurer la survivance de la langue et de la culture françaises que les nationalistes québécois réclament l'indépendance du Québec. Ils voient que, dans les autres provinces, les minorités francophones, faute de

5. Pierre Elliott TRUDEAU, *Le fédéralisme et la société canadienne-française,* Montréal, 1967, p. 204.

6. Je reprends ici ce que j'ai déjà écrit sur le même sujet dans un article à la revue *Relations,* « Où va le nationalisme canadien-français ? », juillet-août 1970.

ressources économiques et de pouvoirs politiques bien à elles, sont en train de s'assimiler ; ils constatent que, au Québec même, le taux de natalité ne cesse de baisser, les immigrants de s'intégrer à la communauté anglophone, le peuple des villes de réclamer toujours plus d'anglais simplement pour gagner sa vie, et ils en viennent à conclure, comme l'a fait Pierre Vadeboncœur dans son petit livre *La dernière heure et la première,* que la question nationale est maintenant devenue une question de liberté et de pouvoir, et que, en conséquence, seule la possession du pouvoir, de la totalité du pouvoir politique, peut désormais assurer aux Canadiens français une place et une action dans l'histoire.

Ils sont, eux aussi, pour la coexistence dans l'égalité, mais ils ne la croient possible et réalisable que dans et par le Québec, que dans et par un Québec souverain. Voilà pourquoi, après avoir été des Canadiens, puis des Canadiens français, ils ne veulent plus être maintenant que des Québécois. Alors que les nationalistes fédéraux prétendent assurer cette coexistence en garantissant les droits individuels du français et en faisant appel à une intervention plus poussée d'Ottawa en faveur du bilinguisme, les nationalistes québécois, à la suite de la Commission Laurendeau-Dunton, rappellent, en premier lieu, que le problème de l'égalité ou de la coexistence comporte aussi une donnée communautaire et une dimension politique. Une donnée communautaire qui exige une solution communautaire, c'est-à-dire la reconnaissance de l'égalité, non seulement des individus, mais des communautés ; une dimension politique qui appelle, elle aussi, une solution politique, c'est-à-dire la reconnaissance du caractère particulier du Québec comme formant une société majoritaire de langue française et assumant, de ce fait, le principal rôle à jouer dans la poursuite de l'égalité.

Allant ensuite plus loin et stimulée par l'attitude d'un gouvernement central qui prétend régler le problème de l'égalité en ne tenant compte ni de sa donnée communautaire ni de sa dimension politique, mais uniquement par une protection accrue des droits individuels plutôt que par un renforcement de l'État québécois, ces mêmes nationalistes en sont venus à croire que l'association dans l'égalité, la coexistence, l'*equal partnership,* dont on parle tant, n'est qu'un mirage trompeur, qu'une dangereuse illusion, si elle ne s'appuie pas sur la force d'un Québec souverain, d'un Québec disposant de la plénitude du pouvoir politique.

Voilà, brièvement présenté, le contenu du nationalisme canadien-français. La *survivance* demeure toujours son objectif primaire et fondamental ; il y ajoute aujourd'hui la *coexistence* et l'*indépendance,* objectifs qu'il considère comme exigés maintenant par la dignité et la liberté de l'homme canadien-français, par la dignité et la liberté de l'homme québécois. C'est un nationalisme qu'il faut qualifier de *tragique,* non seulement parce que sur lui repose le destin d'un peuple constamment menacé de disparaître, mais parce qu'il ne réussit à faire l'accord chez les siens que sur son objectif de base : la survivance, et qu'il se divise par la suite en deux courants opposés, qu'on dirait formés de frères ennemis. Tragique aussi, parce qu'il est, pour ainsi dire, un nationalisme en croix, les deux courants qu'il engendre s'élevant comme les deux bras d'une croix et pointant, chacun, dans une direction contraire vers une apparente et nécessaire utopie.

Ainsi situé parmi les autres mouvements semblables et ainsi défini quant à ses objectifs, le nationalisme canadien-français prend sa figure propre. Même s'il se montre plus ambitieux au Québec que dans les autres provinces, cela ne signifie pas qu'il y soit différent et qu'il puisse s'y permettre de négliger la poursuite de son premier et traditionnel objectif, car au Québec aussi se pose le problème de la survivance. Il importe, avant d'en venir à l'attitude de l'Église, de s'y arrêter quelques instants.

CHAPITRE II

La survivance, problème aussi québécois

Le nationalisme canadien-français, on ne le rappellera jamais trop, est essentiellement et fondamentalement un nationalisme de survivance : il est la réaction vitale d'une communauté linguistique et culturelle qui se sent menacée dans son être même et, de ce fait, cherche à se protéger et à se défendre. Dans la plupart des provinces canadiennes, *survivre* demeure encore le seul objectif que puissent se permettre et espérer atteindre les groupements francophones. Leur projet d'avenir commence et finit avec la *survivance.*

Au Québec, qu'en est-il ? Les francophones, certes, peuvent y caresser des projets plus ambitieux, mais il ne faudrait pas affirmer trop vite, comme certains le font, que le problème de leur survivance est une affaire réglée. Des faits nouveaux, d'une exceptionnelle importance, se sont produits en ces derniers temps au Québec et y reposent pour l'avenir toute la question de la survivance française. J'en signale quelques-uns parmi les plus évidents [1].

1. Le premier et le plus grave est celui de *l'emprise croissante de l'économie et de la civilisation américaines sur l'économie et la culture québécoises.* Cette emprise s'étend partout : sur les

---

1. Je reprends ici des considérations déjà publiées dans un article à la revue *Relations,* « Où va le nationalisme canadien-français ? », juillet-août 1970. Pour de plus longs développements, voir l'ouvrage de Maurice SAINT-GERMAIN, *Une économie à libérer. Le Québec analysé dans ses structures économiques,* Montréal, 1973.

maisons d'affaires, sur les journaux et les revues, les postes de radio et de télévision, les cinémas, les écoles et les universités. Et, comme si la situation n'était déjà pas suffisamment critique, des personnages haut placés répètent tous les jours qu'il n'y a de salut, donc de survivance, pour les Canadiens français que dans une intégration encore plus poussée à la civilisation nord-américaine. Certes, on ne peut nier les avantages économiques d'une pareille intégration, mais comment, devant les traumatismes que déjà elle inflige à la langue, à la culture et à l'esprit des Québécois, ne pas se poser la question de savoir si, au bout du processus, il y aura encore des Canadiens français ?

Il y a déjà longtemps que l'écrivain français André Siegfried avait décelé ce danger que fait courir la civilisation américaine à la survivance française, même au Québec. Selon lui, l'urbanisation massive des Canadiens français au cours du XXe siècle a été la première et principale brèche dans leur mur de défense : « Dans les villes, déclare-t-il, l'américanisation les guette, bien plus elle se jette à leur tête, les saisit à la gorge ». Comment pourraient-ils résister ? Où vont-ils trouver l'aliment spirituel qui leur permettra de surmonter la tentation, « car l'appel du confort collectif standardisé est irrésistible ». Sans doute, ces masses continueront-elles à parler français, un français corrompu d'anglicismes peut-être, mais « c'est leur âme même qui réussira mal à demeurer distincte. » Plus que l'anglicisation, l'américanisation constitue donc le véritable danger : « Il ne peut, conclut Siegfried, y avoir d'accommodation et, si l'on ose regarder les choses en face, toute assimilation du Canadien français aux mœurs américaines signifie nécessairement l'abandon de sa propre tradition : il ne restera lui-même que dans la mesure où il ne s'américanisera pas » [2].

Cet avertissement garde encore toute sa valeur aujourd'hui, car la puissance de pénétration de l'influence américaine n'a ja-

2. André SIEGFRIED, *Le Canada, puissance internationale,* Paris, nouvelle édition, 1947, pp. 64 et 67. Le même avertissement nous est constamment servi, à savoir que, si les Canadiens français veulent jouir des « bonnes choses » qu'offre l'Amérique du Nord, ils doivent adopter « the North American way of life » et « the dominant North American way of speech » (cf. Donald CREIGHTON, « The Myth of Biculturalism or The Great French-Canadian Sales Campaign », *Saturday Night,* September 1966, pp. 38-39).

mais été aussi grande[3]. Le grand défi, observe le sociologue montréalais, Guy Rocher, que devra relever le Canada français d'ici la fin du siècle est celui de savoir s'il sera capable de constituer, à côté du géant américain, une nation originale et d'affirmer son indépendance culturelle dans le contexte nord-américain. « S'il n'y a pas d'espoir, ajoute-t-il, de réaliser au nord du quarante-cinquième parallèle une nation originale, d'édifier une société qui ne soit pas une pure réplique des États-Unis, je dis sans ambages que l'aventure francophone que nous sommes obligés de vivre à la force du poignet aura été vaine et futile... Toute la question est de savoir si nous pourrons faire cela dans les prochaines années ou si nous ne sommes pas déjà trop intégrés à la civilisation américaine, culturellement et économiquement, pour vouloir nous en dégager et affirmer en marge d'elle une francophonie nord-américaine autonome »[4].

En d'autres termes, même au Québec, il n'est pas du tout assuré que la francophonie maintienne une culture originale et ne finisse pas par céder à la tentation de se donner un visage et un esprit américains.

2. À ce premier fait de l'emprise américaine s'en ajoute désormais un autre qui, lui aussi, met en cause la survivance canadienne-française : *le déclin rapide et constant du taux de natalité au Québec.* Pendant longtemps, celui-ci s'est classé, en ce domaine, à la tête de toutes les provinces canadiennes ; puis, en l'espace de quelques années, il s'est laissé dépasser par chacune et maintenant il rivalise avec la Colombie-Britannique pour occuper la dernière

3. Entre la France et les États-Unis, il y a l'Atlantique, et pourtant, dans son ouvrage *Le défi américain,* Jean-Jacques SERVAN-SCHREIBER n'a pu s'empêcher d'écrire : « Les capitaux américains, la gestion américaine, ne s'arrêteront pas aux frontières de la culture. Aucun frisson sacré ne retiendra les *managers* de franchir le seuil de notre sanctuaire... Le Caire ou Venise ont pu conserver leurs caractères socio-culturels pendant des siècles de décadence économique, le monde était alors moins resserré et le rythme des changements infiniment plus lent. Une civilisation déclinante pouvait vivre longtemps du parfum d'un vase vide. Nous n'aurons pas cette consolation » (Paris, 1967, p. 116).

4. Guy ROCHER, « Les conditions d'une francophonie nord-américaine originale », dans la *Revue de l'Association canadienne d'éducation de Langue française,* décembre 1971, pp. 15, 16 et 20. Article reproduit dans l'ouvrage du même auteur, *Le Québec en mutation,* Montréal, 1973, pp. 89-108, les citations étant aux pages 95 et 107.

place. En 1957, par exemple, les naissances s'élevaient au Québec au nombre de 141,396, ce qui donnait un taux de 29.7 par mille habitants ; mais, en 1971, on ne comptait plus que 91,788 naissances et le taux était tombé à 15.2, soit une diminution de près de la moitié en l'espace de quinze ans. Avec un pareil taux, la population du Québec, loin de s'accroître, pourra tout juste se maintenir, comme en témoigne le dernier recensement, celui de 1971. Il nous révèle, par exemple, qu'en cinq ans, le nombre des enfants de moins de 15 ans au Québec a diminué de 158,038, et qu'en dix ans, soit de 1961 à 1971, le nombre des enfants de 0 à 4 ans a diminué de 190,736 [5]. Autant de faits qui indiquent que les Canadiens français ont maintenant relégué aux oubliettes le rêve et l'espoir d'une « revanche des berceaux » et qu'ils ne conservent plus ni le désir ni la force de se multiplier comme autrefois.

Quoi qu'on puisse penser d'un tel phénomène [6], on doit reconnaître qu'il ne favorise guère la survivance canadienne-française. Seuls ceux qui ignorent ou méprisent la puissante influence du nombre dans la survie des peuples peuvent le considérer d'un œil indifférent. Pour les francophones, en tout cas, le nombre, tant sous le régime français que sous le régime britannique, a toujours constitué un facteur déterminant de leur existence nationale. C'est parce qu'ils n'étaient pas assez nombreux en Nouvelle-France qu'ils ont finalement succombé sous les coups des armées anglaises et américaines, et que l'anglophonie l'a définitivement emporté sur la francophonie en Amérique du Nord. C'est aussi parce qu'ils ont su admirablement se multiplier qu'ils sont encore là et comptent encore pour quelque chose aujourd'hui. À l'avenir, le nombre jouera de plus en plus contre eux et, s'ils n'y prennent garde, tous leurs projets, même au Québec, pourraient bien se réduire à un seul : à la survivance d'un groupe de

5. Pour de plus amples statistiques, voir mon article, « La famille au Québec », dans *Relations,* janvier 1973, ou encore « Le Québec et son visage français », *Relations,* juillet-août 1972.

6. Un seul commentaire sur le sujet : « We have had a decline in the national birth rate since 1956, but the phenomena is the 45.5 per cent fall in the birth rate of a province where 88 per cent of the population is Roman Catholic-Quebec » (Marcia McGOVERN, « Quebec births down by half », dans *The Canadian Register,* Toronto, June 17, 1972).

plus en plus minoritaire dans une Amérique du Nord de plus en plus anglophone.

3. Si encore, pour augmenter leurs effectifs, les francophones au Québec pouvaient compter sur l'apport d'éléments étrangers. Mais, — et c'est là le troisième fait qui pèse lourdement sur leur avenir — *les immigrants qui viennent au Québec s'intègrent massivement à la communauté anglophone,* dont ils grossissent chaque jour les rangs. Dans la région métropolitaine, plus de 80 pour cent d'entre eux choisissent l'école anglaise pour leurs enfants et, selon le Rapport Gendron, « ils utilisent l'anglais à raison de 67 % de leur temps de travail et le français pour les 33 % restant »[7]. La situation est devenue telle qu'elle a suscité chez les francophones une réaction de défense qui les porte à dire : ce n'est pas la survivance de l'anglais qui est menacée au Québec, mais bien celle du français ; ou nous allons prendre les mesures nécessaires pour garder notre langue vivante ou il nous faudra un jour ou l'autre nous décider à nous joindre définitivement à la communauté anglophone du Canada[8].

4. Un autre fait à signaler ici et qui sera développé plus tard a trait à la *sécularisation progressive de la société québécoise,* c'est-à-dire à l'abandon de ce qu'on avait coutume de considérer jusqu'ici comme l'une des constituantes de la culture canadienne-française : son inspiration catholique. À la société homogène et close d'autrefois, animée par une idéologie de chrétienté, a succédé une société ouverte à toutes les idéologies et qui se cherche maintenant un centre d'unité en même temps qu'un idéal de vie. Pour la première fois de son histoire, le peuple canadien-français semble sérieusement envisager l'éventualité d'un divorce avec celle qui, depuis toujours, fut son guide spirituel et lui procura quelques-unes des structures les plus efficaces pour sa survivance, c'est-à-dire avec l'Église catholique. Expérience cruciale, aux conséquences lointaines innombrables et encore imprévisibles, mais

---

7. *La situation de la langue française au Québec,* vol. 1, *La langue de travail,* Québec, 1972, p. 63.

8. À ce fait de l'anglicisation massive des immigrants au Québec, on pourrait ajouter celui de la « bilinguisation » croissante des Québécois, dont le résultat lointain sera de reléguer l'usage du français aux rapports domestiques et interpersonnels.

qui déjà déchire et divise un peuple ayant pourtant besoin de toutes ses forces pour se maintenir dans l'existence et affronter avec succès les terribles défis de l'avenir.

Devant l'ampleur prise en ces dernières années par ces faits que nous venons de mentionner : emprise américaine, déclin de la natalité, anglicisation des immigrants, sécularisation de la société québécoise, il est clair que la question de la survivance, loin d'être définitivement réglée, se repose aujourd'hui d'une façon encore plus aiguë et appelle un nationalisme encore plus vigilant. En d'autres termes, placée comme elle l'est dans des circonstances toujours plus adverses, la communauté francophone ne peut pas, à ce point de vue, ne pas être nationaliste, c'est-à-dire, au sens premier et fondamental que le mot a pris au Canada français, ne peut pas ne pas vouloir sa propre survivance, du moins tant que l'instinct de conservation réagira encore chez elle et tant qu'il y aura des gens pour estimer que la langue et la culture françaises font partie intégrante de leur vie individuelle et communautaire.

Dans la poursuite de cet objectif, condition première et fondamentale de tout projet d'avenir, la communauté francophone peut-elle compter sur la collaboration de l'Église et jusqu'à quel point ? voilà ce qu'il nous faut maintenant examiner.

CHAPITRE III

L'Église et l'objectif de la survivance

Au Québec comme dans les autres provinces canadiennes, le nationalisme canadien-français poursuit comme premier et fondamental objectif la survivance de la communauté francophone. Au Québec comme dans les autres provinces, il rencontre sur sa route l'Église catholique, institution dont la mission est essentiellement d'ordre religieux et qui, en tant que catholique, se veut ouverte à toutes les nations. Dans le passé, en ce qui concerne son objectif premier, il a entretenu avec cette institution des rapports de véritable collaboration, du moins au Québec. Qu'en sera-t-il demain ? Pour le savoir, il convient, je pense, d'abord de rappeler les principaux points de l'enseignement général de l'Église en la matière, puis de considérer l'attitude actuelle de l'Église canadienne face à ce problème particulier.

L'enseignement général de l'Église

Il faut se garder de confondre le nationalisme de survivance dont il s'agit ici avec ce nationalisme qui pousse les grandes puissances à ne prendre pour règle de conduite dans le concert des nations que leur propre intérêt national et à vouloir imposer leurs vues et leur mode de vie aux autres. Ce dernier nationalisme, qui n'est qu'une des formes de l'impérialisme, l'Église le dénonce depuis longtemps, tandis qu'elle accorde volontiers son appui au premier, lequel revient, en pratique, à la défense du droit à la vie pour les petites communautés culturelles, indépendantes ou non. Il peut être le cas soit de minorités nationales au sein d'un État multinational, soit de petites nations menacées par le rayonnement et l'attraction de puissants voisins. Dans l'un et l'autre cas, il y a lutte pour la survivance, tant de la part des minorités qui ne veulent pas se laisser assimiler, que de la part des petites nations qui tiennent à garder leur personnalité et à jouer un rôle dans l'histoire.

L'enseignement du magistère ecclésiastique sur ce sujet est clair et positif : les minorités nationales [1] et les petites nations ont droit à la vie, et leur nationalisme, tant qu'il se borne à défendre et à promouvoir ce droit, est tout à fait légitime. L'Église elle-même tient à donner l'exemple : elle interdit à ses missionnaires de s'adonner à un nationalisme assimilateur et elle leur demande de chercher à préserver tout ce qu'il y a de valable et d'humain dans les cultures des pays qu'ils évangélisent. Dans l'Église, affirmait déjà Pie XI, en 1937, « il y a une patrie pour tous les peuples et pour toutes les langues, il y a place pour le développement de toutes les qualités particulières... concédées par le Dieu créateur et Sauveur tant aux individus qu'aux communautés ethniques » [2].

Et Pie XII a défini les positions de l'Église en la matière dans sa première encyclique de 1939 :

> L'Église du Christ... ne peut penser ni ne pense à attaquer ou à mésestimer les caractéristiques particulières que chaque peuple, avec une piété jalouse et une compréhensible fierté, conserve et considère comme un précieux patrimoine... Toutes les orientations, toutes les sollicitudes, dirigées vers un développement sage et ordonné des forces et tendances

---

1. La distinction entre minorité *nationale* et minorité *communautaire* est à retenir ici : « La minorité nationale au sens strict est celle qui a tendance à se concevoir comme une *autre* nation ou comme partie d'une autre nation que la majorité habitant le territoire de l'État ; la minorité communautaire, celle qui partage l'essentiel du vouloir-vivre commun de la majorité, mais est ou se conçoit comme différente dans sa langue, dans sa culture ou dans ses traditions et coutumes (y compris dans ses coutumes d'organisation politique locale, lorsqu'il s'agit d'une minorité localisable) » (Jean-Yves CALVEZ, S.J., « Protection internationale des droits des minorités », dans *Revue de l'Action Populaire,* janvier 1962, p. 24).

2. PIE XI, *Encyclique « Mit Brenneder Sorge » sur le national-socialisme,* 1937. — On trouvera beaucoup d'autres textes sur le même sujet dans mes deux ouvrages : *L'Église et le nationalisme,* Montréal, 1944, et *L'Église catholique et l'organisation de la société internationale contemporaine,* Montréal, 1949.

> particulières, qui ont leur racine dans les fibres les plus profondes de chaque rameau ethnique, pourvu qu'elles ne s'opposent pas aux devoirs dérivant pour l'humanité de son unité d'origine et de sa commune destinée, l'Église les salue avec joie et les accompagne de ses vœux maternels... Tout ce qui, dans ces usages et coutumes, n'est pas indissolublement lié à des erreurs religieuses sera toujours examiné avec bienveillance, et, quand ce sera possible, protégé et encouragé... Ceux qui entrent dans l'Église, quelle que soit leur origine ou leur langue, doivent savoir qu'ils ont un droit égal de fils dans la maison du Seigneur [3].

On ne saurait être plus clair. Fidèle à lui-même, le même pape, pendant la seconde guerre mondiale, intervient pour réclamer justice en faveur des minorités culturelles et des petites nations. Lors de son Message de Noël 1939, par exemple, il déclare : « Un postulat fondamental d'une paix juste et honorable est d'assurer le droit à la vie et à l'indépendance de toutes les nations, grandes et petites, puissantes et faibles. » Deux ans plus tard, soit en 1941, il revient à la charge dans un autre message de Noël :

> Dans les limites d'un ordre nouveau fondé sur des principes moraux..., il n'y a pas de place pour l'oppression ouverte ou occulte des caractéristiques culturelles ou linguistiques des minorités nationales, pour entraver ou restreindre leurs ressources économiques, pour limiter ou abolir leur fertilité

---

3. PIE XII, *Encyclique « Summi Pontificatus » sur l'État*, 1939. — Cette adaptation de l'Église à tous les peuples et même aux minorités nationales est, selon le P. Delos, O.P., une conséquence du fait qu'elle enseigne une religion d'amour et de charité et que la charité fuit l'abstraction, maintient contact avec la vie et sauve tous les éléments de culture locale. De là, ajoute-t-il, ce fait bien connu : « Le catholicisme, qui ne se départit jamais du loyalisme envers l'État, qui en fait un devoir, a d'autre part presque universellement partie liée avec les forces régionalistes et les minorités ethniques... La religion *universaliste* par excellence : le catholicisme, est aussi celle qui tend le plus à s'incorporer au sol, à en épouser toutes les différenciations par ses paroisses, ses diocèses, son clergé, ses institutions » (Cours à la Semaine sociale de Paris, 1928, compte rendu, pp. 415-16). Le même avait déjà écrit : « Le catholicisme est *nationaliste* parce que l'individu humain pour s'épanouir a naturellement besoin d'un milieu nourricier, stabilisateur, éducateur... Mais le catholicisme est *internationaliste,* car l'individu humain est, en même temps, une personne, l'égale de toute autre par sa nature intelligente et libre et par sa destiné » (*La Société internationale,* ouvrage en collaboration, Paris, 1928, p. 18).

naturelle. Plus le gouvernement de l'État respecte consciencieusement les droits des minorités, plus il peut exiger, avec confiance et efficacité, que ses sujets remplissent loyalement ces obligations civiles qui sont communes à tous les citoyens.

Jean XXIII, dans son encyclique *Pacem in terris* de 1963, allait reprendre et développer ce thème des minorités face à l'État. À ce dernier il demande deux choses : ne pas nuire aux minorités et leur rendre service. Il écrit :

> Toute politique tendant à contrarier la vitalité et l'expansion des minorités constitue une faute grave contre la justice, plus grave encore quand ces manœuvres visent à les faire disparaître. Par contre, rien de plus conforme à la justice que l'action menée par les pouvoirs publics pour améliorer les conditions de vie des minorités ethniques, notamment en ce qui concerne leur langue, leur culture, leurs coutumes, leurs ressources et leurs entreprises économiques [4].

Si Jean XXIII parle ainsi, c'est qu'il considère que le rôle des pouvoirs publics est à la fois de protéger les droits de la personne humaine et de veiller à la réalisation du bien commun, ce qui implique, dans l'un et l'autre cas, le service des minorités, car « les particularités ethniques qui distinguent les différents groupes humains s'inscrivent dans l'aire du bien commun, sans suffire pour autant à sa définition complète » [5]. En retour, il demande aux minorités de ne pas exagérer l'importance de leurs particularités et de prendre conscience aussi des avantages de leur condition [6].

Avec Paul VI, l'accent sera mis sur le droit au développement pour tous les peuples, pour les plus faibles et les plus pauvres en

4. JEAN XXIII, *Encyclique « Pacem in terris » sur la paix*, 1963, nos 94-97. — J'ai déjà commenté plus longuement ces mêmes paragraphes dans un article à la revue *Relations*, sous le titre « Indépendance et minorités », en juin 1963, pp. 167-168.

5. *Ibid.*, no 55.

6. *Ibid.*, no 97. Dans son allocution à la Fédération des femmes canadiennes-françaises, en congrès à Ottawa, les 2-3 mai 1963, le délégué apostolique au Canada, Mgr Sebastiano Baggio, a commenté longuement ces paragraphes en les appliquant à la situation canadienne. Cf. *Le Devoir*, 6 mai 1963.

particulier [7]. Réunis à Rome pour le synode de 1971, les évêques, représentant l'Église du monde entier, réaffirmeront « le droit à l'identité des peuples » et demanderont que, « pour réaliser le droit au développement, les peuples ne soient pas empêchés de se développer selon leurs propres caractéristiques culturelles ». Ils parleront même de « nationalisme responsable » et d' « autodétermination » comme conditions requises pour que les peuples en voie de développement accèdent « à leur identité » [8].

Tous ces textes montrent que l'Église, dans son enseignement officiel tout au moins, n'hésite pas à reconnaître le droit à la vie et au développement des communautés culturelles et nationales, qu'elles soient majoritaires ou minoritaires, indépendantes ou non ; à reconnaître aussi que c'est grâce à « un nationalisme responsable » que les peuples en voie de développement trouvent « l'élan nécessaire pour accéder à leur identité ». Enseignement qui confirme, s'il en était besoin, la légitimité du nationalisme canadien-français dans ses efforts pour assurer la survivance de la communauté francophone au Canada.

L'attitude actuelle de l'Église canadienne

À cet enseignement général l'Église canadienne a-t-elle toujours conformé son attitude dans le passé ? Il est d'autant plus permis de poser la question que l'Église au Canada, tout comme la population du pays, d'ailleurs, parle principalement deux langues : l'anglais et le français, et que, pour la majorité, la tentation est toujours grande de vouloir imposer sa langue à la minorité.

---

7. PAUL VI, *Encyclique « Populorum progressio » sur le développement des peuples,* 1967, ainsi que *Lettre apostolique « Octogesima adveniens » au cardinal Maurice Roy,* 1971.

8. SYNODE DES ÉVÊQUES, 1971, « *La justice dans le monde* ». De cette déclaration voici un paragraphe : « En assumant leur destin dans une volonté de promotion, les peuples en voie de développement — même s'ils n'aboutissent pas au résultat final — manifesteront authentiquement leur propre personnalisation. Pour affronter les rapports inégaux de l'enjeu planétaire actuel, un nationalisme responsable leur donne l'élan nécessaire pour accéder à leur identité. C'est de cette autodétermination fondamentale que peuvent découler les efforts pour l'intégration de nouveaux ensembles politiques susceptibles de rendre viable leur plein développement, les mesures nécessaires pour soulever les inerties qui contrecarrent cette poussée — comme dans certains cas la pression démographique — ou les nouveaux sacrifices qu'une planification accrue demande à une génération pour construire l'avenir » (Texte publié en brochure dans la collection « L'Église aux quatre vents » des Éditions Fides, Montréal, 1971, p. 9).

Que certains dirigeants de la section anglophone aient succombé à pareille tentation, c'est un fait d'histoire, que je me contente de signaler au passage [9], car mon propos porte, non sur le passé, mais sur les projets d'avenir du peuple canadien-français. De même, je ne m'attarderai pas, non plus, sur l'attitude passée de l'Église francophone au Canada : ce qu'il y avait à dire à ce sujet — en bien comme en mal — a été dit maintes et maintes fois, en particulier les services qu'elle a rendus à la communauté canadienne-française, les structures qu'elle lui a fournies, l'influence qu'elle a exercée sur sa culture, les luttes auxquelles elle a participé pour la sauvegarde de sa langue, etc. Bref, il n'est pas exagéré de dire qu'elle a largement fait sien l'objectif de la survivance poursuivi par le nationalisme canadien-français et que, en dépit de tous les reproches qu'on n'a pas manqué de lui faire [10], elle a, dans le passé, contribué pour une bonne part à la réalisation de cet objectif [11].

---

9. Voir à ce sujet, entre autres auteurs et ouvrages, André SIEGFRIED, *Le Canada, puissance internationale,* Paris, 1947, pp. 59-61.

10. Voir encore SIEGFRIED, *op. cit.,* aux pages 65, 212-215, et plus récemment, Claude RACINE, *L'anticléricalisme dans le roman québécois,* 1940-1965, Québec, 1972.

En réponse, on lira dans le rapport Dumont le chapitre intitulé, « L'ancienne alliance de l'Église et de la société québécoise » (pp. 63 à 75), chapitre qui aide à comprendre bien des choses.

Se rapporter aussi à l'homélie prononcée par l'archevêque de Montréal, Mgr Paul Grégoire, à l'occasion de la fête de saint Jean-Baptiste, en 1972. Après avoir souligné les services rendus par l'Église à la communauté francophone du Québec, l'archevêque déclarait : « S'il est arrivé que certaines expériences d'Église ont pu, aux yeux de quelques-uns, entretenir ou accentuer une situation collective d'infériorité ou d'aliénation, le bilan est autrement plus positif des initiatives libérantes que l'Église du Québec a fait jaillir, en épousant le sort des hommes de chez nous » (Texte dans *Le Devoir,* 19 juin 1972).

Consulter enfin Germain LESAGE, « Un fil d'Ariane : la pensée pastorale des évêques canadiens-français », dans l'ouvrage en collaboration, *Le laïc dans l'Église canadienne-française, de 1830 à nos jours,* Montréal, 1972, pp. 9-83.

11. Quelques phrases-clés du chapitre, signalé à la note précédente, du rapport Dumont : « Dans l'histoire de notre société, l'Église a joué un rôle tout a fait essentiel » (p. 63). — « S'il est vrai que l'Église s'est en quelque sorte approprié notre société, celle-ci s'est aussi approprié l'Église » (p. 63). — « L'Église s'est d'abord développée ici dans une société coloniale. Elle en a tiré puissance et servitude » (p. 64). — « Une société s'est développée ici en osmose avec une communauté ecclésiale bien enracinée sur le sol québécois... Il nous apparaît légitime de parler, à propos de notre passé, d'une histoire où les *témoins,* clercs, colons, travailleurs ont tenté de réaliser un projet collectif dont la contexture s'avère en partie inextricablement humaine et chrétienne » (p. 75).

Et pour l'avenir ? Si l'on considère l'évolution présente tant de la société que de l'Église au Canada, deux choses, semble-t-il, sont à prévoir : d'une part, la section anglophone de l'Église canadienne acceptera de plus en plus ouvertement d'appuyer la communauté canadienne-française dans sa poursuite de la survivance ; d'autre part, la section francophone de cette même Église continuera à se dire solidaire du destin des Canadiens français, en quelque province qu'ils habitent, mais elle aura de moins en moins à assurer par elle-même leur survivance nationale.

Deux déclarations collectives de l'épiscopat canadien donnent un fondement à la première proposition que je viens de formuler, à savoir que même les évêques anglophones accepteront de plus en plus de réclamer justice pour les Canadiens français. La première date de 1945 ; les évêques y abordent les problèmes qui se posent au Canada vers la fin de la seconde guerre mondiale et déclarent qu'il faut, en particulier, apporter des redressements à la législation scolaire de la plupart des provinces, « à l'endroit surtout de l'élément catholique et français ». La justice et la paix le réclament :

> Aussi longtemps que dureront les inégalités flagrantes qui subsistent, sur ce terrain, entre le traitement qu'accorde la province de Québec à ses minorités religieuses et ethniques d'une part, et celui que leur imposent les autres provinces d'autre part, il nous paraît vain de parler d'égalité d'avantages et d'égalité de sacrifices ; vain aussi d'espérer voir régner chez nous cette confiance mutuelle indispensable à la paix et à la prospérité publiques.

Reprenant à leur compte l'enseignement de Pie XII et l'appliquant à la situation canadienne, ils diront : « Les minorités ethniques ont droit à leur culture et à leur langue. L'accès aux ressources économiques ne doit pas leur être restreint ; leur fertilité naturelle ne doit pas être limitée ni supprimée » [12].

Le centenaire de la Confédération en 1967 allait fournir aux évêques du Canada l'occasion de réexaminer l'ensemble de la situation canadienne, l'occasion aussi de réclamer justice pour les

---

12. *Déclaration du Conseil National de l'Épiscopat canadien* réuni à Québec, les 17 et 18 janvier 1945, sur *la Paix et la Justice.*

Canadiens français. En avril de la même année, ils publient une lettre collective, dans laquelle ils reconnaissent ouvertement que la communauté canadienne-française est enracinée depuis trois siècles en terre canadienne, qu'elle est l'héritière de « l'une des plus grandes cultures de l'histoire », qu'elle a « son unité, son individualité et son génie propres et... possède, à ces titres, un droit inaliénable et indiscutable à l'existence et à l'épanouissement ». Cette communauté a tendance à se considérer comme une nation, mais qu'elle le soit ou non, l'important, pour l'avenir du pays, est d'admettre le fait que « la sauvegarde et le progrès de la paix au Canada reposent sur la reconnaissance effective de la réalité sociologique que constitue la communauté canadienne-française et sur la reconnaissance effective des droits de cette dernière » [13].

Parlant de la communauté francophone du Québec, les évêques canadiens demandent qu'on lui reconnaisse le droit « à l'existence, à l'épanouissement dans tous les ordres de réalités, à des institutions civiles et politiques adaptées à son génie et à ses besoins propres, à cette autonomie sans laquelle son existence, sa prospérité, son essor économique et culturel ne seraient pas bien assurés » [14]. Pouvait-on souhaiter de la part de l'Église canadienne dans son ensemble un témoignage plus favorable et un appui plus net à la cause de la survivance française au Canada ?

Quant au problème des minorités, continuent les évêques dans cette même lettre, c'est un problème que nous aurons toujours parmi nous, « que ce soit au Québec ou dans le reste du pays, qu'il s'agisse des minorités de langue anglaise, de langue française ou des autres ». À la solution de ce problème il faudra appliquer les directives données par Jean XXIII dans son encyclique *Pacem in terris* (directives que j'ai rappelées tout à l'heure à la page 34). Sans doute, toutes ces minorités, ne sont pas dans la même situation au Canada, mais elles ont toutes droit à un traitement équitable, et il faut savoir reconnaître de manière positive leur apport précieux à la vie canadienne.

---

13. *Lettre collective des évêques catholiques du Canada à l'occasion du centenaire de la Confédération,* le 7 avril 1967, Ottawa, 1967, p. 5.

14. *Ibid.*, pp. 5-6.

Et les évêques de revenir sur ce qu'ils ont déjà appelé « le malaise principal de la société canadienne », malaise causé par la difficile coexistence des deux principaux groupes linguistiques et culturels, ayant l'un et l'autre leurs minorités. « Quant aux minorités d'expression française et d'expression anglaise, déclarent-ils, on ne peut négliger le fait qu'elles se rattachent, par suite de leur situation sociologique aussi bien que par le lien d'une disposition politique, à des communautés qui ont, dans certaines parties du pays, la consistance d'une véritable communauté nationale. Quand on réfléchit au problème des minorités au Canada, il faut aussi admettre qu'on peut à bon droit juger intolérable le régime politique qui, dans des situations analogues, n'assure pas le même traitement aux minorités de langue française qu'à celles de langue anglaise » [15].

À la question donc de savoir si l'Église canadienne est prête à reconnaître à la communauté canadienne-française le droit de survivre et de s'épanouir au Canada, prête aussi à l'aider concrètement dans cette survivance et dans cet épanouissement, cette lettre collective de l'épiscopat canadien donne une réponse affirmative. Que si, entre cette déclaration et les actes posés, des divergences se manifestent, le texte n'en demeure pas moins là, accusateur et l'épiscopat canadien n'en a pas moins pris l'engagement par écrit de soutenir la cause de la survivance française au Canada [16].

Si telles sont les positions de l'Église canadienne en général, on peut se douter que la section francophone y est pour quelque chose, car tout indique que celle-ci continuera à se dire solidaire du destin des Canadiens français. Son action variera cependant selon les lieux et les circonstances. Chez les minorités francophones, par exemple, elle assumera encore longtemps des fonctions de suppléance et fournira encore son aide à la cause de la survi-

15. *Ibid.*, pp. 6-7.

16. Il n'est question ici que de la *survivance ;* nous verrons plus loin quelle est l'attitude de l'Église à l'égard des deux autres objectifs : la coexistence et l'indépendance.

vance, du moins tant qu'on voudra bien accepter sa collaboration [17].

Au Québec l'Église a été historiquement et est encore trop liée à la communauté francophone pour qu'elle puisse s'en désolidariser pour l'avenir. Elle se trouvera cependant de plus en plus en face d'une société qui entend vivre par elle-même et s'organiser sur les plans économique, social et politique selon les critères ordinaires relevant de l'ordre profane. Aussi devra-t-elle centrer davantage son activité sur l'accomplissement de sa mission religieuse et spirituelle, apprendre, comme dit le rapport Dumont, « à se situer de façon plus évangélique, plus libre et plus créatrice au cœur des enjeux les plus cruciaux de notre société » [18]. Elle servira encore la cause de la survivance canadienne-française, mais d'une autre façon que par le passé.

Cela, le cardinal Rodrigue Villeneuve le prévoyait dès 1935 dans son discours à l'occasion de la fête de saint Jean-Baptiste. La langue et la foi, disait-il à ses auditeurs, sont unies chez nous par des liens étroits, mais ne les confondez pas, n'exigez pas que « l'Église se consacre principalement et comme à sa fin propre à la conservation de vos droits linguistiques et raciaux », et n'allez pas ensuite « la taxer de trahison, si elle jugeait devoir se renfermer plutôt dans son ordre spécifique et s'occuper avant tout des raisons supérieures de la foi ». L'Église respectera votre langue et vos traditions, elle les considérera même à un titre particulier, pour tant de services rendus au christianisme, elle saura vous exhorter à ne point vous désister vous-mêmes d'un langage qui enveloppe dans ses formules toute la foi de vos pères.

> Mais ne lui demandez point plus. Ne la chargez point d'un devoir qui vous incombe à vous-mêmes. La langue et la civilisation françaises sont par elles-mêmes des biens na-

---

17. À ce propos, il serait bon de prêter attention à cette remarque d'un comité gouvernemental touchant la jeunesse du Nouveau-Brunswick : « Au fur et à mesure qu'elle se dégage de toute influence religieuse, la communauté francophone semble proportionnellement menacée de perdre le désir de conserver son identité culturelle ; l'attrait puissant de certains aspects de la culture anglo-saxonne surpasse celui de la conservation de l'héritage culturel et détruit la cohésion du groupe francophone » (*C'est parti,* rapport du Comité Jeunesse au Secrétariat d'État, Ottawa, 1971, pp. 39-40).

18. *L'Église du Québec : un héritage, un projet,* Montréal, 1971, p. 14.

> turels dont vous êtes les légitimes propriétaires, et donc les premiers défenseurs, comme de toutes vos propriétés et de tous vos trésors. À leur sujet, l'Église vous enseigne la justice et l'économie, elle vous en montre le légitime usage, à vous de vous en servir selon sa doctrine. Pourquoi vouloir que ce soit elle partout et toujours qui prenne le soin de vous les conserver, alors que son mandat et ses visées doivent être d'un autre ordre et plus élevé [19] ?

Vos évêques et vos prêtres, ajoute l'orateur, vont continuer à faire leur part, mais n'oubliez pas qu'ils sont chargés d'abord des âmes, de toute race et de toute langue.

> Et que si vous avez un héritage social et national à conserver, c'est à vous de vous en donner la peine, à vous de vous dresser avec fierté et avec noblesse, à vous de garder la main sur votre domaine. Nous ne vous arrêterons point ; nous vous applaudirons ; nous vous rappellerons, s'il y a lieu, la hiérarchie des biens, et par conséquent la hiérarchie des amours [20].

Ainsi les tâches se trouvent bien départagées : concernant la survivance canadienne-française, les évêques et les prêtres continueront à faire leur part, mais la charge principale d'assurer cette survivance incombe au peuple canadien-français lui-même et à ses dirigeants, elle fait partie de son devoir national et patriotique.

Quelque trente-cinq ans plus tard, un autre archevêque, Mgr Paul Grégoire, de l'Église de Montréal, abordait à son tour cette question des rapports entre la religion et le nationalisme canadien-français, et il le faisait, lui aussi, à l'occasion de la fête de saint Jean-Baptiste. Les lignes de fond de sa pensée allaient dans le même sens que celles du cardinal Villeneuve. Notre survivance, observait-il alors, n'est plus maintenant liée à la jonction entre la religion, l'Église, la langue et le nationalisme. La situation a changé ; on prend de plus en plus conscience que se survivre est une tâche et une responsabilité humaines.

Mais, si la survivance est devenue une question d'ordre profane, le fait de la reconnaître comme telle n'implique pas que

---

19. Le cardinal Rodrigue VILLENEUVE, *Devoir et pratique du patriotisme,* Québec, 1935, pp. 24-25.
20. *Ibid.,* p. 25.

l'Église veuille la bannir de la conscience chrétienne, de la responsabilité de l'homme chrétien, car « que serait une foi qui n'aurait plus souci de nos solidarités humaines, de l'espérance et des douleurs de l'homme d'ici, du drame qui se joue chez les hommes qui font l'histoire mais sont aussi faits par elle ? » Il ne m'appartient pas, ajoutait l'archevêque de Montréal, de définir les formes que pourrait revêtir notre existence nationale dans l'avenir ; c'est là une question qui vous regarde et que je vous incite à prendre vraiment au sérieux, à considérer comme l'un de vos devoirs de l'heure :

> Notre question nationale constitue, parmi d'autres comme la justice, la liberté, le rôle de la jeunesse, la civilisation technique, un des problèmes majeurs de notre temps. Il faut s'en occuper. Il faut le faire dans la reconnaissance d'une diversité d'opinions et dans le respect de ceux qui ne pensent pas comme nous. Il faut le faire au nom d'un plus grand amour et d'une plus grande espérance, conscients que notre foi en Jésus se traduit comme une compromission de plus en faveur des hommes nos frères, comme un plus grand souci de les aider à être pleinement et totalement eux-mêmes [21].

Trois ans plus tard, le même archevêque de Montréal, parlant encore à l'occasion de la fête de saint Jean-Baptiste, après avoir rappelé que l'Église s'était ici identifiée à la vie des habitants du pays et qu'elle avait puisé son inspiration dans « le souci évangélique du service, le désir d'une promotion des individus comme de toute la collectivité québécoise », prenait cet engagement pour l'avenir :

> Ce *service d'hier,* les chrétiens de l'Église entendent le *maintenir demain...* Les formes de ce service ne seront sans doute pas toujours les mêmes. L'Église n'a plus à couvrir tous les champs que l'État et les institutions profanes assument désormais. L'Église cependant continuera, on peut en être sûr, à vivre et à vibrer au rythme de la société où elle s'incarne, à soutenir la quête d'identité d'un peuple qu'elle a façonné pour une part, alors que ce peuple, à son tour, a formé bien des traits de son visage. L'Église du Québec entend

21. Cf. *Le Devoir,* 23 juin 1969.

rester activement présente au devenir de ce peuple et travailler pour sa part à son épanouissement[22].

C'était répondre à la question qu'avait posée le rapport Dumont : « Après avoir été solidaire d'une longue lutte pour la survivance, l'Église va-t-elle se retirer tout simplement au moment où notre société vit peut-être le plus grand tournant de son histoire ? »[23]. Non, l'Église ne se retirera pas, elle restera activement présente au devenir du peuple canadien-français et travaillera pour sa part à son épanouissement. Son action cependant tendra moins à créer des cadres et des institutions, à définir les objectifs à poursuivre et à proposer les moyens concrets de les atteindre, qu'à former des hommes aux convictions spirituelles rayonnantes, des hommes passionnés à la fois de vérité, de justice, d'amour et de liberté, ces quatre bases de son programme de restauration sociale[24]. Contre les dangers qui menacent notre survivance nationale, l'Église ne peut plus comme autrefois servir de rempart, mais elle peut, certes, inciter les chrétiens à prendre au sérieux cette cause et à s'y dévouer, elle peut elle-même dénoncer les injustices faites aux Canadiens français et travailler à leur redonner les bases morales et les énergies spirituelles nécessaires à leur survivance en Amérique du Nord[25].

---

22. Mgr Paul GRÉGOIRE, « Espérance chrétienne et devenir national », *Le Devoir*, 19 juin 1972.

23. *L'Église du Québec : un héritage, un projet*, Montréal, 1971, p. 129.

24. Dans l'homélie citée précédemment à la note 22, Mgr Paul Grégoire déclarait : « La contribution particulière de l'Église sera précisément de façonner des hommes nouveaux, des hommes intérieurement transformés par la pensée de Dieu, porteurs de justice et témoins d'espérance... La qualité de notre apport à l'édification de la cité sera fonction de la qualité de nos rapports personnels avec Dieu... »

25. À propos de la survivance canadienne-française en Amérique du Nord et de la contribution de l'Église à ce sujet, il est bon de ne jamais perdre de vue l'opinion exprimée autrefois par André Siegfried sur les sources de la vitalité canadienne-française, vitalité, affirmait-il, qui tient à une certaine conception de la vie et du travail, conception catholique qui s'exprime dans une discipline morale et familiale et comporte le respect de valeurs, comme « l'acceptation de l'effort pénible, l'éloge de l'épargne et de la restriction, c'est-à-dire d'une sorte d'ascétisme, la doctrine de la famille nombreuse, considérée comme un devoir du chrétien, le sens de la mesure dans l'ambition, argument de raison qui est la négation même de tout l'américanisme... » (André SIEGFRIED, *Le Canada, puissance internationale*, Paris, 1947, p. 64).

CHAPITRE IV

L'Église et l'objectif de la coexistence

Pour le nationalisme canadien-français, la lutte pour la survivance demeure encore la première et la principale des tâches à entreprendre, mais ce n'est plus la seule. Un autre combat se poursuit aujourd'hui, dont l'objectif est la *coexistence,* et une coexistence non pas uniquement *mécanique,* de simple juxtaposition, mais encore *organique,* permettant de participer *dans l'égalité* à la vie de la collectivité canadienne. Survivre en tant que citoyens de seconde zone ou en tant que membres d'une minorité en train de mourir ne suffit plus à satisfaire les Canadiens français, du moins ceux qui habitent le Québec. Ils veulent que leur communauté nationale soit reconnue l'égale en droit de l'autre communauté qui existe au Canada, c'est-à-dire de la communauté anglophone. Reconnaissance qui implique l'égalité de droits et de chances, non pas seulement pour quelques individus parlant français, mais encore pour leur communauté nationale en tant que telle, et tout d'abord pour leur langue et leur culture, acceptées l'une et l'autre comme éléments constitutifs du patrimoine canadien.

À ce deuxième objectif que se donne aussi le nationalisme canadien-français, peut-on dire que l'Église est sympathique et disposée à travailler à sa réalisation ? Pour le savoir, il faut de nouveau considérer à la fois l'enseignement général de l'Église et l'attitude actuelle de la hiérarchie canadienne.

L'enseignement général de l'Église

Les papes, dans leur enseignement, ont abordé ce problème de la coexistence dans deux cas différents : celui des États dans la société internationale et celui des minorités nationales dans un même État. Dans l'un et l'autre cas, l'enseignement pontifical ne prête à aucune équivoque : pour répondre aux exigences de la justice et favoriser l'épanouissement de la paix, il faut promouvoir le plus possible cette *coexistence dans l'égalité* de droits et de chances pour toutes les nations et les communautés culturelles, grandes ou petites, indépendantes ou non. Telle est l'une des conditions préalables requises pour que le bien que l'État et la société internationale veulent procurer à l'homme soit véritablement un bien humain.

C'est surtout à propos de la place et du rôle des États dans la société internationale que les papes ont revendiqué la coexistence dans l'égalité. Pie XI et Pie XII l'avaient fait maintes fois [1] ; Jean XXIII y est revenu dans son encyclique *Pacem in terris,* où il a, entre autres choses, affirmé que la vérité qui doit présider aux relations entre les communautés politiques « bannit toute trace de racisme ; l'égalité naturelle de toutes les communautés politiques en dignité humaine doit être hors de conteste. Chacune a donc droit à l'existence, au développement, à la possession des moyens nécessaires pour le réaliser, à la responsabilité première de leur mise en œuvre. Chacune revendiquera légitimement son droit à la considération et aux égards » [2].

Paul VI va reprendre et expliciter ces idées dans la deuxième partie de son encyclique *Populorum progressio* sur « Le développement des peuples », deuxième partie qui traite du « développement solidaire de l'humanité ». Le développement intégral de l'homme, dira-t-il, ne peut aller sans le développement solidaire

1. J'ai déjà traité cette question dans *L'Église catholique et l'organisation de la société internationale contemporaine,* Montréal, 1949.

2. JEAN XXIII, *Lettre encyclique « Pacem in terris » sur la paix,* 1963, no 86. — Dans cette même encyclique le pape demande aux communautés politiques de se sentir et de se manifester solidaires, de « mettre en commun leurs projets et leurs ressources, pour atteindre les objectifs qui leur seraient autrement inaccessibles » (nos 98-99).

de l'humanité. Les peuples, en conséquence, ne peuvent se contenter de coexister en s'ignorant les uns les autres, il leur faut rechercher les « moyens concrets et pratiques d'organisation et de coopération, pour mettre en commun les ressources disponibles et réaliser ainsi une véritable communion entre toutes les nations ». Les plus riches aideront les plus pauvres, les plus puissants soutiendront les plus faibles, en se rappelant sans cesse que « la solidarité mondiale, toujours plus efficiente, doit permettre à tous les peuples de devenir eux-mêmes les artisans de leur destin » [3].

Mais, on ne parviendra à cette solidarité, à cette communion fraternelle entre les peuples, degré le plus élevé de la coexistence dans l'égalité, qu'en surmontant deux obstacles qui souvent en bloquent l'accès : le nationalisme et le racisme. Mal compris, le premier « isole les peuples contre leur bien véritable » ; quant au second, « il est encore un obstacle à la collaboration entre nations défavorisées et un ferment de division et de haine au sein même des États quand, au mépris des droits imprescriptibles de la personne humaine, individus et familles se voient injustement soumis à un régime d'exception, en raison de leur race ou de leur couleur » [4].

Une autre prise de position qui nous intéresse ici est celle du Synode des évêques tenu à Rome en 1971. Ayant à traiter de « La justice dans le monde », ce Synode a insisté sur « l'importance de la coopération internationale pour le progrès socio-économique », dénoncé la situation d'inégalité des pays en voie de développement et demandé qu'on leur reconnaisse une « participation à part entière et à égalité aux organisations internationales qui s'occupent du développement ». Tous ont un droit égal au développement, et cela exige, entre autres choses :

a) que les peuples ne soient pas empêchés de se développer selon leurs caractéristiques culturelles ;

---

3. PAUL VI, *Lettre encyclique « Populorum progressio » sur le développement des peuples*, 1967, nos 43 et 65.

4. *Ibid.*, nos 62-63. — Le nationalisme que les papes dénoncent est habituellement celui des États qui se replient sur eux-mêmes, ne pensent qu'à leur propre intérêt national et refusent de faire leur part pour aider au bon fonctionnement des institutions internationales. Voir, en particulier, le radiomessage de Paul VI pour la fête de Noël 1964, *La Documentation catholique*, 17 janvier 1965, col. 133.

b) que dans la collaboration mutuelle chaque peuple puisse être lui-même le principal artisan de son progrès économique et social;

c) que chaque peuple puisse prendre part à la réalisation du bien commun universel comme membre actif et responsable de la société humaine, à un plan d'égalité avec les autres peuples [5].

On dira peut-être que toutes ces considérations sur les droits et devoirs des peuples au sein de la société internationale ne concernent pas les Canadiens français, qui ne font pas directement partie de cette société. À pareille objection il est facile de répondre que les mêmes principes qui président au bon fonctionnement de la société des États président aussi à la paix et à l'ordre à instaurer au sein de chaque État, surtout s'il s'agit d'un État formé de communautés nationales distinctes. Là aussi, par exemple, il faut que chaque peuple — mettons ici : le peuple canadien-français — puisse se développer selon ses propres caractéristiques culturelles, être lui-même le principal artisan de son progrès économique et social et prendre part comme un égal à la réalisation du bien commun général.

Ces principes, il arrive que les papes les estiment appliqués, ou tout au moins respectés, quand ils s'adressent aux peuples ou aux représentants de certains pays dans des occasions officielles. Cela ne veut pas dire qu'ils approuvent tout ce qui s'y passe, mais seulement, que profitant de la situation, ils mettent l'accent sur un idéal à poursuivre, idéal dont ils découvrent un certain fondement dans ces pays. Deux cas sont à signaler ici, précisément parce qu'ils touchent à cet objectif de la coexistence, objet de notre étude.

Le premier est celui de la Suisse. En septembre 1946, elle célèbre avec éclat sa fête fédérale. Le pape Pie XII lui adresse un message radiophonique, dans lequel il déclare que l'exemple de la Suisse devrait donner à réfléchir, « à notre époque, où le concept de nationalité d'État, exagéré souvent jusqu'à la confusion, à l'identification des deux notions, tend à s'imposer comme un dogme ». La Suisse embrasse trois civilisations nationales dans l'unité d'un seul peuple, mais,

5. SYNODE DES ÉVÊQUES, *La justice dans le monde*, 1971, *op. cit.*, p. 24.

> en un temps où le nationalisme semble dominer partout, elle qui, plutôt qu'un État national, est une communauté politique transcendante, jouit de la tranquillité et de la force que procure l'union entre les citoyens... La vigueur, la puissance créatrice, que d'autres pensent trouver dans l'idée nationale, la Suisse la trouve, elle, à un degré tout au moins aussi élevé, dans l'émulation cordiale et dans la collaboration de ses divers groupes nationaux [6].

Pie XII encourage, en somme, le peuple suisse à poursuivre des objectifs valables pour tous les peuples : l'union entre les citoyens, l'émulation cordiale et la collaboration des divers groupes nationaux, le dépassement du nationalisme étroit, surtout de la part de l'État, etc. Parlant à un peuple en fête, tout naturellement il loue ce qui lui paraît bon chez ce peuple et l'encourage à poursuivre des objectifs politiques de coexistence, d'égalité et de collaboration.

Le second cas nous touche de beaucoup plus près, puisqu'il porte explicitement sur la coexistence au Canada. Le 16 janvier 1969, le pape Paul VI recevait au Vatican M. Pierre Elliott Trudeau, premier ministre du Canada, et il profitait de l'occasion pour exprimer sa confiance dans l'avenir du pays canadien, malgré « la gravité et la difficulté des problèmes qui se posent ». Et, mettant le doigt sur le premier de ces problèmes, il disait :

> La coexistence dans votre pays de deux communautés linguistiquement et culturellement distinctes ajoute sans doute encore à la difficulté. Mais l'esprit positif et réaliste de vos compatriotes sait trouver les moyens d'assurer le progrès de la nation, en conciliant harmonieusement des intérêts parfois divergents... Ils nourrissent la confiance que vous saurez promouvoir les intérêts généraux du pays dans la bonne entente de tous ses habitants. Il est trop évident, en effet, que ce qui les unit est plus fort et plus important que ce qui les divise.

Puis, en quelques mots, Paul VI explique la position générale de l'Église à propos de la coexistence entre les individus, les groupes et les peuples :

> L'Église, en vertu de sa mission, est favorable à tout ce qui rapproche les hommes dans une féconde collaboration.

---

6. PIE XII, *Message radiophonique au peuple helvétique,* le 14 septembre 1946. Texte dans *La Documentation catholique,* 1946, col. 1143-1146.

> Elle ne peut donc que souhaiter voir se développer au cœur de chaque nation une volonté sincère et unanime du bien commun... La vocation universelle de l'Église lui fait par ailleurs un devoir d'élargir aux dimensions du monde le souci de la bonne entente et de la collaboration entre les hommes, et c'est pourquoi elle s'engage si profondément dans la grande cause de la paix du monde [7].

Bien qu'il s'en tienne à ces généralités et à ces bons vœux qui servent de base aux allocutions pontificales lors des visites des hommes politiques au Vatican et bien qu'il corresponde en son fond à l'un des objectifs que poursuit le nationalisme canadien-français, c'est-à-dire la coexistence dans l'égalité, ce texte de Paul VI a eu mauvaise presse en milieu québécois. Entre autres choses, on lui a reproché : 1° de laisser entendre que la coexistence entre les deux communautés était harmonieusement réalisée au Canada ; 2° de parler de la *nation* canadienne comme d'un fait acquis ; 3° d'affirmer que ce qui unit les deux communautés est plus fort et plus important que ce qui les divise ; 4° de prendre parti, en somme, pour le régime existant et ainsi d'intervenir dans les affaires internes du pays [8].

Que de tels reproches aient pu être adressés à une simple allocution de bienvenue du pape Paul VI montre bien que la conscience nationale au Québec est non seulement divisée, mais encore au vif chez plusieurs, lesquels n'admettent plus les interventions officielles de l'Église sur le plan politique, surtout quand elles leur paraissent contraires à leurs propres opinions. De toute façon, même s'il y a matière à réflexion, on aurait tort d'accorder

---

7. « Paul VI évoque la coexistence au Canada », texte dans *L'Église canadienne,* février 1969, p. 71. — Voir aussi l'allocution prononcée par le même pape lors de la réception de M. Paul Tremblay, nouvel ambassadeur du Canada auprès du Saint-Siège, le 20 octobre 1973. Texte dans *La Documentation catholique,* 4 novembre 1973, p. 911.

8. Parmi les interventions critiques auxquelles a donné lieu l'allocution de Paul VI, mentionnons : 1° celle du professeur Louis Rousseau, intitulée « Fraternité chrétienne et unité politique » (*Le Devoir,* 21 janvier 1969), qui demande de distinguer « soigneusement entre l'appel chrétien à la réconciliation et à la paix entre les hommes et l'action historique dans la sphère politique » ; et 2° celle du professeur Fernand Dumont, intitulée « Paul VI et les hommes d'ici », qui déclare : « Je ne crois pas que le pape doive engager le prestige de sa personne et le respect que nous lui vouons dans des problèmes locaux que même nos évêques, plus proches pourtant de ces problèmes, n'effleurent qu'avec une très louable discrétion... » (*Le Devoir,* 24 janvier 1969).

à un discours de réception officielle une importance égale à un enseignement donné dans une encyclique [9].

Quelle que soit l'interprétation que l'on donne à cette allocution pontificale, il est hors de doute que le pape, en exprimant sa confiance dans l'avenir du Canada et en rappelant la doctrine traditionnelle de l'Église sur la nécessité de la collaboration des citoyens et des groupes ethniques en vue du bien commun, n'entendait nullement prendre parti pour le régime fédératif actuel, ni soutenir que la coexistence des deux communautés linguistiques et culturelles distinctes au Canada devait nécessairement se poursuivre au sein de ce régime particulier. Trop de fois ce même Paul VI, comme nous le verrons au chapitre suivant, a manifesté son approbation à des peuples venant tout juste d'accéder à l'indépendance, pour qu'une interprétation de ce genre puisse être acceptée.

L'attitude actuelle de la hiérarchie canadienne

Sans doute n'est-il pas téméraire d'avancer que cette allocution du pape Paul VI reflète largement l'attitude qu'avait prise, deux ans auparavant, dans sa lettre collective, la hiérarchie catholique canadienne à l'occasion du centenaire de la Confédération, et qu'en conséquence il faut interpréter l'une par l'autre [10].

Ce document des évêques du Canada mérite d'autant plus d'être considéré ici qu'il a précisément pour thème celui-là même du présent chapitre, c'est-à-dire la position de l'Église sur la

---

9. En parlant comme il l'a fait, écrit de son côté Claude Ryan, « le pape a pu sembler donner une apparence d'approbation à une certaine conception politique de l'avenir du Canada. Si tel était le sens que le pape a voulu donner à ses propos, il faudrait accueillir ceux-ci avec respect, mais en restant tout à fait libre de les considérer comme propos faillibles et périssables, comme l'expression, en somme, de l'une de ces libertés que peut se permettre un pape dont la parole, en matière temporelle, prend désormais l'allure du conseil fraternel plutôt que de la directive autoritaire. Nous préférons considérer que le pape a plutôt voulu mettre en relief la dimension spirituelle du problème canadien, c'est-à-dire ces vertus de cordialité constructive, de respect mutuel, d'esprit de collaboration qui, quelles que soient les solutions proprement politiques, devront continuer d'habiter, dans cette partie de la planète, les cœurs des véritables amis de la civilisation... D'autres préfèrent méditer la parole pontificale, tout en se rappelant qu'il appartiendra en temps et lieu aux seuls citoyens de ce pays de prendre les décisions politiques appropriées » (Claude RYAN, « Faut-il confondre œcuménisme et rapports diplomatiques ? », *Le Devoir*, 17 janvier 1969).

10. *Lettre collective des évêques catholiques du Canada à l'occasion du centenaire de la Confédération*, Ottawa, 1967.

coexistence des deux communautés linguistiques et culturelles au Canada. Dès l'introduction, les évêques reconnaissent la gravité du problème, problème qui n'est pas étranger à l'Église, car « elle le porte pour ainsi dire dans sa chair puisqu'elle rassemble une part importante des deux principaux groupes linguistiques et culturels dont la rencontre crée le problème canadien ». Sans doute, s'agit-il d'un problème politique et technique, mais pas uniquement, « car il engage des valeurs importantes et concerne des personnes dans leur chair et dans leur âme ». Pour cette raison et parce que la solution des difficultés que rencontrent les Canadiens dépendra dans une très large mesure des attitudes spirituelles que chacun adoptera, les évêques croient de leur devoir de pasteurs « de définir l'esprit qui doit animer les Canadiens s'ils veulent s'inspirer de l'Évangile ».

Leur intention n'est ni de « préconiser au nom de l'Évangile un régime particulier, ni certes (de) dispenser les personnes et les groupes des efforts qui s'imposent à eux, s'ils veulent découvrir la manière d'assumer positivement et chrétiennement leurs responsabilités politiques ». Tous, au contraire, devraient se mettre en état de recherche et développer en eux « le désir d'un engagement politique éclairé ». Or, « un engagement politique éclairé exige aussi qu'on s'élève au-dessus des passions et qu'on tienne compte du fait que les régimes politiques et les cadres juridiques sont des moyens et non des fins, qu'ils sont susceptibles, comme l'histoire le prouve, de constantes transformations ». Et les évêques de conclure leur introduction par ces mots, qui sont loin d'être une consécration du *statu quo :*

> Quel que soit le statut sous lequel devront vivre les habitants de nos régions, la géographie, l'histoire et les réalités économiques et sociologiques les obligeront toujours à entretenir entre eux des rapports, et ces rapports devront être inspirés par un idéal de paix. Tous les esprits de bonne volonté ont aujourd'hui une double conviction : en dépit des difficultés rencontrées, l'homme doit accepter de n'employer, pour les surmonter, que des moyens pacifiques ; l'homme doit chercher la solution de ses difficultés dans la construction d'une paix véritable[11].

---

11. *Ibid.,* pp. 1-2. — Cf. Claude RYAN, « La hiérarchie devant le malaise canadien », éditorial du *Devoir,* 8 avril 1967.

Pour construire une paix véritable au Canada, déclarent les évêques, deux conditions sont requises : la justice et la fraternité. La *justice* tout d'abord, laquelle signifie principalement « égalité de chances pour tous », tant pour les individus que pour les groupes, mais qui ne peut s'établir efficacement que « si l'on rejette l'idée que l'égoïsme, individuel ou collectif, est la loi de la vie et du progrès, et qu'il est défendable ». Ainsi, par exemple, le malaise principal dont souffre la société canadienne a une double origine : d'une part, les Canadiens français, mécontents de la situation actuelle, revendiquent de meilleures conditions de vie pour leur communauté, d'autre part, ces revendications suscitent des inquiétudes dans les autres parties du Canada. De là naît une tentation qu'il faut surmonter : « celle de ne pas comprendre les droits et les aspirations de l'autre et de s'installer dans un égoïsme de cause » [12].

La première justice à rendre à la communauté canadienne-française, continue la Lettre, est de la reconnaître pour ce qu'elle est et vaut au Canada. Enracinée depuis trois siècles en terre canadienne, héritière en Amérique du Nord de l'une des plus grandes cultures de l'histoire, présentant une unité, une individualité et un génie propres, elle possède ainsi « un droit inaliénable et indiscutable à l'existence et à l'épanouissement ». Elle se considère volontiers comme une nation et ne cesse de lutter pour la reconnaissance de ses droits.

Sans doute, ne constitue-t-elle qu'une minorité numérique dans l'ensemble du Canada, mais « elle est majoritaire et forme un groupe humain compact et important dans le vaste territoire du Québec », cas qui mérite une attention particulière. D'une part, on ne peut contester à cette communauté francophone du Québec le droit « à l'existence, à l'épanouissement dans tous les ordres de réalités, à des institutions civiles et politiques adaptées à son génie et à ses besoins propres, à cette autonomie sans laquelle son existence, sa prospérité, son essor économique et culturel ne seraient pas bien assurés » ; d'autre part, il faut bien rappeler que « cette recherche par la communauté canadienne-française du Québec, de son avancement et de son épanouissement,

---

12. *Ibid.*, pp. 3-5.

ne saurait être légitimement poursuivie que dans le respect du bien général plus grand dont il faudra toujours tenir compte, en toute hypothèse, et dans le respect des droits inviolables des autres »[13].

Telles sont, aux yeux des évêques canadiens, les exigences de la justice concernant la coexistence au Canada des deux communautés linguistiques et culturelles. Ces exigences rejoignent, en somme, celles qu'énonce le nationalisme canadien-français dans la poursuite de son deuxième objectif : la coexistence dans l'égalité. Mais les évêques vont plus loin : ils veulent que la paix au Canada, en plus de la justice, repose sur un second pilier, c'est-à-dire sur la *fraternité.*

La fraternité, déclarent-ils, est une exigence chrétienne, à laquelle les chrétiens du Canada ne peuvent se soustraire[14]. Elle demande qu'on ne se contente pas d'aimer l'humanité abstraite ou de rêver noblement de solidarité avec des frères lointains, alors qu'on adopte une attitude mesquine ou hostile à l'égard de ceux qui sont proches de soi. Les Canadiens révèlent des aspirations très généreuses à la paix et un souci remarquable de solidarité internationale ; mais ils doivent apprendre à incarner leur souci de fraternité dans la vie quotidienne et concrète, « alors que s'affrontent chez eux les différents groupes nationaux, les intérêts régionaux et les classes sociales ». Ils doivent éviter de donner « le spectacle paradoxal d'hommes capables de générosité envers le monde entier et incapables de grandeur d'âme envers leur frère le plus rapproché».

---

13. *Ibid.,* pp. 5-6. — Un peu plus loin, les évêques font appel au réalisme et à la compréhension, car très difficile leur apparaît « la recherche du statut et des structures qui permettront à la communauté canadienne-française du Québec, de plus en plus consciente de sa situation propre, d'obtenir les conditions favorables à son épanouissement, tout en respectant le bien et les droits de ceux qui l'entourent, ainsi que le bien et les droits des autres communautés de culture française du Canada » (p. 7).

14. « Partout dans le monde, c'est la mission et la responsabilité propres des chrétiens d'explorer plus avant le sens des liens qui unissent les hommes et de préconiser et d'instaurer des manières spirituellement renouvelées de vivre avec les autres. Il arrive qu'à certaines heures et en certains lieux, cette responsabilité s'impose avec une évidence et une urgence plus grandes ; c'est le cas du Canada d'aujourd'hui, qui vit des heures difficiles, cruciales, et qui est fait d'une vaste majorité de chrétiens » (*Ibid.,* p. 8).

La fraternité demande aussi qu'on sache reconnaître les similitudes et accepter les différences, qu'on permette aux autres d'être ce qu'ils sont, non seulement comme individus, mais encore comme communautés linguistiques et culturelles [15]. Elle se refuse à utiliser la violence comme moyen d'arriver à la justice et ne se permet ni langage ni jugements irrespectueux de la personnalité des autres, qu'il s'agisse d'individus ou de groupes ethniques [16]. Bref, à la pratique de la justice, le souci de la fraternité ajoute l'élément requis pour que devienne harmonieuse la coexistence dans l'égalité des deux communautés linguistiques et culturelles au Canada.

Ainsi donc, entre le second objectif que poursuit le nationalisme canadien-français et l'enseignement de l'Église, en particulier de la hiérarchie canadienne, il existe un accord fondamental, du moins quant aux principes en cause. L'Église se déclare pour la coexistence dans l'égalité entre les individus, les groupes et les peuples ; par la bouche des évêques canadiens, elle réclame, pour la communauté francophone, l'égalité des droits, des chances et de traitement, mais aussi des devoirs, et elle demande aux deux communautés de pratiquer, l'une à l'égard de l'autre, cette fraternité qui permet de s'accepter et de se respecter même dans ses différences [17].

Telles est, certes, sur le problème canadien, la position qui a les préférences de l'Église dans son ensemble, ce qui ne veut pas dire qu'elle s'oppose à toute autre solution, notamment au troi-

---

15. « Les Canadiens connaîtront des jours sombres, des luttes stériles et appauvrissantes, si les différents groupes qui habitent leur pays, et particulièrement les deux grands groupes linguistiques et culturels, ne sont pas capables d'accepter et de reconnaître, sans réticence ni équivoque, la légitimité de leurs différences et de leur destin propre, s'ils n'acceptent pas, dans le respect mutuel de leurs droits, les accommodements que leur situation particulière réclame » (*Ibid.*, p. 10).

16. « Le premier devoir des Canadiens... est de renoncer d'une façon absolue à la violence... Il ne faut pas confondre le courage et l'énergie dans la revendication de ses droits avec une certaine violence de l'esprit et du cœur qui est aussi contraire à la fraternité que la violence physique » (*Ibid.*, p. 11).

17. Sur les exigences de la fraternité chrétienne dans le domaine politique, voir l'article de Louis ROUSSEAU, « Fraternité chrétienne et unité politique », *Le Devoir*, 21 janvier 1969.

sième objectif que poursuit le nationalisme canadien-français, à savoir l'indépendance du Québec [18].

18. En février 1973, s'est tenu à Toronto un colloque pour discuter du rôle des Églises face au problème de la « réconciliation nationale » et de « l'avenir du Canada ». Deux points de vue s'y sont exprimés et opposés : le point de vue canadien et le point de vue québécois (voir à ce sujet le reportage de Jean-Pierre PROULX dans *Le Devoir* du 26 février 1973).

La revue *Relations* a publié deux des conférences prononcées lors de ce colloque, soit celle de Gregory BAUM, « L'avenir du Canada et les Églises chrétiennes », en avril 1973, et celle de Raymond LEMIEUX, « La survivance du Canada et l'Église », en mai 1973. Quant au texte de Louis O'NEILL : « Est-ce que l'Église a un rôle à jouer dans la réconciliation nationale ? », il a paru dans le quotidien *L'Action-Québec*, le 12 mars 1973, p. 4.

CHAPITRE V

L'Église et l'objectif de l'indépendance

1. — Quelques cas à l'étranger

En plus des objectifs de la survivance et de la coexistence que nous venons de voir, le nationalisme canadien-français s'est donné, depuis quelques années surtout, un autre objectif, constituant en quelque sorte son principal projet d'avenir : celui de faire l'indépendance du Québec. Dans un volume précédent, j'ai longuement exposé l'actualité, le pourquoi, le comment, la force d'attraction et les difficultés de ce projet [1]. Aussi, n'ai-je pas besoin d'y revenir longuement et puis-je concentrer ici mes recherches sur l'attitude de l'Église face à cette lutte pour l'indépendance. Avant d'en venir au cas particulier du Québec, je voudrais présenter quelques cas survenus à l'étranger et comportant une intervention plus ou moins directe de l'Église.

À noter que, dans la plupart de ces cas, il s'agit, non pas de la préservation d'une indépendance déjà acquise, mais bien de la poursuite d'une indépendance que l'on veut conquérir. Si les déclarations pontificales abondent sur le premier thème [2], elles

---

1. Voir *Nos grandes options politiques et constitutionnelles*, 4e partie, « L'option Québec ou le projet du nationalisme québécois », Montréal, 1972.

2. Deux textes seulement de Pie XII à ce sujet. Les principes du droit naturel international, affirmera-t-il en 1939, « exigent le respect des droits de chaque peuple à l'indépendance, à la vie et à la possibilité d'une évolution progressive dans les voies de la civilisation » (*Lettre encyclique « Summi Pontificatus » sur l'État*, no 59). — De même, dans son allocution de Noël 1939, il déclarait : « Un postulat fondamental d'une paix juste et honorable est d'assurer le droit à la vie et à l'indépendance de toutes les nations, grandes et petites, puissantes et faibles. La volonté de vivre d'une nation ne doit jamais équivaloir à la sentence de mort pour une autre » (Texte dans *La Documentation catholique*, 1940, col. 104. — Désormais j'indiquerai cette source par l'abréviation *Doc. cath.*).

se font beaucoup plus rares sur le second. La raison en est sans doute que l'Église se trouve alors en face d'un projet essentiellement politique mettant en cause deux ou plusieurs collectivités et qu'il ne lui est pas facile de dire concrètement quelles sont les exigences de la justice dans chaque cas particulier. Aussi n'a-t-elle pas formulé un enseignement suivi et ordonné sur la question qui nous préoccupe ici ; la plupart du temps, elle s'est contentée de réagir à l'événement au moment où il se produisait et les papes ont laissé aux Églises locales le soin de se prononcer sur des événements locaux.

On peut classer en trois catégories les cas où l'Église a cru bon d'intervenir, d'une manière ou d'une autre, dans la poursuite de l'indépendance par une collectivité : les cas de libération de nations occupées, les cas d'émancipation de colonies et les cas de sécession et de guerre civile.

Les cas de libération de nations occupées

Je n'en signale que deux : celui de la Pologne et celui de la Belgique.

On connaît le sort de la nation polonaise, occupée par ses puissants voisins et partagée entre eux. Durant la première guerre mondiale, le pape Benoît XV intervint plusieurs fois pour réclamer justice en faveur de la Pologne [3], et, dans sa pensée, justice voulait dire indépendance [4]. En 1939, la Pologne est de nouveau envahie et occupée. Quelques semaines plus tard, le pape Pie XII publie sa première encyclique, dans laquelle il rend un vibrant hommage à la Pologne. Elle a, déclare-t-il, « droit à la sympathie humaine et fraternelle du monde et attend... l'heure d'une résurrection en accord avec les principes de la justice et de la vraie

---

3. Voir *Texte des propositions de paix pontificales,* dans *Doc. cath.,* 1919 (2), p. 403.

4. « Quand, au cours de la Grande Guerre, certains affirmaient qu'on ferait suffisamment en faveur de la Pologne en lui assurant cette sorte d'*autonomie* qu'on lui promettait, seul le Siège apostolique déclara nettement, et à plusieurs reprises, que la Pologne avait besoin d'une pleine et souveraine liberté, autrement dit de l'*indépendance,* et qu'il fallait à tout prix qu'elle revécût en son ancienne condition de *personne morale* » (*Lettre aux cardinaux et évêques de Pologne,* 16 juillet 1921, citée dans Yves de la BRIÈRE, *La Patrie et la Paix,* Paris, 1938, p. 144, no 198).

paix » [5]. Et tout le temps que dure la guerre, Pie XII encourage les Polonais et leur demande de garder confiance en l'avenir et d'espérer que les peuples sauront reconnaître leur dette envers la Pologne et « revendiquer pour elle toute la place qui lui est due » [6].

Les papes ont tenu des propos analogues à l'égard de la Belgique occupée. Ainsi, en 1917, Benoît XV fait parvenir ses propositions de paix « aux chefs des peuples belligérants ». Il demande la restitution réciproque des territoires occupés et précise : « Du côté de l'Allemagne, évacuation totale de la Belgique avec garantie de sa pleine indépendance politique, militaire et économique, vis-à-vis de n'importe quelle puissance » [7]. De même, en mai 1940, au moment où la Belgique est envahie, Pie XII envoie au roi des Belges un message, dans lequel il souhaite que « cette dure épreuve s'achève par le rétablissement de la pleine liberté et de l'indépendance de la Belgique » [8].

On ne peut passer ici sous silence les directives que, durant l'occupation de son pays, le cardinal Mercier, primat de Belgique, donnait dans sa célèbre lettre de Noël 1914 :

> Méritons notre libération... Je ne vous demande point, remarquez-le, de renoncer à aucune de vos espérances patriotiques. Au contraire, je considère comme une obligation de ma charge pastorale, de vous définir vos devoirs de conscience en face du Pouvoir qui a envahi notre sol et qui, momentanément, en occupe la majeure partie. Ce Pouvoir n'est pas une autorité légitime. Et, dès lors, dans l'intime de votre âme, vous ne lui devez ni estime, ni attachement, ni obéissance... D'eux-mêmes les actes d'administration publique de l'occupant seraient sans vigueur, mais l'autorité légitime ratifie tacitement ceux que justifie l'intérêt général et de cette ratification seule leur vient toute leur valeur juridique. Des provinces occupées ne sont point des provinces conqui-

5. *Lettre encyclique « Summi Pontificatus » sur l'État*, 1939, *Doc. cath.*, 1939, p. 1273.
6. *Doc. cath.*, 1944-1945, col. 346. Voir aussi le message radiodiffusé du cardinal Hlond à la nation polonaise, le 28 septembre 1939, *Doc. cath.*, 5-20 janvier 1939, p. 55.
7. Cf. la note 3.
8. Cf. *Documents pontificaux de S.S. Pie XII*, 1940, p. 174.

ses ; pas plus que la Galicie n'est province russe, la Belgique n'est province allemande [9].

Durant la seconde guerre mondiale, la Belgique se trouvant de nouveau occupée, le cardinal Van Rœy tint un même langage à l'occupant. S'adressant par écrit au commandant militaire allemand et parlant « au nom de tous les évêques de la Belgique », il déclara : « Comme évêques belges, nous avons le devoir et le droit de rester fidèles à notre patrie et de vouloir, avec tout le peuple belge, la restauration complète de son indépendance » [10].

Ainsi, dans ces deux cas de la Pologne et de la Belgique, l'Église, par la bouche de ses porte-parole les plus autorisés, n'a pas hésité à revendiquer ouvertement le droit à l'indépendance pour ces deux nations occupées. Même si ces cas ne reflètent que de loin la situation actuelle du Québec, il n'est pas inutile d'en avoir pris connaissance. Ils préparent en quelque sorte la voie à la deuxième catégorie de cas déjà signalée, c'est-à-dire aux cas d'émancipation de colonies vis-à-vis des métropoles.

Les cas d'émancipation de colonies

Après la seconde guerre mondiale, une vague de libération politique déferle sur le monde des colonies, en particulier en Afrique et en Asie. Dans l'espace de quelques années, des dizaines de peuples accèdent à l'indépendance et l'Organisation des Nations Unies fait plus que doubler le chiffre de ses membres, passant de moins de 50 pays à plus de 130. Partout souffle un vent d'émancipation des colonies. Le pape Jean XXIII reconnaît explicitement ce phénomène dans son encyclique *Pacem in terris*. Il dira :

> L'humanité, par rapport à un passé récent, présente une organisation sociale et politique profondément transformée. Plus de peuples dominateurs et de peuples dominés : toutes les nations ont constitué ou constituent des communautés politiques indépendantes. Les hommes de tout pays et continent sont aujourd'hui citoyens d'un État autonome et indépendant, ou ils sont sur le point de l'être. Personne ne veut

---

9. Cardinal MERCIER, *Patriotisme et endurance,* lettre pastorale de Noël 1914.

10. Lettre du 5 juin 1942, *Doc. cath.* 16 septembre 1945, col. 688.

être soumis à des pouvoirs politiques étrangers à sa communauté ou à son groupe ethnique. On assiste, chez beaucoup, à la disparition du complexe d'infériorité qui a régné pendant des siècles et des millénaires [11].

Ce texte de Jean XXIII a été l'objet de nombreux commentaires. Selon l'*Action Populaire* de Paris, il implique que les relations de domination de peuple à peuple sont à exclure et qu'en pratique pareille exclusion signifie généralement l'indépendance. Il ne s'oppose pas à « la libre constitution de communautés politiques où s'unissent des peuples, des communautés ethniques diverses (l'une d'entre elles n'étant pas soumise à l'autre comme à un pouvoir politique étranger) ». Le droit à l'indépendance existe, mais demeure limité par le respect des droits des tiers, ce qui pose en particulier le problème des minorités [12].

Le commentaire le plus autorisé, cependant, nous vient du successeur de Jean XXIII. Lors de son voyage en Afrique, au cours de l'année 1969, le pape Paul VI a adressé aux peuples du continent africain un message dans lequel il a abordé la question

11. JEAN XXIII, *Lettre encyclique « Pacem in terris » sur la paix*, 1963, nos 42-43.

12. Voir la note 27 de l'édition de l'*Action Populaire* de l'encyclique *Pacem in terris*. À cette même note, on peut lire les observations suivantes sur le droit des peuples à l'indépendance :

« Si le droit à l'indépendance concerne en apparence des groupes, les nations, il ne prend tout son sens que par rapport aux *hommes* eux-mêmes. La vérité est que l'homme a droit de jouir, par l'intermédiaire d'un État indépendant, d'un bien qui ne saurait être son partage d'aucune autre manière. C'est tout homme, comme être libre, qui a droit à vivre dans un État qui soit le sien et qui le représente vraiment ; aussi le Pape fait-il ici allusion à « l'idée d'égalité naturelle de tous les *hommes* » (no 44). Cela ne dit pas encore comment dessiner la carte des États indépendants sur la terre ; il n'importe pas *a priori* que les États coïncident avec les frontières des communautés ethniques ou linguistiques ou qu'ils regroupent plusieurs de ces communautés. Ce qui compte, c'est que chaque homme ait la possibilité d'être membre d'une communauté indépendante lui offrant l'avantage d'une vraie reconnaissance sans « discrimination raciale » ou autre ; et le plus souvent, un groupe d'hommes ne songent — légitimement d'ailleurs — à créer un nouvel État que lorsqu'ils ne trouvent pas dans leur communauté politique la dignité et l'égalité auxquelles ils aspirent. Réaction à une frustration... Sous nos yeux, les situations coloniales ont conduit de même à la naissance de nombreux États. En dehors de tels cas, la création de communautés politiques indépendantes dans le seul but de faire coïncider État et groupe ethnique serait doctrinaire ; fréquemment, les avantages de la solution ne compenseraient pas les dommages encourus par la communauté dont on se sépare. »

de la liberté de ces peuples. « Par ce mot polyvalent de « liberté », a-t-il précisé, Nous entendons ici l'indépendance civile, l'autodétermination politique, l'affranchissement de la domination d'autres pouvoirs étrangers à la population africaine. » Voilà un événement qui domine l'histoire mondiale, un signe des temps, un signe que les hommes et les peuples ont acquis une plus grande conscience de leur dignité. « C'est un fait qui révèle l'orientation irréversible de l'histoire, qui répond certainement à un plan providentiel, et qui indique la direction selon laquelle doivent s'acheminer ceux qui sont investis de responsabilités, surtout dans le domaine politique. »

Rappelant le mot de son prédécesseur, à savoir que personne n'aime se sentir soumis à des pouvoirs politiques provenant de l'extérieur de sa propre communauté nationale ou ethnique et observant que les peuples d'Afrique assument de plus en plus la responsabilité de leurs propres destins, Paul VI expose l'attitude de l'Église à cet égard :

> L'Église salue avec satisfaction un tel événement puisqu'il marque, à n'en pas douter, un pas décisif sur le chemin de la civilisation humaine, et elle le salue avec plaisir d'autant plus qu'elle est persuadée d'y avoir contribué dans le domaine qui lui est propre, celui de la conscience humaine, réveillée par le message évangélique ; à la lumière de ce message, en effet, apparaît avec plus de clarté la dignité de la personne comme la dignité d'un peuple, et l'on reconnaît mieux les exigences inhérentes à cette dignité, qui ont leur répercussion en chaque aspect de la vie humaine, élevée à une plénitude de responsabilité personnelle et insérée dans une collectivité gouvernée par la justice et l'amour [13].

Ce n'était pas là dans la bouche de Paul VI un langage nouveau. Il l'avait déjà maintes fois tenu en diverses occasions. Pour ne citer qu'un cas, répondant, au début de l'année 1965, aux vœux du Corps diplomatique, il avait déclaré que l'un des principes directeurs de la participation de l'Église à la vie internationale était le suivant :

---

13. PAUL VI, *Message aux peuples d'Afrique,* 1er août 1969, *Doc. cath.,* 7 septembre 1969, pp. 768-769.

> Le Saint-Siège reconnaît, approuve et encourage les légitimes aspirations des peuples. Si le droit, en cette matière, n'est pas encore explicitement formulé en tous ses détails, il n'en repose pas moins, dans son origine, sur le droit naturel, et, à ce titre, il doit être admis et reconnu par tous. Nous voulons parler de la liberté des jeunes nations à se gouverner elles-mêmes [14].

En conséquence, chaque fois qu'il en eut l'occasion, Paul VI, comme Jean XXIII d'ailleurs [15], se fit un devoir d'adresser ses félicitations, ses encouragements et ses bons vœux aux peuples qui, à la suite d'une « évolution, si conforme à la nature des choses » [16], accédaient à l'indépendance. Un exemple suffira : le message au peuple de l'Île Maurice :

> Quand l'Église voit un pays prendre en main sa destinée, après y avoir été sagement préparé, elle ne peut que s'en réjouir comme d'une promotion humaine bien conforme aux desseins du Créateur. N'est-il pas, en effet, dans le plan divin que chaque société ayant acquis la maturité nécessaire accède un jour à la responsabilité et prenne place dans le concert des nations ? ... Voici que vous assumez vous-mêmes le choix de votre politique et des moyens de la réaliser. C'est assurément une heure grave de votre histoire, qui suscite à la

14. PAUL VI, *Réponse aux vœux du Corps diplomatique,* 7 janvier 1965, cf. *Doc. cath.,* 7 février 1965, col. 195. — Encore tout récemment, au moins en deux circonstances, le pape Paul VI a réaffirmé ce même point de vue : 1° dans son message au président de l'Assemblée générale des Nations Unies, à l'occasion du 25e anniversaire de la Déclaration universelle des Droits de l'homme, le 10 décembre 1973, il déplorait l'aggravation de situations « telles que, par exemple, la discrimination raciale ou ethnique, les obstacles à l'autodétermination des peuples... » (cf. *L'Osservatore Romano,* édition hebdomadaire en langue française, 21 décembre 1973) ; 2° à l'issue du Consistoire de fin d'année 1973, il déclarait aux cardinaux présents : « Tant que les droits de tous les peuples, et notamment le droit à l'autodétermination et à l'indépendance, ne seront pas dûment reconnus et respectés, il ne pourra pas y avoir de paix véritable et durable, même si la prépondérance des armes peut avoir momentanément raison de la réaction des opposants » (*Ibid.,* 28 décembre 1973).

15. Voir, par exemple, à l'occasion de l'accession de ces pays à l'indépendance, les messages au Congo (ex-belge), *Doc. cath.,* 1960, col. 873-878, au Congo (ex-français), *Doc. cath.,* 1961, col. 9-10, au Sénégal, *Doc. cath.,* 1961, col. 493-494, etc.

16. PAUL VI, *Allocution au représentant du Rwanda, Doc. cath.,* 2 août 1964, col. 965.

fois fierté et appréhension: pour Notre part, Nous voulons y reconnaître une étape chargée de promesses[17].

À l'exemple du pontife romain, les épiscopats nationaux se sont associés à la fierté et à la joie de leurs pays accédant à l'indépendance, sauf dans les cas, cependant, où pareille accession se faisait dans la violence ou comportait de l'injustice. Les témoignages ici abondent et nous n'avons que l'embarras du choix. En voici un, qui parle avec d'autant plus de force qu'il a *précédé* l'accession à l'indépendance du peuple en question. Il s'agit de la déclaration faite par les vicaires et préfets apostoliques de Madagascar à tous leurs fidèles. En réponse, déclarent-ils, aux nombreux chrétiens qui se posent la question de la légitimité de leur désir concernant l'indépendance de leur pays, nous tenons à réaffirmer les principes suivants :

> L'Église n'est pas une puissance politique, chargée de promouvoir une forme de gouvernement ou de déclarer si un peuple est capable ou non de se gouverner lui-même, et elle entend n'être annexée par aucun courant d'opinion ou par aucune force au pouvoir ou aspirant à y être. Elle veut être et demeurer libre, uniquement préoccupée de porter le message évangélique dans toute sa pureté, quelles que soient les circonstances et même si cette attitude lui vaut de la part de certains incompréhension ou attaques.
>
> L'Église souhaite ardemment que les hommes comme les peuples progressent vers plus de bien-être et assument toujours davantage leurs responsabilités — la grandeur de l'homme vient de ce qu'il est libre et responsable — et la liberté politique est l'une de ces libertés et de ces responsabilités fondamentales. Ne pas en jouir prouve une évolution inachevée et ne peut être que temporaire. Aussi l'Église, comme le droit naturel, reconnaît la liberté des peuples à se gouverner eux-mêmes. Elle ne fait pas d'ailleurs qu'affirmer le principe. La libération spirituelle qu'elle assure chez les chrétiens est un des plus efficaces moyens de faire parvenir l'homme à sa pleine maturité...
>
> En conclusion, nous reconnaissons la légitimité de l'aspiration à l'indépendance comme aussi de tout effort construc-

---

17. PAUL VI, *Message pour l'accession de l'Île Maurice à l'indépendance,* 1er mars 1968, *Doc. cath.,* 7 avril 1968, col. 587-588.

tif pour y parvenir. Mais nous vous mettons en garde contre les déviations possibles, spécialement contre la haine qui ne peut trouver place dans un cœur chrétien [18].

Chez tous les épiscopats avant de faire face à pareille situation, on retrouve le même désir clairement exprimé : que l'indépendance se fasse dans l'ordre et la paix, et non dans la violence. Dans leur lettre pastorale collective de 1961, les archevêques et évêques du Ruanda-Urundi consacrent à ce thème de longs paragraphes. Les responsabilités, déclarent-ils, tant des leaders africains que de la puissance de tutelle, sont extrêmement graves durant cette période difficile de la transmission des pouvoirs. La justice exige que l'accession à l'indépendance se fasse dans l'ordre, la concorde et la paix. Ce serait un crime contre la patrie et une source de maux irréparables que d'abandonner le gouvernement du pays à des aventuriers ou à des incapables. Le principe de l'indépendance ayant été déjà admis, il faut que l'autorité de tutelle confie dès maintenant les rouages de l'administration, surtout les plus élevés, à des personnalités du pays ; lorsqu'elle aura acquis la certitude que le pays sera sagement gouverné par des institutions fonctionnant normalement, alors seulement pourra-t-elle se démettre de ses propres responsabilités. Quant aux leaders politiques indigènes, « ils commettraient un crime contre leur pays si, grisés par le désir de se gouverner eux-mêmes, ils entraînaient leur patrie dans le désordre et dans une situation économique où sa viabilité ne serait pas assurée » [19].

---

18. *Communiqué des vicaires et préfets apostoliques de Madagascar à tous leurs fidèles,* en novembre 1953, *Doc. cath.* 1954, col. 693-696.

Voir aussi, dans le même sens, la *lettre pastorale des évêques de Haute-Volta* du 27 janvier 1959. En voici quelques passages : « C'est un droit et même un devoir de promouvoir l'indépendance de son pays... C'est une forme du droit de l'homme à la liberté. Il est dans la ligne de la personnalité. L'indépendance est pour une nation ce que la liberté est pour l'homme... Une nation n'est indépendante que dans la mesure où elle peut choisir, elle-même, sans contrainte extérieure, les moyens qui lui permettront d'assurer son plein épanouissement... La véritable liberté ne se donne pas, elle se conquiert progressivement, et cette conquête dure toute la vie. Il en est de même pour l'indépendance des nations » (*Doc. cath.*, 1959, col. 546).

19. *Lettre pastorale collective des archevêques et évêques du Ruanda-Urundi à leurs fidèles, Doc. cath.*, 1961, col. 525. — Autre conseil des mêmes évêques aux leaders politiques indigènes : « Qu'ils se rappellent que le self-government n'est pas tout pour un État, l'économique est plus important que la politique, car c'est lui qui assure la nourriture, le vêtement, le bien-être des citoyens et de leur famille. »

L'histoire montre que l'accession des peuples coloniaux à l'indépendance ne s'est pas toujours faite dans la paix et qu'en certains cas elle a été le fruit d'une révolte contre la métropole. L'Angleterre et la France en savent quelque chose : la première, par exemple, a dû s'opposer à la décision unilatérale prise par la Rhodésie, la seconde n'a pu éviter de livrer une longue et cruelle guerre en Algérie. Dans l'un et l'autre cas, les épiscopats des pays en question se sont trouvés en face de choix douloureux.

En Rhodésie, les évêques, tout en ne se prononçant pas sur le principe de l'indépendance, dénoncèrent publiquement la nouvelle constitution, d'inspiration ségrégationiste, que le gouvernement proposait à la population. Ce document, déclarèrent-ils, contient des propositions contraires à l'enseignement chrétien, ruineuses pour l'unité nationale et qui apporteront haine et violence dans le pays. Si le gouvernement les maintenait et les appliquait, alors « il serait extrêmement difficile pour nous de conseiller la modération à un peuple si longtemps patient sous le joug de lois discriminatoires et provoqué si gravement aujourd'hui » [20].

La guerre d'Algérie, on le sait, divisa les esprits et les cœurs, tant en France qu'en Algérie. De part et d'autre, les évêques intervinrent pour dénoncer la guerre, les violences, les tortures et pour demander que le différend se règle par des moyens pacifiques, par des négociations où prendraient place les principaux intéressés et par des solutions qui tiendraient compte des besoins et des aspirations des communautés en cause. Des deux côtés, on mit l'accent sur la nécessité de promouvoir la justice sociale, la solidarité et l'amour fraternel [21]. L'évêque d'Angers, Mgr Chappoulie, ne se gêna pas pour dire à ses auditeurs français : « Si vous avez fait du bien à certains peuples, c'est sur leur territoire que vous vous êtes établis. Ils ne vous y avaient pas appelés. Leurs droits sont imprescriptibles à côté des vôtres » [22].

---

20. *Lettre des évêques catholiques de Rhodésie,* le 5 juin 1969, *Doc. cath.,* 1969, p. 685. — Voir aussi leur lettre sur la ségrégation raciale, le 17 mars 1970, *Doc. cath.,* 1970, p. 428. — Le 24 juin 1966, dans son allocution au Sacré Collège, le pape Paul VI a aussi abordé ce sujet, *Doc. cath.,* 1966, col. 1261.

21. Se rapporter en particulier à la déclaration de l'épiscopat algérien, le 29 novembre 1954, *Doc. cath.,* 1955, col. 85-87.

22. *Ibid.,* col. 87.

De son côté, le Comité théologique de Lyon affirmait ce qui suit dans ses Notes doctrinales à l'usage des prêtres du ministère : « On ne saurait nier, en se mettant au point de vue moral et chrétien, la légitimité des aspirations à l'indépendance du peuple algérien. » La situation ressemble à celle qui existait lorsque l'Irlande a voulu obtenir son autonomie de l'Angleterre. Qui alors aurait osé condamner les Irlandais ? Ce n'est pas l'affaire de l'Église de prendre parti dans une pareille question. Les papes ne l'ont pas fait. Quant à la hiérarchie, elle « a toujours tenu compte des décisions prises dans le domaine temporel par les pouvoirs publics établis, mais elle ne veut pas pour autant condamner ceux qui, pour des motifs légitimes, veulent obtenir le changement de ces décisions... Quoi qu'il en soit, nous ne pouvons pas accepter que l'on condamne comme moralement mauvaises les aspirations à l'indépendance et même une action politique entreprise en faveur de l'indépendance, pourvu que cette action se conforme aux principes de la justice et de la charité » [23].

Intervenant de nouveau dans le conflit en 1955, l'épiscopat algérien passe en revue les problèmes de l'heure et indique aux chrétiens les principes qui doivent guider leur action. Il ne nous appartient pas, disent les évêques, de formuler des hypothèses ni de proposer des plans pour résoudre les difficultés qui se posent : « C'est l'affaire aux pouvoirs responsables de conduire l'Algérie à travers les incertitudes du moment, vers son meilleur destin. » S'imposent, cependant, des impératifs d'ordre moral, impliquant le respect des personnes, de leur égalité foncière et de leur devenir fraternel. Suit alors une longue liste de ces impératifs d'ordre moral, visant à assurer la coexistence pacifique des communautés en Algérie ainsi que le climat d'amitié nécessaire à la solution des problèmes les plus difficiles [24].

En France, cette lettre reçoit aussitôt l'approbation de l'épiscopat [25]. Puis, le cardinal Feltin, archevêque de Paris, expose en

23. *Notes doctrinales à propos du problème des Nord-Africains en France et à propos de l'Afrique du Nord.* Cf. *Doc. cath.* 1955, col. 1204.

24. *Doc. cath.* 1955, col. 1270-1271.

25. *Doc. cath.*, 1955, col. 1371-1374. — Dans sa conférence d'octobre 1955, Mgr Chappoulie, évêque d'Angers, déclarait : « L'Église conseille une politique d'autonomie progressive, un apprentissage de la liberté qui conduira à une indépendance profitable » (*Doc. cath.*, 1956, col. 615-619).

cinq points l'attitude de l'Église en face du problème de la guerre d'Algérie. Les voici en substance : l'Église désire la paix, mais une paix juste et loyale ; 2. l'Église a toujours proclamé que tous les hommes sont frères ; 3. l'Église corrige l'interprétation erronée qu'on donne parfois à cette fraternité universelle. Elle déclare que chacun doit aimer particulièrement ceux qui sont nés sur le même sol que lui, qui parlent la même langue, ont hérité des mêmes richesses historiques, artistiques, culturelles ; 4. l'Église déclare que la véritable colonisation est un service ; 5. l'Église déclare que la véritable colonisation crée entre métropole et colonie des liens que la nécessaire émancipation ne saurait rompre. Comme tout service, comme tout devenir, elle est source de droits [26].

Cette enquête sur les prises de position de l'épiscopat tant en France qu'en Algérie, à propos des événements qui ont précédé l'accession de l'Algérie à l'indépendance, pourrait se poursuivre encore longtemps, mais sans rien changer aux résultats déjà acquis. Ces résultats se résumeraient à ces quelques phrases : oui au principe de l'indépendance algérienne, non à l'usage de la violence, de la guerre et de la torture pour parvenir à cette fin ; oui à la coexistence pacifique et organique des deux principales communautés [27], non à la haine qui les opposerait l'une à l'autre [28].

L'Église a horreur de la guerre et elle recommandera toujours en des cas semblables, comme le faisait le cardinal Feltin au sujet des événements d'Indochine et du Vietnam, en 1954, « de tout

26. Cardinal FELTIN, « la pensée de l'Église sur les événements d'Afrique du Nord », *Doc. cath.*, 1956, col. 615-619.

27. Cf. Mgr CHAPPOULIE, « Les responsabilités internationales du chrétien », *Doc. cath.*, 1957, col. 102. « Si nous sommes fidèles à notre vocation chrétienne, nous contribuerons à amener une détente dans les esprits des deux côtés. Nous aurons donné ainsi notre contribution originale à l'établissement sur le sol d'Algérie, encore livré à la violence, d'une société où Européens et musulmans auront librement consenti à vivre ensemble jusqu'à travailler en pleine confiance au bien commun des deux communautés."

28. « Disciples d'un Dieu de paix et d'amour, vous devez réprouver les méthodes qui font appel aux passions et à la violence, et travailler par des moyens pacifiques à l'établissement de la paix, au progrès de la justice et au rayonnement de l'amour fraternel » (*Un appel des évêques d'Algérie,* 6 février 1956, *Doc. cath.*, 1956, col. 219). — « C'est déconsidérer la cause que l'on défend que d'employer pour cela la violence injuste » (Radiomessage de Mgr Duval, archevêque d'Alger, 1er janvier 1957, *Doc. cath.* 1957, col. 153).

mettre en œuvre, par-dessus les divergences d'idéologie ou d'intérêts, pour faire prévaloir les solutions de conciliation sur les méthodes de violence »[29].

Les cas de sécession et de guerre civile

C'est un même langage qu'on retrouve dans la bouche des représentants de l'Église lorsqu'ils ont eu à affronter des cas de sécession ou de séparation violente d'une partie d'un même pays. Le fait d'un déplacement de frontières les intéressait moins que la manière dont ce déplacement s'opérait[30] et, comme dans la plupart des cas, les tentatives de sécession ont entraîné une guerre civile, ils se sont vus forcés d'intervenir, au moins au plan moral et spirituel.

La guerre de Sécession aux États-Unis

Bien qu'il remonte à plus d'un siècle, le cas de la guerre dite de Sécession aux États-Unis nous intéresse tout particulièrement ici. De 1861 à 1865, s'opposèrent, à propos de la question de l'esclavage, les Sudistes ou Confédérés et les Nordistes ou Fédéraux, ces derniers défendant l'intégrité de l'Union américaine contre les premiers qui voulaient s'en séparer. L'histoire révèle que les catholiques combattirent avec ardeur dans les deux camps, soit en tant que journalistes, directeurs de revue ou soldats ; des prêtres dénoncèrent la rébellion, d'autres la soutinrent ; plus de 40 prêtres s'engagèrent comme aumôniers dans les troupes du Nord et environ 30 dans celles du Sud ; près de 800 religieuses se chargèrent du soin des blessés, avec tant de zèle qu'elles se méritèrent l'admiration du président Lincoln.

29. Cf. *Doc. cath.,* 1954, col. 647. — J'ai omis délibérément de parler d'un cas très difficile à classer : celui de Porto-Rico. S'agit-il d'une nation occupée ? d'une colonie cherchant à s'émanciper ? d'un pays qui veut se séparer de son associé américain ? La réponse n'est pas facile à donner. Pourtant, le cas nous intéresse et, à défaut de plus longs commentaires, je me dois de signaler ici deux choses : il existe à Porto-Rico un mouvement qui milite ouvertement pour la sécession du pays face aux États-Unis et, dans ce mouvement, se rencontrent plusieurs prêtres et un évêque, Mgr Antulio Parrillà, qui, lors de son passage à Montréal à l'automne de 1973, avouait sa volonté de lutter pour l'indépendance de son pays, tout en reconnaissant qu'il ne croyait plus au processus électoral pour atteindre cet objectif (Cf. *Le Devoir,* 17 novembre 1973).

30. Après la guerre de 1914-1918, l'empire austro-hongrois est démembré et de nouveaux États voient le jour. Le pape Benoît XV écrit à ce sujet au cardinal Gasparri : « De même qu'elle s'adapte aux diverses formes de gouvernement, elle (l'Église) admet aussi sans aucune difficulté les légitimes changements territoriaux et politiques des peuples » (*Doc. cath.,* 1919 (2), p.704).

Quant aux évêques, ils se gardèrent d'intervenir collectivement pour trancher le débat en un sens ou en l'autre, laissant ainsi pleine liberté aux catholiques. Les uns déclarèrent qu'il ne leur appartenait pas « d'entrer dans l'arène politique » ; d'autres, comme l'archevêque Kenrick de Baltimore et l'évêque Whelan de Nashville, hésitèrent longtemps avant d'afficher publiquement leur sympathie pour la cause nordiste ; mal leur en prit, car le premier vit ses prêtres refuser de dire les prières usuelles d'après la messe pour les autorités civiles et la préservation de l'unité du pays et un bon groupe de ses fidèles quitter l'église quand il entreprit de réciter lui-même ces prières ; quant au second, il dut donner sa démission et se retirer dans un monastère.

Deux évêques se distinguèrent tout particulièrement en prenant ouvertement parti : celui de New York, Mgr John Hughes, qui se fit le défenseur de l'Union, et celui de Charleston, Mgr Patrick N. Lynch, qui appuya les Sudistes. Ils échangèrent des lettres sur les causes de la guerre et la légitimité de la sécession ; le premier affirma que, puisque la Constitution résultait du consentement de tous les États, aucun n'avait le droit de se séparer, sauf de la manière prévue dans le document lui-même ; le second soutint que le Nord devrait reconnaître l'indépendance des États sécessionnistes. L'un et l'autre acceptèrent aussi de remplir des missions diplomatiques : l'archevêque Hughes, pour le compte des Fédéraux, d'abord auprès de l'empereur Napoléon III de France dans le but d'inciter ce dernier à garder la neutralité, puis auprès de Pie IX à Rome afin d'éclairer le pape sur la nature du conflit ; l'évêque Lynch, pour le compte des Confédérés, à Rome, lui aussi, avec mission d'obtenir la reconnaissance du Vatican, mission qui échoua, le pape n'ayant accepté de le recevoir qu'à titre d'évêque et non d'ambassadeur.

La guerre terminée, l'épiscopat ne tarda pas à retrouver son unité et à l'affirmer, dès 1866, lors du Second Concile plénier de Baltimore [31].

31. Sur ces événements, voir l'ouvrage de John Tracy ELLIS, *American Catholicism,* The University of Chicago Press, 1955, pp. 90-100. — Aussi Robert LECKIE, *American and Catholic,* New York, 1970, pp. 171-173. Les deux rapportent le témoignage rendu par Lincoln aux religieuses : « Of all the forms of charity and benevolence seen in the crowded wards of the hospitals, those of some Catholic Sisters were among the most efficient. »

La guerre civile espagnole

Même si la guerre civile espagnole, qui sévit de 1936 à 1939, n'eut pas pour cause une tentative de sécession, elle n'en comporte pas moins des leçons importantes, qui valent d'être signalées ici. C'est l'un des rares cas où la hiérarchie tout entière s'est prononcée en faveur d'un parti impliqué dans une guerre civile. Il faut dire que les évêques ont perçu cette guerre comme présentant un caractère religieux ou plutôt anti-religieux, comme fournissant l'occasion de détruire l'Église et son influence. Dans leur lettre collective de 1937 adressée à leurs confrères du monde entier pour leur exposer le véritable enjeu de la guerre, les évêques espagnols déclarèrent : « Il s'agit d'une question des plus graves, qui concerne, non pas les intérêts politiques d'une nation, mais les bases mêmes, les bases providentielles de la vie sociale : la religion, la justice, l'autorité et la liberté des citoyens... La guerre d'Espagne est le résultat de la lutte de deux idéologies inconciliables ; même à son origine se trouvent engagées les plus graves questions d'ordre moral, juridique, religieux et historique. »

L'Église, continue la Lettre, n'a pas voulu cette guerre, mais, dès le début, il est clairement apparu « qu'une des deux factions belligérantes tendait à éliminer la religion catholique en Espagne ». En conséquence, les évêques ne peuvent plus se taire : ils se doivent de dénoncer la révolution communiste et antireligieuse sur le territoire espagnol et ils reconnaissent, dans le mouvement national, un « effort pour la conservation du vieil esprit espagnol et chrétien », une « garantie de la continuité de sa foi et de la pratique de sa religion », ainsi que le seul « espoir de reconquérir la justice et la paix, et les biens qui en découlent »[32].

Avant de terminer leur Lettre, les évêques espagnols abordent brièvement le problème du nationalisme basque, et c'est pour exprimer leur peine devant l'aveuglement de ses dirigeants et leur réprobation « pour avoir fait la sourde oreille à la voix de l'Église » et ne pas avoir compris la gravité de leur geste en s'alliant aux révolutionnaires communistes[33].

---

32. *Lettre collective des évêques espagnols à ceux du monde entier,* le 1er juillet 1937, *Doc. cath.,* 28 août 1937, col. 291-308.
33. *Ibid.,* col. 306.

Sur la guerre civile elle-même s'était, en effet, greffé un autre problème : celui de l'autonomie, sinon de l'indépendance, du pays basque. Pour obtenir cette autonomie, les nationalistes basques avaient fait alliance avec celui des deux camps qui se disait prêt à la leur accorder, c'est-à-dire, en pratique, avec les partisans communistes. Dès le début, les évêques du pays basque intervinrent pour déclarer que, pour des catholiques « qui ont pour loi de leur vie la doctrine et la foi de Jésus-Christ », c'est une « aberration de se battre pour des mesures d'ordre politique », de faire « cause commune avec les ennemis déclarés et acharnés de l'Église » et d'attaquer « férocement avec toutes sortes d'armes leurs ennemis qui sont leurs propres frères ». Les dirigeants basques rétorquent que cette alliance n'est que provisoire et en vue de conquérir leur autonomie, mais « il n'est pas permis de faire un mal pour procurer un bien, et l'on ne peut faire passer la politique avant la religion ». De plus, « il est souverainement dangereux de pactiser avec un ennemi tenace, puissant, irréductible, tel que se présente celui qui, aujourd'hui, prétend à l'hégémonie sur toute l'Espagne ». Le communisme veut tout et vous risquez de vous retrouver à l'état de minorité impuissant dans un État totalitaire [34].

Le mouvement nationaliste basque ayant réussi à établir un gouvernement provisoire, son président demanda à la hiérarchie de se prononcer. Ce fut le cardinal Goma y Tomas, archevêque de Tolède et primat d'Espagne, qui se chargea de répondre. Il réitéra la condamnation de l'alliance entre catholiques et communistes et répondit aux accusations concernant le silence de la hiérarchie. Celle-ci, déclara le cardinal, a défendu et soutenu le régime jusqu'à l'extrême limite. Si elle n'a pas appuyé la jeunesse basque dans sa révolte, c'est que cette révolte lui est apparue comme « une extravagance et une injustice », comme une division des forces catholiques devant un ennemi commun. Quant à la tentative de séparation, le cardinal la jugeait ainsi :

> C'est une déplorable équivoque, née de l'amour qui aveugle quand il s'égare, de croire qu'un essaim de petites républiques puisse procurer à tous les Espagnols un bien

34. *Lettre des évêques de Vitoria et de Pampelune,* le 6 août 1936, *Doc. cath.,* 5 septembre 1936, col. 323-327.

supérieur à celui qui pourrait leur venir d'un grand État bien dirigé, où l'on tiendrait compte des valeurs spirituelles et historiques qui caractérisent chaque région. Se renfermer dans ces mesquins égoïsmes locaux, c'est réduire le volume et abaisser le standard de la vie, de l'État, de la région. Un gros diamant qui s'effrite perd automatiquement la plus grande partie de sa valeur... Vous brouillez les faits, parce que vous confondez lamentablement le geste viril d'un grand peuple qui veut se sauver avec la manœuvre politique qui vise à ériger en pays indépendant la Biscaye jadis si espagnole [35].

De ce conflit interne espagnol, les leçons à tirer en ce qui concerne la question qui nous occupe sont les suivantes : les évêques sont intervenus en faveur d'un parti, d'abord et surtout pour des raisons religieuses [36] ; ils ont refusé d'appuyer la révolte du pays basque, d'une part, à cause de l'alliance faite avec les communistes, ennemis de l'Église et, d'autre part, parce qu'ils estimaient que le bien des Basques avait plus de chances d'être assuré dans et par le grand État espagnol que dans et par une petite et faible région renfermée sur elle-même [37].

Les tentatives au Congo et au Nigeria

À partir de 1960, les cas de sécession et de guerre civile se multiplient, tous marqués par les réticences de l'Église à intervenir, sauf pour lancer un appel à la justice et à la charité ainsi que pour répondre à certaines accusations portées contre elle. C'est ainsi, par exemple, que, lors du conflit Congo-Katanga, les évêques défendent le clergé contre l'accusation d'avoir trempé dans la mort du premier ministre Lumumba : « La mission que

35. Cf. *Doc. cath.,* 13 mars 1937, col. 653-662.

36. Plusieurs épiscopats nationaux approuvèrent ouvertement la prise de position des évêques espagnols. Par exemple, le cardinal Van Rœy, primat de Belgique, déclara à ce propos : « En prescrivant aux fidèles leur ligne de conduite dans ces cas et dans d'autres pareils, l'autorité hiérarchique ne sort nullement de son rôle spirituel, elle ne fait point de la politique, elle ne dépasse pas les limites de sa compétence ; elle remplit tout simplement sa mission propre, qui consiste à veiller aux droits de l'Église et au bien des âmes » (*Doc. cath.,* 1938, col. 406).

37. Cf. *Le problème basque vu par le cardinal Goma et le président Aguirre,* Paris, 1938. *La Documentation catholique* du 20 juillet 1938 en a publié de longs extraits sous le titre « Le problème catholique basque », col. 883-892.

le Christ a confiée à son Église, déclarent-ils alors, lui interdit de s'immiscer dans les affaires temporelles, de prendre parti dans les querelles politiques qui divisent le pays et, à plus forte raison encore, d'intervenir dans l'exercice de la justice »[38]. De son côté, le pape Jean XXIII reste sourd à l'appel que lui lance M. Tschombé, chef du parti sécessionniste katangais, pour qu'il intervienne auprès de l'O.N.U. et convainque celle-ci de ne pas poursuivre son plan d'opposition à la sécession du Katanga[39].

Un scénario analogue se déroule lors des événements qui, de 1967 à 1970, par suite de la tentative de sécession du Biafra, vont ensanglanter le Nigeria. Le pape Paul VI n'intervient que pour essayer de ramener la paix entre les deux parties, que pour favoriser des négociations loyales et « porter secours à toutes les victimes du conflit, sans discrimination, quelles que soient leur région ou leur religion »[40]. Il offre même ses services pour opérer un rapprochement entre les deux camps et déclare : « Nous avons toujours été et nous voulons toujours demeurer au-dessus du conflit. Il ne nous appartient pas de suggérer des solutions déterminées au grave problème qui a fait verser tant de larmes et tant de sang »[41].

Lors de son voyage en Afrique, Paul VI se dit prêt à se rendre au Nigeria pour aider la cause de la paix et, de fait, il rencontre des représentants des deux parties en conflit[42]. Il avait, auparavant, fait venir à Rome les six évêques du Nigeria et du Biafra, à qui, après une concélébration avec le secrétaire d'État, il avait déclaré :

> L'Église est une, au-dessus de tout conflit ; l'Église aime et est aimée, au-dessus de toute division ; l'Église désire apporter la paix et aime, là où existent la guerre et la haine ; l'Église désire soulager ceux qui souffrent ; l'Église désire témoigner, spécialement aux plus tragiques moments de l'his-

38. Cf. *Doc. cath.*, 1961, col. 532.
39. *Doc. cath.*, 18 février 1962, col. 287.
40. PAUL VI, *Allocution au Sacré Collège*, 24 juin 1968, *Doc. cath.*, 1968, col. 1268. Voir aussi la lettre de Paul VI aux chefs des deux parties en conflit, *Doc. cath.*, 1967, col. 2114-15.
41. Allocution du 23 décembre 1969, *Doc. cath.*, 1969, p. 57.
42. PAUL VI, Audience générale du 30 juillet 1969, cf. *Doc. cath.*, 1969, p. 754 et 773.

toire des peuples. C'est ce que fait l'Église dans vos régions. Votre présence et votre fraternelle étreinte voudraient montrer à tous ceux qui ont autorité le chemin de la réconciliation, voudraient affirmer que cela est possible et que c'est un devoir de trouver la solution. Ce n'est pas à Nous ni à vous de suggérer un plan politique concret, mais c'est Notre devoir et le Vôtre de déclarer solennellement que ce n'est point par la guerre mais par de sincères négociations, point dans une atmosphère d'opposition mais de franche coopération que la solution désirée à une funeste controverse sera trouvée [43].

De leur côté, les évêques du Nigeria avaient déjà parlé dans le même sens. À l'accusation portée contre l'Église de s'immiscer dans la guerre civile, ils avaient répondu que l'Église a pour mission de conduire les hommes à Dieu, qu'elle n'a pas d'ambition terrestre et que son devoir est de servir ceux qui souffrent, où qu'ils soient. « Elle n'a pas et ne peut avoir de préférences pour quiconque... Lorsque des frères se font la guerre et s'infligent de terribles souffrances, l'Église ne peut les désavouer, mais elle ne peut être consolée tant qu'ils ne sont pas réconciliés » [44].

Jusqu'à la fin l'épiscopat nigerian maintint cette attitude de neutralité politique dans le conflit qui déchirait le pays. Aux prêtres et aux missionnaires il demanda de suivre cet exemple et alla jusqu'à donner cette mise en garde :

Si certains ont fait des déclarations à tendance politique, celles-ci n'ont jamais reçu d'approbation ni de soutien officiels. Nous les regrettons et les déplorons, tout comme nous regrettons et déplorons que la charité des missionnaires ait pu être interprétée comme une immixtion politique dans la crise. De même, nous déplorons et condamnons l'usage de la religion comme arme de propagande [45].

En dépit de la guerre, déclarent ces mêmes évêques du Ni-

43. ID., *Allocution aux évêques du Nigeria-Biafra,* le 7 février 1969, cf. *Doc. cath.,* p. 422.

44. *Lettre des évêques du Nigeria,* cf. *Doc. cath.,* 1969, p. 148. Voir aussi la déclaration commune de ces mêmes évêques, lors de leur séjour à Rome, le 7 février 1969 : « Nous nous désintéressons de la politique dans le présent conflit... Ni l'Église ni ses organisations n'ont été impliquées, directement ou non, dans la guerre actuelle » (*Doc. cath.,* 1969, p. 423).

45. *Lettre des évêques du Nigeria,* cf. *Doc. cath.,* 1969, p. 149.

geria-Biafra dans une autre occasion, nous ne sommes pas divisés, mais unis et résolus à accomplir notre mission de paix et charité. Beaucoup de nos fils spirituels se trouvent en des camps opposés, mais « notre préoccupation nous élève au-dessus de toutes les séparations humaines et, en dépit des efforts de ceux qui voudraient se servir de la religion comme d'une arme pour nous diviser, nous ouvrons nos bras pour rassembler toutes nos populations dans les liens de l'amitié ». Ainsi, par exemple, « tout en évitant de prêter à un peuple la néfaste intention d'exterminer entièrement un autre peuple, comme chefs religieux de l'Église, nous ne nous sentons pas seulement un droit, mais obligés en conscience de condamner le meurtre de gens innocents, le pillage et la destruction délibérée de la propriété ainsi que toute manifestation de haine et de vengeance » [46].

Les conflits au Pakistan et au Vietnam

La guerre civile au Nigeria était à peine terminée qu'une autre du même genre, c'est-à-dire accompagnée d'une tentative de sécession, éclatait au Pakistan. Encore ici, les interventions de Paul VI se bornèrent à lancer des appels en faveur de la paix, en faveur surtout des réfugiés et « des millions d'êtres humains qui se trouvent dans des conditions d'extrême nécessité. Malheurs sur malheurs se sont abattus sur ces gens déjà très pauvres » [47]. Quant aux causes du conflit civil, dira le pape, « il ne nous appartient pas d'en juger la valeur politique » [48].

De la guerre qui, au Vietnam, durant de longues années, opposa le Sud au Nord, il est difficile de tirer quelques leçons pratiques, à cause de la situation extrêmement confuse qui y

46. *Déclaration commune des six évêques du Nigeria-Biafra,* cf. *Doc. cath.,* 1969, p. 423. — Le 24 février 1970, alors que les évêques du Nigeria étaient réunis, le chef du gouvernement nigerian, le général Gowon, leur adressa un message, dans lequel on pouvait lire le passage suivant : « Il est particulièrement significatif que, pour la première fois depuis notre dure lutte pour la survie nationale, tous les évêques catholiques nigerians, venus du pays tout entier, aient pu se réunir ici, au Nigeria, dans un esprit de fraternité et de réconciliation. Je suis sûr que, pour vous tous, c'est une heure de fierté » (Cf. *Doc. cath.,* 1970, p. 347). — Voir aussi *Doc. cath.,* 1968, col. 1718 et 1970, p. 197.

47. Audience générale du 2 juin 1971, cf. *Doc. cath.,* 1971, p. 558.

48. *Appel aux réfugiés pakistanais,* 3 octobre 1971, cf. *Doc. cath.,* 1971, p. 913.

régna. S'agissait-il d'une guerre d'indépendance, de sécession ou de réunification forcée, d'une guerre purement civile ou, en plus, d'une guerre entre grandes puissances ? Tous ces aspects, semble-t-il, s'y retrouvent, inextricablement mêlés. Chose certaine, le pape Paul VI n'a voulu se prononcer que pour la paix et la charité et n'a pas hésité à s'adresser directement à tous les chefs de gouvernement en cause pour leur demander de favoriser l'usage de négociations pacifiques [49]. De même, il écrit aux évêques vietnamiens, réunis en conférence, pour les encourager à garder l'unité et recommander aux catholiques du pays la prudence dans l'action politique [50].

Quant aux évêques eux-mêmes, ils déclarent que l'Église catholique ne veut être que principe d'union et de paix, qu' « elle se tient toujours au-dessus et en dehors de tout parti politique » et que son rôle est de guider les hommes de bonne volonté « dans la connaissance de la loi surnaturelle et évangélique » [51]. Ils demandent au chrétien de ne pas hésiter à s'engager pour le bien de la communauté nationale et « à donner son adhésion à tout parti politique honnête, même non catholique, dont le but serait l'intérêt du pays et qui saurait respecter la religion » [52]. Une autre fois, ils rappellent qu'il est du devoir de tous de travailler à bâtir la paix pour la patrie, paix qui ne sera authentique que si elle repose sur la vérité, la justice, la liberté et la charité [53]. L'Évangile, affirment-ils, ne donne pas directement de règles au sujet de l'organisation des sociétés humaines, mais il est générateur d'hommes de paix, d'hommes capables de rénover la société. Pas de paix possible sans une réelle promotion des droits de l'homme :

> C'est pourquoi ni vous ni nous, vos évêques, nous ne pouvons accepter une paix à n'importe quel prix, celle qui nous

---

49. *Messages aux chefs d'État dont dépend la paix au Vietnam,* cf. *Doc. cath.,* 1966, col. 293-296 et 1967, col. 397-402.

50. *Lettre aux évêques du Vietnam,* le 15 septembre 1966, cf. *Doc. cath.,* 1966, col. 1741-1746.

51. *Communiqué de l'épiscopat du Sud-Vietnam,* le 10 juin 1965, cf. *Doc. cath.,* 1965, col. 1412-1414.

52. *Communiqué de la Conférence épiscopale vietnamienne,* 7 octobre 1966, cf. *Doc. cath.,* 1966, col. 1849-1852.

53. *Communiqué de la Conférence épiscopale du Vietnam,* 5 janvier 1968, cf. *Doc. cath.,* 1968, col. 267-269.

serait imposée au prix de l'injustice, de l'hypocrisie, de la perte de la liberté : ce serait une fausse paix, une démission, une lâcheté, ce serait une paix qui n'en serait pas une. De plus, la paix doit être prise au sérieux et vécue conformément aux engagements pris de part et d'autre, chacun des partenaires respectant la parole donnée [54].

Le cas de l'Irlande du Nord

À tous ces cas de guerre civile, rattachés plus ou moins directement à une tentative de sécession ou de réunification par la force, on pourrait ajouter celui de l'Irlande du Nord ou de l'Ulster. Le pape et les évêques y tiennent le langage traditionnel d'appel à la paix, à la justice et à la charité. Sans doute, dira Paul VI, faut-il lutter pour la reconnaissance des droits civiques égaux, « mais jamais on ne devrait y parvenir par la violence et le tumulte. La guerre, et spécialement la guerre civile, ne doit plus être une nécessité fatale dans le monde moderne ». D'autant plus que ceux qui se battent sont chrétiens : « À quoi aboutirait notre effort œcuménique si la religion de l'amour... s'avérait incapable, lorsqu'elle est mise à l'épreuve, de démontrer que ses exigences de pardon réciproque et de concorde mutuelle sont réelles et efficaces ? » [55].

Non, il faut le répéter, déclarera plus tard Paul VI :

> Ce n'est pas par cette voie qu'il est licite de revendiquer la reconnaissance et le juste respect de droits trop longtemps foulés aux pieds ; et, d'autre part, répondre à des manifestations déplorables par la vengeance ou par une dure répression est peut-être source de maux encore plus grands, qui exaspèrent et élargissent le conflit au lieu de rétablir l'ordre. Le retour à la paix ne pourra être le fruit que d'un effort sage et résolu de la part de toutes les parties pour éliminer les causes profondes d'un malaise qui ne saurait être camouflé sous les apparences d'un conflit religieux [56].

Quant aux évêques, ils demandent à leurs fidèles de demeurer calmes, d'éviter les actes qui pourraient accroître la tension, « de

---

54. *Lettre des évêques du Vietnam,* 5 janvier 1969, cf. *Doc. cath.,* 1969, p. 149 et 488-490.
55. Allocution du 17 août 1969, cf. *Doc. cath.,* 1969, p. 762.
56. *Allocution au Sacré Collège,* le 23 décembre 1971, cf. *Doc. cath.,* 1972, p. 55.

ne pas se laisser entraîner à l'amertume et à la haine, de se rappeler que les protestants en général sont de bons chrétiens, et de travailler à renouer les relations entre communautés dans un esprit chrétien de foi et d'espérance »[57]. Unis aux chefs des autres Églises chrétiennes, ils affirment que le conflit actuel n'est pas d'abord une « guerre de religion », mais plonge ses racines dans des causes profondes et complexes. À la question de savoir pourquoi les chrétiens n'arrivent pas à vivre en paix les uns avec les autres, ils répondent qu'il faut tenir compte « de la profondeur des sentiments que peuvent provoquer de graves divisions historiques, politiques et sociales », et surtout de l'action de certaines minorités adonnées à la violence[58]. Un petit groupe veut unir l'Irlande par la force. C'est insensé ; ce groupe n'a reçu aucun mandat de la population et ne pourra y réussir[59]. Il faut plutôt travailler à la réconciliation des deux communautés, en créant une société « qui affirme la valeur et la dignité personnelles des aliénés aussi bien que de ceux qui les aliènent »[60].

De leur côté, les évêques d'Angleterre ne restent pas indifférents devant la situation de violence qui se développe en Irlande du Nord. Intervenant pour rappeler aux catholiques leur responsabilité face à ce conflit, ils dénoncent, à leur tour, le recours à la violence : « Toute protestation qui passe par la violence, déclarent-ils, ne peut en définitive qu'aboutir à l'échec de son juste objectif. » Et ils précisent leur pensée en ces termes :

> Le cercle vicieux de la violence et de la contre-violence ne sera pas brisé tant qu'on ne recherchera pas avec détermination une solution politique. Le problème ne peut attendre une solution militaire. Des mesures immédiates sont donc nécessaires pour donner à la communauté catholique une juste part dans l'exercice du pouvoir politique... Ce qui s'impose c'est, pour toutes les parties en présence, une manière nouvelle et créatrice d'aborder le problème. À cet

---

57. *Déclaration des évêques d'Irlande du Nord,* le 23 août 1969, cf. *Doc. cath.,* 1969, p. 847.

58. *Déclaration commune des autorités catholiques et protestantes,* le 30 mai 1970, cf. *Doc. cath.,* 1970, p. 600.

59. *Déclaration du cardinal Conway, primat d'Irlande,* le 11 septembre 1971, cf. *Doc. cath.,* 1971, p. 900.

60. *Déclaration de la Commission irlandaise « Justice et Paix »,* le 26 octobre 1971, cf. *Doc. cath.,* 1971, p. 1092.

égard, les Églises chrétiennes d'Angleterre ont un rôle à jouer, celui de proclamer le message chrétien de la réconciliation et d'explorer les méthodes de non-violence pour conserver et faire la paix[61].

Ainsi donc, dans tous les cas de guerre civile, cas qu'on retrouve aux États-Unis, en Espagne, au Congo, au Nigeria, au Pakistan, au Vietnam et en Irlande, la conclusion qui se dégage est que l'épiscopat, sauf celui de l'Espagne et pour des raisons religieuses, a toujours tenu à garder collectivement sa neutralité politique. Mais, comme l'ont déclaré les évêques du Nigeria, neutralité politique ne veut pas dire neutralité morale : « Recommander l'observance de la morale et blâmer sa violation n'est point l'affaire de la politique, mais de la morale et donc ressortit à la compétence des évêques »[62].

Recommander l'observance de la morale, en blâmer les violations, prêcher la paix et la réconciliation, rappeler les exigences de la justice et de la charité, tant à l'égard des individus qu'à l'égard des peuples, dénoncer la violence criminelle et les atteintes aux droits fondamentaux de l'homme, voilà à quoi se résument la plupart des interventions de l'Église, puissance désarmée disait Paul VI, dans ces cas où des peuples habitant un même territoire s'affrontent en guerre civile de sécession[63]. Sauf en des circonstances exceptionnelles, elle s'est toujours refusée à donner des solutions politiques, à dire, par exemple, que le principe du droit

---

61. *Déclaration de la Commission anglaise « Justice et Paix »*, cf. *Doc. cath.*, 1972, p. 99.

62. *Déclaration commune des six évêques du Nigeria-Biafra,* le 8 février 1969, cf. *Doc. cath.*, 1969, p. 423.

63. Faisant quelque peu exception à cette règle générale, est la déclaration des évêques d'Algérie en faveur des Palestiniens, le 14 juin 1972. Elle condamne le terrorisme aveugle mais dénonce aussi le mal en sa racine : « Par la volonté des grandes puissances, des hommes ont été spoliés de leur terre, un peuple entier de deux millions de personnes s'est vu, depuis vingt-cinq ans, privé de son droit à l'existence comme peuple... La paix exige au premier chef que la destinée de tout un peuple ne puisse se régler sans sa participation effective aux projets qui le concernent. Nous croyons de notre devoir d'alerter les chrétiens, afin qu'ils s'inspirent de l'Évangile et du droit, et qu'ils ne laissent pas leur jugement s'égarer par la référence aux seuls critères de la force et de l'efficacité » (Cf. *Doc. cath.*, 1972, p. 747).

des peuples à disposer d'eux-mêmes s'applique ici mais non pas là, dans tel cas mais non dans tel autre [64].

---

64. Pour de plus amples considérations sur l'attitude de l'Église face à ce principe du droit des peuples à disposer d'eux-mêmes, on pourra consulter :

1° André RETIF, S.J., « L'Église et le droit des peuples à disposer d'eux-mêmes », dans la *Doc. cath.,* 1957, col. 417-424. Sa conclusion est celle-ci : « En un mot, pour l'Église ce droit est réel mais n'est pas absolu et ne doit pas donner lieu aux abus et excès qui en marquent trop souvent l'exercice. »

2° le *Code de morale internationale,* rédigé par L'Union internationale d'Études sociales et publié en 1948. Au numéro 35 on lit que ce principe n'a pas la portée absolue que lui prêtent ses partisans. Une minorité nationale a le droit de subsister dans une collectivité plus vaste ; l'État a le devoir de l'y aider. « Si, sous prétexte de sauvegarder son unité, il pratique à l'égard du groupe minoritaire une politique brutale d'assimilation et de nivellement, il manque à sa mission et le séparatisme de la nationalité opprimée peut, à défaut de tout autre moyen et sous réserve du bien commun international, s'en trouver légitimé.

Si, au contraire, renonçant à identifier arbitrairement l'État et la nationalité, les autorités publiques se cantonnent, ainsi qu'il se doit, dans leur fonction de sécurité et d'assistance générale, et laissent les groupements ethniques qu'elles gouvernent, exercer librement, dans le cadre de l'État, leur mission culturelle, les prétentions sécessionnistes d'une minorité sont dénuées de tout fondement. »

3° sur un plan plus général, Jean J.A. SALMON, « Le droit des peuples à disposer d'eux-mêmes. Aspects juridiques et politiques » dans l'ouvrage collectif *Le Nationalisme, facteur belligène,* Bruxelles, 1972, pp. 347-368. — « L'O.N.U. et le droit à l'autodétermination du peuple palestinien », dans *La Revue Nouvelle,* avril 1973, pp. 441-445.

4° aussi, pour une étude générale du problème, voir S. CALAGEROPOULOS-STRATIS, *Le droit des peuples à disposer d'eux-mêmes,* Bruxelles, 1973, volume de 388 pages, dans lequel l'auteur expose les principes généraux du droit international actuel et analyse un bon nombre des cas présentés ici.

CHAPITRE VI

L'Église et l'objectif de l'indépendance (Suite)

2. — Le cas du Québec

Après l'examen de ces quelques cas survenus dans d'autres pays, il est temps de considérer le cas même du Québec, plus précisément l'attitude prise par la hiérarchie catholique face aux tentatives d'émancipation et de libération du peuple canadien-français au Québec. Cette attitude s'est manifestée au moins en trois occasions : lors des troubles de 1837, lors du centenaire de la Confédération canadienne en 1967 et à la suite des événements de 1970.

Les troubles de 1837

Il est inutile de refaire ici le récit des causes qui ont suscité ces troubles de 1837 au Bas-Canada d'alors. Il n'est pas, non plus, nécessaire de les cataloguer, c'est-à-dire d'essayer de les faire entrer dans l'une ou l'autre des catégories de cas étudiés au chapitre précédent, en se demandant, par exemple, s'il s'agissait d'une nation conquise qui veut se libérer, d'une colonie qui se révolte contre une métropole ou même d'un cas de véritable sécession. Chose certaine, une partie de la population francophone du Bas-Canada se souleva contre un gouvernement qu'elle jugeait étranger et tyrannique, et, parmi les chefs de cette insurrection, certains se donnèrent ouvertement pour objectif l'indépendance de leur province, sinon de leur pays.

La seule chose qui importe ici est l'attitude de la hiérarchie, laquelle, à cette époque, se réduisait, pour toute fin pratique, à deux évêques : celui de Québec et celui de Montréal, ce dernier étant particulièrement impliqué, puisque les événements se déroulaient dans son diocèse. À ce sujet, il suffira de rappeler ici deux choses : cette attitude a été largement conditionnée par la *perception* que les deux évêques se sont faite des événements et elle a donné lieu, surtout de la part de l'évêque de Montréal, à une *réaction* comportant des condamnations et des sanctions qui nous paraissent aujourd'hui des plus sévères.

Pour faire bref, je dirais que les évêques ont perçu les troubles de 1837 comme : 1° une rébellion contre une autorité encore légitime ; 2° une aventure malheureuse vouée d'avance à l'échec ; 3° une sorte de fourvoiement moral et idéologique. Étant donné la position particulière qu'occupait alors l'Église dans la colonie et son rôle de guide de la conscience des fidèles, les évêques ne pouvaient pas ne pas intervenir. Quelques textes aideront à faire saisir ce que je viens d'avancer.

Et d'abord un aperçu des deux mandements de l'évêque de Montréal, Mgr Jean-Jacques Lartigue. Le premier date du 24 octobre 1837, un mois donc avant les premiers engagements militaires qui vont avoir lieu à Saint-Denis et à Saint-Charles, et plus tard à Saint-Eustache. Il débute par une description de la situation. Le pays est en proie à l'agitation et à la révolte : « On voit partout les frères s'élever contre leurs frères, les amis contre leurs amis, les citoyens contre leurs concitoyens ; et la discorde, d'un bout à l'autre de ce diocèse, semble avoir brisé les liens de la charité qui unissaient entre eux les membres d'un même corps, les enfants d'une même Église, du catholicisme qui est une religion d'unité. » L'évêque se dit obligé d'intervenir, non pas en tant que citoyen comme il le pourrait, mais en tant que chargé du dépôt de la foi et de la morale chrétienne. Son intervention, insiste-t-il, ne saurait être suspecte, car le sang canadien coule dans ses veines ; lui-même a souvent donné des preuves de l'amour qu'il a pour la commune patrie, il n'a jamais rien reçu du gouvernement civil et il parle ici de son propre mouvement, « sans aucune impulsion étrangère, mais seulement par un motif de conscience ».

La question qu'il veut traiter est une question morale, voire religieuse. C'est « quels sont les devoirs d'un catholique à l'égard de la Puissance civile, établie et constituée dans chaque État ». En réponse, Mgr Lartigue cite longuement les Écritures, puis le pape Grégoire XVI, et conclut en demandant à ses fidèles de se soumettre aux autorités légitimement établies. « Ne vous laissez pas séduire, écrit-il, si quelqu'un voulait vous engager à la rébellion contre le gouvernement établi, sous prétexte que vous faites partie du *Peuple souverain.* » Même en France, la Convention nationale a pris soin de condamner les insurrections populaires et de faire préciser que la souveraineté réside, non dans une partie, ni même dans la *majorité* du peuple, mais dans l'universalité des citoyens. Or, demande l'évêque, « qui oserait dire que, dans ce pays, la *totalité* des citoyens veut la destruction de son gouvernement ? » Avant de vous engager ainsi, « avez-vous jamais pensé sérieusement aux horreurs d'une guerre civile ?... Avez-vous réfléchi que, presque sans exception, toute Révolution populaire est une œuvre sanguinaire, comme le prouve l'expérience ? » [1]

Dans ce premier mandement, comme on le voit, il est question de la charité et de l'unité à observer entre fidèles d'une même Église, de l'obéissance due au pouvoir civil ainsi que des horreurs d'une guerre civile, nullement de sanctions prises ou à prendre contre les rebelles. Mais les troubles vont dégénérer bientôt en combats à Saint-Denis, à Saint-Charles et à Saint-Eustache, et

---

1. Mgr Jean-Jacques LARTIGUE, *Premier mandement à l'occasion des troubles de 1837,* le 24 octobre 1837, dans *Mandements, lettres pastorales, circulaires et autres documents publiés dans le diocèse de Montréal,* Tome I, Montréal, 1869, pp. 14-20.

Selon Lionel Groulx, c'est la prise d'armes surtout qui a été condamnée : « Cette prise d'armes, dans les conditions où elle se fit : sans chefs, sans finances, sans munitions, sans cadres vraiment militaires, c'était une folie, une folie explicable, si vous voulez, mais réprouvée par tous les chefs parlementaires, Papineau le premier... Je ne prétends pas que la prise d'armes, telle qu'elle s'est faite, soit justifiable. Les patriotes sont également à réprouver pour le mouvement d'anticléricalisme qu'ils ont déchaîné à travers la province : mouvement sans excuse quand une si grande proportion du clergé rural sympathisait avec eux et que des prêtres aboutirent à la prison. Les patriotes sont encore à blâmer pour leur sot appel aux forces de l'étranger, pour les lubies doctrinales auxquelles quelques-uns d'entre eux accrochèrent leur idéal politique... » (Cf. Arthur LAURENDEAU, « Une heure avec l'abbé Groulx à propos de « 37 », dans *Notre Maître, le passé,* 2e série, Montréal, 1936, pp. 84-86).

l'évêque se voit obligé d'intervenir de nouveau [2], et cette fois il y aura des sanctions canoniques, et de très dures.

Le 8 janvier 1838, l'évêque de Montréal écrit à son clergé et à ses fidèles. Il déplore la misère et la désolation répandues dans plusieurs des campagnes, depuis que la guerre civile a ravagé le pays et que des brigands et des rebelles ont, à force de sophismes et de mensonges, égaré une partie de la population du diocèse. Il pose d'abord des questions :

> Que vous reste-t-il de leurs belles promesses, sinon l'incendie de vos maisons et de vos églises, la mort de quelques-uns de vos amis et de vos proches, la plus extrême indigence pour un grand nombre d'entre vous ? Mais surtout, pour plusieurs, la honte d'avoir forfait à la fidélité due au Souverain, laquelle avait caractérisé de tout temps votre pays ; d'avoir méconnu la Religion sainte, qui vous défendait avec tant d'énergie de pareils attentats ; d'avoir été sourds à la voix de la conscience qui, malgré l'étourdissement des passions, réclame toujours contre le désordre... À qui doit-on attribuer la première cause de ces malheurs ? N'est-ce pas à ceux qui y ont plongé la Province par leur propagande de rébellion ? N'est-ce pas à ces meneurs de révolte, qui ont osé s'emparer eux-mêmes de la Maison de Dieu, afin de s'en servir comme de fort et de redoute pour différer le châtiment qui les menaçait ?

Vous avez pu expérimenter, continue Mgr Lartigue, l'espèce de gouvernement que ces prétendus patriotes vous préparaient.

2. Après les trois combats en question, Mgr Lartigue jugea nécessaire de refaire le texte d'une adresse, de la part du clergé, aux « trois branches du Parlement britannique ». Il envoya donc à ses prêtres un nouveau texte en leur demandant de le signer. Après avoir mentionné « les événements désastreux qui ont eu lieu dans la Province », « la révolte flagrante qui a éclaté », il affirme qu'il est de son devoir d'intervenir, dans la crise actuelle, en faveur de son troupeau et, en conséquence, de « donner au gouvernement britannique une nouvelle assurance de notre fidélité ». Cette adresse à la Reine, après avoir reconnu que le « clergé a vu avec une extrême affliction l'état de division, d'agitation et même d'insubordination politique, dans lequel s'est trouvée plongée une partie de cette Province », demande que les habitants « ne soient pas privés, pour le crime de quelques-uns, des avantages et privilèges dont ils ont joui jusqu'à présent sous l'Empire britannique... » (*Op. cit.*, pp. 21-24).

Qui a proclamé les soi-disant généraux, colonels et autres officiers « de ces bandes que l'habitant de la campagne n'a connues que par leurs pillages ? » Est-ce le vœu de la majorité qui a dirigé les opérations militaires des insurgés ? Vous trouviez-vous libres, lorsqu'ils vous menaçaient de toutes sortes de vexations, de l'incendie et de la perte de tous vos biens, de la mort même, « si vous ne vous soumettiez pas à leur effrayant despotisme » ? Ils ont montré ce qu'était la liberté qu'ils vous promettaient lorsqu'ils vous ont dépouillés de vos biens ; ils ont fait voir ce qu'ils entendaient par libéralité, quand ils ont massacré « des hommes qui n'avaient d'autres torts à leurs yeux que celui de ne pas partager leurs opinions politiques ».

Une agitation illégale, poursuit le Mandement, a conduit à l'insurrection et à la rébellion ouverte, celle-ci au vol et au meurtre. Vos prêtres et votre évêque vous avaient annoncé tout cela, mais on a refusé de les écouter. Voyez maintenant quels sont vos véritables amis et distinguez-les « d'avec ceux qui ne visaient qu'à s'élever, à dominer dans un nouvel État chimérique et à prendre la place de ceux qu'ils pourraient dépouiller ». Votre clergé a tout fait pour vous prémunir contre des doctrines perverses, il a même encouru la haine de plusieurs, « parce qu'il ne parlait pas dans le sens des coryphées d'une faction » et se montrait fidèle aux directives de leur évêque concernant l'attitude à tenir à l'égard des rebelles. Nous avons, en effet, donné à nos prêtres l'ordre « de n'admettre aux sacrements de l'Église, même à l'heure de la mort, sans une réparation préalable, aucun de ceux qui se sont montrés scandaleusement rebelles, et de refuser la sépulture ecclésiastique à ceux qui mourraient sans s'être acquittés de cette juste réparation. Indubitablement, ils ne voudraient jamais retourner à leur ancien égarement, ni s'exposer à mourir comme des gens sans religion et sans honneur » [3].

Ce dernier mandement, à cause de sa sévérité, en affligea plusieurs et en indigna quelques-uns, qui s'en prirent à l'évêque de Montréal et lui reprochèrent sa dureté dans un moment aussi

3. Mgr Jean-Jacques LARTIGUE, *Second mandement à l'occasion des troubles de 1837*, le 8 janvier 1838, *op. cit.*, pp. 24-30.

tragique [4], alors que l'évêque de Québec, tout en étant aussi ferme sur les principes, s'était montré plus compréhensif sur le plan pratique et n'avait porté aucune sanction canonique contre les rebelles.

De fait, après avoir écrit aux curés du Bas-du-Fleuve pour leur demander de rassurer leurs paroissiens que pourrait inquiéter le passage de troupes anglaises venues des provinces du golfe, « en leur faisant comprendre que, bien loin d'être appelées ici dans un but hostile, elles n'y viennent que pour protéger les habitants du pays, et pour maintenir la tranquillité publique » [5], Mgr Signay, évêque de Québec, émet, lui aussi, un mandement « ordonnant des prières publiques à l'occasion des troubles ». Il y qualifie de « malheureux » les événements qui viennent de se passer à Montréal et déclare :

> Des hommes aveuglés par un patriotisme mal entendu se sont efforcés de faire prévaloir en ce pays des doctrines propres à favoriser l'insubordination. Eh bien ! ces funestes doctrines ont produit leurs fruits : un nombre considérable de nos concitoyens qui les avaient adoptées, sans en prévoir les déplorables résultats, sont déjà devenus les victimes de leur trop confiante crédulité.

Bien que ces doctrines n'aient eu qu'un petit nombre de partisans dans le diocèse de Québec, l'évêque n'en juge pas moins

---

4. Voir à ce sujet :

— Raoul MARTIN, « Le rôle du clergé pendant l'insurrection de 1837 », dans le *Rapport de La Société canadienne d'Histoire de l'Église,* 1941-1942, pp. 89-93 ;

— Gilles CHAUSSÉ, S.J., « Un évêque nationaliste, Mgr Jean-Jacques Lartigue, premier évêque de Montréal », *ibid.,* session d'étude 1968, pp. 9-19 ;

— Lionel GROULX, « Les patriotes de 1837 et le clergé », dans *Notre maître, le passé,* 2e série, Montréal, 1936, pp. 89-131. L'auteur y analyse longuement la question des « sanctions canoniques », la manière dont elles furent plus ou moins appliquées par les prêtres et plus ou moins connues du grand public ; puis, il s'efforce de répondre à la question : « Que valent des peines canoniques promulguées dans les conditions que nous venons d'exposer ? » Il rappelle aussi que nulle part dans les documents épiscopaux il n'est question d'excommunication. Il écrit : « Mgr Lartigue et Mgr Bourget ne se laissèrent guider, en ces heures graves, que par un inviolable attachement à la doctrine et un très haut sentiment de leur responsabilité d'évêque. Ce qui les préoccupe dans l'insurrection, ce qui les blesse, ce n'est pas la faute politique, mais la faute morale » (*Op. cit.,* p. 127).

5. *Mandements des évêques de Québec.* Circulaire du 4 décembre 1837. Vol. 3, p. 368.

de son devoir d'intervenir pour essayer de « le désabuser et le ramener de son égarement ». L'Église enseigne la soumission aux autorités, écrit-il ; quand vos pasteurs vous rappellent ce devoir, ils n'interviennent pas dans des questions politiques qui ne sont pas de leur ressort, « ils ne font qu'enseigner une vérité de tous les temps, une vérité qui est une des principales bases de la morale chrétienne ». Mais soumission ne veut pas dire qu'il faille tout accepter et qu'il n'y ait rien à faire :

> Que, par des voies légales et constitutionnelles, on cherche à remédier aux abus dont on croit avoir raison de se plaindre, c'est un droit que nous ne prétendons pas contester à personne ; mais que pour y parvenir l'on ait recours à l'insurrection, c'est employer un moyen, nous ne disons pas seulement inefficace, imprudent, funeste à ceux-mêmes qui en font usage, mais encore criminel aux yeux de Dieu et de notre sainte religion ; c'est, sous prétexte d'éviter un mal, se jeter dans un abîme de maux irréparables...

Écoutez donc vos pasteurs, poursuit l'évêque de Québec ; ils veulent vous éclairer sur vos véritables intérêts ; leur conduite passée est une preuve de l'affection qu'ils vous portent, « elle leur assure un droit incontestable à votre confiance » [6].

Dans ces mandements de Mgr Signay, évêque de Québec, il n'est nullement question de sanctions canoniques, contrairement à ceux de son collègue de Montréal. C'est le seul point sur lequel ils divergent. L'un et l'autre, en effet, sont d'accord pour condamner la rébellion contre l'autorité établie, dénoncer les « doctrines funestes » dont se sont inspirés les rebelles [7] et voir dans l'insurrection un moyen non seulement « inefficace » pour remédier aux abus de l'heure, mais encore susceptible d'empirer la situation.

6. Mandement du 11 décembre 1837, *op. cit.,* pp. 369-373. — Le 6 février 1838, Mgr Signay fit paraître un autre mandement « ordonnant des prières publiques pour remercier Dieu d'avoir rétabli la tranquillité dans le pays », *op. cit.,* pp. 374-377.

7. « La tiédeur des évêques pour une évolution politique au pas de course, et, plus que tout, des courants d'idées malsaines favorisés par les « patriotes », diffusion des *Paroles d'un croyant* de Lamennais, adhésion à la Déclaration de l'Indépendance américaine, ont éloigné les uns des autres chefs religieux et chefs politiques. Au dernier moment, lorsque, pour calmer la fièvre insurrectionnelle, l'évêque de Montréal ose rappeler les prescriptions de la morale civique, orateurs et journaux « patriotes » fulminent contre l'intervention cléricale » (Lionel GROULX, *Histoire du Canada français,* tome 2, Montréal, 1962, p. 158).

Quant à l'objectif même de l'indépendance, les évêques, semble-t-il, ne l'ont pas considéré : pour eux, il était de l'intérêt même du Bas-Canada et de sa population francophone de demeurer encore au sein de l'Empire britannique. Mgr Lartigue, en particulier, en fut d'autant plus convaincu que le spectacle qu'il eut sous les yeux, aux premiers jours de la rébellion, n'avait rien, selon lui, de rassurant pour l'avenir. Voyez, dira-t-il dans son second mandement, l'espèce de gouvernement que « ces prétendus patriotes » vous préparent ; ils se sont proclamés eux-mêmes chefs de bandes, vous ont menacés de toutes sortes d'exactions, « si vous ne vous soumettiez pas à leur effrayant despotisme », ils ont pris vos biens et massacré « des hommes qui n'avaient d'autres torts à leurs yeux que celui de ne pas partager leurs opinions politiques » ; ils ne visent « qu'à s'élever, à dominer dans un nouvel État chimérique, et à prendre la place de ceux qu'ils pourraient dépouiller ; car, c'est, en dernière analyse, le résultat de toutes les révolutions » [8].

Bref, non seulement l'indépendance ne lui paraissait pas, à cette époque, un objectif désirable et bienfaisant, mais encore la sorte d'indépendance qu'il entrevoyait lui faisait horreur [9].

Le centenaire de la Confédération, 1967

Par deux fois déjà, d'abord au chapitre consacré à l'objectif de la survivance [10], puis à celui qui portait sur l'objectif de la coexis-

---

8. *Second mandement à l'occasion des troubles de 1837,* le 8 janvier 1838, *op. cit.,* pp. 25-27.

9. Recourons encore une fois au témoignage de Lionel Groulx. Par bien des côtés, écrit-il, ces soulèvements de 1837-1838, restent sujets à caution. « Lorsque de pauvres gens, sans armes et sans chefs, parurent poussés à d'inutiles effusions de sang, les autorités religieuses eurent, certes, raison de s'interposer. L'on ne saurait, néanmoins, nous semble-t-il, condamner les malheureuses victimes de ces heures d'histoire, avec la sévérité d'autrefois. Ces hommes ont cru, et pour de solides raisons, l'avenir de leur pays et la vie de leur nationalité gravement menacés, et par un régime politique foncièrement perverti... En définitive et en dépit des imprudences et des erreurs commises, qu'est-ce autre chose 1837 et 1838, qu'un épisode tragique dans la longue lutte d'un petit peuple pour un achèvement de ses institutions politiques et pour la conquête de ses essentielles libertés ? L'emploi de moyens plus ou moins discutables ne saurait disqualifier leur cause » (*Histoire du Canada français,* tome 2, Montréal, 1962, p. 177).

10. Voir chapitre III, en particulier aux pages 37-39.

tence [11], j'ai eu recours à l'importante lettre collective publiée par l'épiscopat canadien à l'occasion du centenaire de la Confédération canadienne. Comme j'en ai déjà assez longuement présenté le contenu, je me contente de rappeler que l'épiscopat, à cette occasion, a voulu ajouter ses réflexions à celles que bien d'autres se faisaient alors concernant l'avenir du Canada et qu'il a pris pour thème central de ses considérations la paix entre les deux principales communautés linguistiques et culturelles, une paix faite de justice et de fraternité.

L'épiscopat, je le répète, s'y prononce ouvertement en faveur des deux premiers objectifs poursuivis par le nationalisme canadien-français, c'est-à-dire en faveur de la survivance et de la coexistence. Sur le troisième, cependant, sur l'indépendance, il se montre tout à fait discret, discrétion compréhensible jusqu'à un certain point, puisque le problème était loin alors d'avoir atteint l'acuité qu'il atteindra dans les années qui vont suivre. Deux ou trois points sont, néanmoins, à signaler.

1. Les évêques reconnaissent ouvertement la gravité de la crise qui menace l'avenir du Canada et, à la suite de la Commission Laurendeau-Dunton, ils en attribuent l'origine aux malaises engendrés par la coexistence des deux principaux groupes linguistiques et culturels, lesquels, observent-ils, « par un phénomène particulier, forment deux majorités qui se rencontrent et s'affrontent ». D'une part, les Canadiens français veulent s'épanouir en tant que communauté nationale, d'autre part, les autres Canadiens s'inquiètent de ces revendications. Il en résulte, certes, un problème politique, mais aussi un problème humain très profond, « car il engage des valeurs importantes et concerne des personnes dans leur chair et dans leur âme ». Problème aussi qui n'est pas étranger à l'Église : « Elle le porte pour ainsi dire dans sa chair puisqu'elle rassemble une part importante des deux principaux groupes linguistiques et culturels dont la rencontre crée le problème canadien. »

2. C'est cet aspect humain et spirituel du problème canadien qui intéresse les évêques. Aussi, ne veulent-ils pas « préconiser au

11. Voir chapitre IV, en particulier aux pages 51-55.

nom de l'Évangile un régime politique particulier » : à chacun d'assumer ses responsabilités en ce domaine et de s'engager politiquement. Une première constatation s'impose, cependant, à leur esprit : « Quel que soit le statut sous lequel devront vivre les habitants de nos régions, la géographie, l'histoire et les réalités économiques et sociologiques les obligeront toujours à entretenir entre eux des rapports. » Ainsi, les évêques canadiens ne ferment aucune porte, aucune voie vers l'avenir. Quel que soit cet avenir, des rapports demeureront nécessaires entre compatriotes ou entre voisins. La seule chose qu'ils vont réclamer est qu'un idéal de paix inspire ces rapports et que les uns et les autres acceptent de n'employer, pour résoudre les difficultés de l'heure, « que des moyens pacifiques ».

3. Les évêques canadiens reconnaissent que la communauté canadienne-française possède certains titres à se considérer comme une nation et que la paix du Canada repose en grande partie « sur la reconnaissance effective des droits de cette dernière ». Quant à la communauté francophone du Québec, on ne peut lui contester le droit « à l'existence, à l'épanouissement dans tous les ordres de réalités, à des institutions civiles et politiques adaptées à son génie et à ses besoins propres, à cette autonomie sans laquelle son existence, sa prospérité, son essor économique et culturel ne seraient pas bien assurés ». Voilà, je pense, un témoignage très explicite, de la part de l'épiscopat canadien tout entier, en faveur de l'autonomie provinciale pour le Québec, et d'une autonomie allant jusqu'à assurer l'existence, la prospérité, l'essor économique et culturel de la communauté francophone.

Ce témoignage, il est vrai, est suivi d'une sorte de mise en garde, s'adressant à tous ceux qui, sans se préoccuper de la présence des autres et de leurs droits, veulent aller trop vite ou trop loin dans la recherche soit de l'autonomie, soit de l'indépendance. En voici le texte :

> On ne peut pas omettre de rappeler, cependant, que cette recherche par la communauté canadienne-française du Québec, de son avancement et de son épanouissement, ne saurait être légitimement poursuivie que dans le respect du bien général plus grand dont il faudra tenir compte, en toute

hypothèse, et dans le respect des droits inviolables des autres[12].

La Lettre collective se poursuit par un ardent appel à la fraternité et par une dénonciation de la violence : « Étant donné, y lit-on, les moyens dont on dispose au Canada pour faire valoir ses droits, il est clair que le premier devoir des Canadiens, dans les difficultés qu'ils rencontrent, est de renoncer d'une façon absolue à la violence, même à la violence limitée et calculée, même à la violence tactique » [13].

Ainsi, tout en affirmant son désir de promouvoir la coexistence pacifique dans la justice et la fraternité entre les deux principales communautés linguistiques et culturelles au Canada, et tout en reconnaissant le droit de la communauté canadienne-française du Québec à son autonomie, et à une autonomie efficace, l'épiscopat canadien, dans sa Lettre du 7 avril 1967, s'est refusé à préconiser un régime politique particulier et il a laissé libres les Canadiens d'élaborer le régime le mieux adapté à leurs besoins, et cela à la triple condition de tenir compte du bien général, de respecter les droits des autres et de ne pas utiliser la violence pour parvenir à leurs fins. Il n'a pas abordé de façon explicite le problème de l'indépendance du Québec.

Les événements de 1970-1971

Il allait bientôt se voir forcé de le faire. Au cours de l'année 1970, deux événements se produisent, qui vont attirer l'attention

12. *Lettre collective des évêques catholiques du Canada à l'occasion du centenaire de la Confédération,* le 7 avril 1967, Ottawa, 1967. — Les évêques ne font ici qu'exposer une doctrine traditionnelle. Voici, par exemple, ce qu'on lit à ce sujet dans le *Code de morale internationale,* publié par l'Union internationale d'Études sociales : « Jamais le seul avantage qu'une minorité pourrait trouver à s'ériger en corps politique indépendant ou à s'intégrer dans un État national unitaire, ne l'autorisera à dénoncer de son propre chef les liens qui l'unissent à une société politique dûment organisée. À l'ordinaire, en effet, les autres éléments de cette société se sont adaptés aux exigences d'une collaboration dont tous ont bénéficié, à laquelle tous aussi ont à consentir quelque sacrifice. Entre tous les membres de cette communauté une solidarité étroite s'est alors créée que nul n'a le droit de répudier au risque de léser gravement ses associés » (Paris, 1948, no 35, p. 30).

13. *Ibid.,* pp. 5-6. — Consulter à ce sujet l'éditorial de Claude RYAN, « La hiérarchie devant le malaise canadien », *Le Devoir,* 8 avril 1967.

de tous sur le sérieux et la gravité du problème. En avril, aux élections provinciales, le Parti québécois, qui préconise l'indépendance du Québec, obtient près du quart du vote populaire et, en octobre, le *Front de Libération du Québec* provoque une grave crise en enlevant James Cross et en assassinant Pierre Laporte, tout en affirmant qu'il « veut l'indépendance totale des Québécois ». [14].

L'année suivante, se tient à Rome le Synode des évêques, dont l'un des deux thèmes a pour titre *La justice dans le monde.* L'épiscopat canadien s'y prépare et il ne peut éviter, en étudiant la question du droit au développement, de se demander jusqu'à quel point ce droit s'applique au peuple du Québec. Deux propositions lui sont soumises pour examen : « Que le Synode affirme le droit de chaque peuple à sa libération, à son développement et à son autodétermination. Que l'assemblée plénière affirme le droit en principe pour le peuple du Québec à l'autodétermination. » J'ai raconté déjà ailleurs le résultat de cet examen, comment et pourquoi certains ont demandé aux évêques d'aller plus loin et de dire qu'en tant que pasteurs ils sont politiquement neutres et reconnaissent que sont libres, du moins en principe, les diverses options [15].

Leur réponse, ils devaient la donner, l'année suivante, à la suite du Synode de Rome. Réunis à Ottawa, au printemps de 1972,

---

14. *Manifeste du Front de Libération du Québec,* texte dans *Le Devoir,* 13 octobre 1970. — On sait que le cardinal Maurice Roy, archevêque de Québec, adressa, le 17 octobre suivant, au nom de l'épiscopat québécois, un radiomessage dénonçant, d'une part, la violence et, d'autre part, l'injustice qui nourrit la violence : « Justice, ajoutait-il, doit être également faite aux légitimes aspirations des collectivités. »

15. Cf. *Nos grandes options politiques et constitutionnelles,* Montréal, 1972, pp. 184-186. — À propos de ce qui s'est passé lors de la réunion épiscopale d'Edmonton, M. Guy Poisson, p.s.s., du Service des Relations publiques de la Conférence catholique canadienne, nous a fait parvenir les détails suivants : « La dépêche de la Presse canadienne — signée Gérard Alarie — était inexacte ; deux ateliers anglophones (sur 5) et deux ateliers francophones (sur 5) avaient abordé la question de l'autodétermination. Il ne serait donc pas conforme à l'histoire d'affirmer que *les* évêques anglophones étaient favorables à l'autodétermination alors que *les* francophones auraient laissé le projet de résolution en suspens. Présentée à la *dernière* minute dans le dossier de travail remis aux évêques à leur arrivée à Edmonton, la résolution ne s'est pas rendue en assemblée plénière et n'a pas fait l'objet de vote » (Lettre du 7 juin 1972 à l'auteur).

ils publient une déclaration sur la vie politique au Québec. Ils se sont interrogés, disent-ils, sur un problème qui concerne directement le Québec, mais aura des répercussions dans tout le pays. Les évêques de cette province se font souvent poser la question suivante par les chrétiens et notamment par les jeunes : « Sommes-nous libres comme chrétiens et comme communautés chrétiennes dans nos choix politiques ? Y a-t-il quelque option qui soit exclue ou quelque option qui soit à prendre ? » A cette question franchement posée sous l'angle pastoral, les évêques donnent une réponse pastorale :

> Nous affirmons que toutes les options politiques respectueuses de la personne et de la communauté humaine sont libres, tant au plan individuel que collectif. C'est la doctrine récente la plus claire de l'Église [16].

Pour appuyer cette affirmation, les évêques canadiens recourent à l'autorité à la fois du pape Paul VI et du récent Synode de 1971. Dans sa lettre *Octogesima adveniens* au cardinal Maurice Roy, du 14 mai 1971, Paul VI venait de déclarer que les communautés chrétiennes de chaque pays étaient les mieux en mesure « de discerner... les options et les engagements qu'il convient de prendre pour opérer les transformations sociales, politiques et économiques qui s'avèrent nécessaires avec urgence en bien des cas ». De son côté, le Synode avait indiqué une triple condition pour que puisse se réaliser le droit au développement :

> a) que les peuples ne soient pas empêchés de se développer selon leurs propres caractéristiques culturelles ;
>
> b) que dans la collaboration mutuelle chaque peuple puisse être lui-même le propre artisan de son progrès économique et social ;
>
> c) que chaque peuple puisse prendre part à la réalisation du bien commun universel comme membre actif et responsable de la société humaine à un plan d'égalité avec les autres peuples [17].

Après avoir cité ces deux textes, les évêques rappellent que,

---

16. *Les évêques canadiens et la vie politique au Québec,* le 21 avril 1972. Texte dans *L'Église canadienne,* juin-juillet 1972, pp. 164-165.

17. *La justice dans le monde, loc. cit.,* p. 24.

« dans la recherche et la poursuite des options politiques différentes ou contraires, il y a des valeurs humaines et chrétiennes à respecter et à vivre. ». Par exemple : l'amour, la paix, la justice, la solidarité et la fraternité, le respect et l'acceptation d'autrui, même quand celui-ci a des options différentes de celles qu'on a soi-même, aussi « le respect et l'acceptation des choix des collectivités accomplis dans les divers moments de leur histoire ». Les chrétiens, de plus, ne doivent jamais oublier que « les options politiques de par leur nature sont contingentes et n'interprètent jamais l'Évangile de façon absolument adéquate et durable » [18]. Dans toutes ces questions, l'Église elle-même entend jouer le rôle d'une instance supérieure de rencontre, de justice, de dialogue, de communion. « Quant à nous, évêques, conclut le texte, nous entendons servir le Peuple de Dieu là où il est et dans les options politiques, économiques, sociales et culturelles qu'il aura choisies » [19].

Les évêques canadiens, en tant que tels, pouvaient difficilement aller plus loin en ce domaine des options politiques. A la question qu'on leur posait de savoir si les chrétiens du Québec sont libres dans leurs choix politiques, ils répondent affirmativement, pourvu que ces options politiques soient respectueuses de la personne et de la communauté humaine, tant au plan individuel que collectif. A ces mêmes chrétiens, toutefois, ils rappellent deux choses : 1. dans la recherche et la poursuite des options politiques différentes ou contraires, il y a des valeurs humaines et chrétiennes à respecter et à vivre ; 2. les options politiques de par leur nature sont contingentes et n'interprètent jamais l'Évangile de façon absolument adéquate et durable.

La conclusion à retenir est qu'en ce domaine des options politiques le rôle de l'Église est celui d'une instance supérieure de rencontre, de justice, de dialogue, de communion, et que les évêques, eux, entendent servir le Peuple de Dieu là où il est et *dans les options politiques, économiques, sociales et culturelles qu'il aura choisies.* En d'autres termes, puisque le sujet traité est

18. Phrase tirée de la Déclaration du Synode de 1971 sur *Le Sacerdoce ministériel.*

19. *Les évêques canadiens et la vie politique au Québec, loc. cit.* à la note 16.

celui de la vie politique au Québec, les évêques canadiens déclarent que les chrétiens québécois, du point de vue pastoral et moral, sont tout à fait libres dans leurs choix politiques, que ce choix se porte vers un fédéralisme canadien ou vers un Québec indépendant, pourvu que leur option soit respectueuse de la personne et de la communauté humaine, qu'elle respecte les valeurs humaines et chrétiennes de justice, de solidarité et de fraternité et qu'elle ne se présente pas comme la seule façon d'interpréter chrétiennement l'Évangile [20]. Dans cette déclaration épiscopale, le mot *autodétermination* n'est pas mentionné, mais la chose qu'il représente y est clairement affirmée [21].

Les évêques du Québec s'en sont tenus à cette prise de position. Ainsi, par exemple, dans son homélie à l'occasion de la fête de saint Jean-Baptiste, en juin 1972, Mgr Paul Grégoire, archevêque de Montréal, après avoir déclaré que l'Église continuera à demeurer activement présente au devenir du peuple québécois, ajoute aussitôt : « On comprendra qu'il ne lui appartient pas de s'engager politiquement, de soutenir telle ou telle option politique. Elle affirme simplement, comme l'ont fait les évêques du Canada, à leur assemblée plénière d'avril dernier, que « toutes les options politiques respectueuses de la personne et de la communauté humaine sont libres, tant au plan individuel que collectif » [22].

De son côté, le cardinal Maurice Roy, à l'occasion de son

---

20. Voir, à ce sujet, Denis PLAMONDON, « Valeurs évangéliques et option indépendantiste », *Le Devoir*, 17 février 1969.

21. Cf. Irénée DESROCHERS, « Le droit du Québec à l'autodétermination. Les évêques se sont-ils prononcés ? » dans *Relations*, juin 1972, pp. 163-168. Il écrit : « À mon avis, les évêques du Canada se sont prononcés, le 21 avril dernier, *en faveur* du droit du Québec à l'autodétermination... (Ce droit) n'impose nécessairement, ni l'option fédéraliste, ni l'option indépendantiste... (mais il) n'exclut nécessairement, ni l'option fédéraliste, ni l'option indépendantiste. *Toutes* les options sont *libres*. »

22. Mgr Paul GRÉGOIRE, « Espérance chrétienne et devenir national », *Le Devoir*, 19 juin 1972. Ailleurs, le même évêque déclarait : « Quant à la quête d'identité du peuple québécois, l'Église n'a jamais cessé de l'épouser. Nous avons comme peuple une culture qu'il nous faut conserver et développer... Certains peuvent voir dans notre nouvelle tendance (la régionalisation de la C.C.C.) une option qui s'apparente à l'indépendance politique, mais je crois qu'une lecture attentive du rapport Dumont révèle que les commissaires se sont gardés de proposer à tous les membres de l'Église une option politique » (Cf. *Le Magazine Maclean*, juillet 1972, p. 15).

jubilé d'argent comme archevêque de Québec, donnait une conférence de presse, au cours de laquelle les journalistes l'interrogèrent sur le Québec, tant religieux que politique. On lui demanda, en particulier, d'expliquer la récente déclaration des évêques sur la vie politique au Québec. A un problème pastoral, répondit-il, les évêques ont voulu donner une réponse pastorale et non régler le problème politique. Ils ont rappelé les principes valables pour toute l'Église, en particulier, d'une part, le « droit d'un pays, d'une communauté à organiser sa vie selon sa culture, son idéal et, d'autre part, l'obligation de respecter le droit des autres et aussi de chercher vraiment le bien commun, là où l'on entre précisément dans le domaine des moyens ». Même à l'intérieur de la thèse séparatiste, observa-t-il, il existe une pluralité d'opinions, et « ce n'est pas aux évêques de dire jusqu'à quel point une province, un État comme celui du Québec peut et doit être autonome et quelle doit être sa relation avec les autres provinces ».

Mais, demande un journaliste, les évêques du Québec pourraient-ils aller plus loin si d'autres événements se produisaient ? Oui, répond le cardinal, car « dans le domaine politique, pareille question peut se poser à un moment donné, sous tel jour qu'il soit clair qu'il y a un devoir moral de faire ou de ne pas faire quelque chose ». Par exemple, ajoute-t-il, lors de la guerre civile en Espagne, les évêques ont jugé que le bien commun de l'Espagne comme pays chrétien demandait qu'on se rallie à Franco [23].

Ainsi, en l'espace de quelques années, l'Église, par la bouche de ses représentants les plus autorisés, a exposé clairement ses positions à l'égard des options politiques ouvertes aux Canadiens français, en particulier au Québec. En 1837, elle avait dénoncé la révolte contre l'autorité établie et condamné sévèrement les idées et les gestes des révoltés ; aujourd'hui, elle reconnaît aux chrétiens du Québec le droit de librement choisir et façonner leur avenir politique, pourvu que, dans le choix des moyens, ils se montrent respectueux des personnes, de la communauté humaine et de l'Évangile. En les remettant ainsi à leur propre liberté, elle

---

23. Le texte de cette entrevue a été publié à la fois dans *L'Action* et *Le Soleil* de Québec, le 22 juillet 1972. — Au sujet de l'attitude prise par l'épiscopat d'Espagne, voir ce qui en a été dit précédemment aux pages 71-73.

leur demande du même coup d'assumer chrétiennement leurs responsabilités [24].

24. À son congrès de 1973, la Société Saint-Jean-Baptiste de Montréal avait demandé aux évêques canadiens de se prononcer clairement sur le droit du Québec à l'autodétermination. Le directeur du Service des Relations publiques de la C.C.C., dans une lettre adressée au secrétaire de la Saint-Jean-Baptiste de Montréal, protesta que les évêques avaient déjà pris position par deux fois, soit en 1967 et en avril 1972. Il ajouta : « Une lecture attentive des deux déclarations permet de conclure que les évêques n'ont pas voulu renfermer leur pensée dans les limites étroites d'un seul mot, d'un seul aspect du problème. Ils ont préféré décrire la *réalité totale* de telle sorte qu'une déclaration se limitant aujourd'hui à l'autodétermination, selon votre requête, constituerait un net recul. S'ils ont évité une prise de position politique, c'est que l'épanouissement des Canadiens français « dans tous les ordres de réalités » leur paraît *l'objectif* à poursuivre, quel que soit le modèle concret que les Québécois *eux-mêmes jugeront opportun...*

En somme, les évêques ont voulu respecter la maturité des Québécois. Une *troisième* prise de position de l'épiscopat ne serait-elle pas un retour au cléricalisme dont les chrétiens adultes d'une Église postconciliaire se libèrent graduellement ? » (*Lettre de M. Guy Poisson, p.s.s. à M. Gérard Turcotte,* le 29 mars 1973).

CHAPITRE VII

L'Église et l'avenir de la communauté francophone du Québec

Quelques brèves réflexions sur les futurs rapports entre l'Église et la communauté francophone au Québec serviront de conclusion à cette première partie en même temps que de liaison avec ce qui va suivre. Je dis *brèves,* parce que j'aurai à revenir longuement sur cette question dans la seconde partie, à propos tout particulièrement du problème que pose la sécularisation de la société québécoise. Pour le moment, je dois me borner ici encore à l'attitude de l'Église face au projet d'avenir, sur le plan *national,* de la communauté franco-québécoise.

Cette communauté, la chose est de plus en plus claire, nourrit le dessein de survivre et de s'épanouir en tant que nation. Elle a eu, depuis trois siècles, pour compagne de route, de vie et d'histoire, une Église qui, d'une part, l'a modelée dans ses mœurs, sa pensée et ses institutions et, d'autre part, s'est aussi laissé modeler par elle. Encore aujourd'hui, elle lui fournit l'immense majorité de ses fidèles, de ses prêtres et de ses évêques. Comment ceux-ci ne partageraient-ils pas les aspirations de leur propre communauté nationale et ne l'aideraient-ils pas, à leur manière et dans les limites de leur mission, à atteindre ses objectifs pour l'avenir ? En se faisant prêtres ou en devenant évêques, ils n'en demeurent pas moins des hommes d'une langue, d'une culture et d'un milieu, des hommes qui conservent des responsabilités à l'égard de cette langue, de cette culture et de ce milieu, et qui souvent n'ont pas hésité à s'en proclamer solidaires.

Les exemples abondent. C'est Mgr Jean-Jacques Lartigue, premier évêque de Montréal, qui, dans son premier mandement à l'occasion des troubles de 1837, déclare : « Nous ne saurions vous être suspect sous aucun rapport : comme chez vous, le sang canadien coule dans nos veines ; nous avons souvent donné des preuves de l'amour que nous avons pour notre chère et commune patrie » [1]. C'est Mgr L.-F. Laflèche, évêque de Trois-Rivières, qui n'a cessé durant toute sa vie d'encourager le peuple canadien-français à demeurer fidèle à sa mission [2]. C'est le cardinal Rodrigue Villeneuve, archevêque de Québec, qui affirme que le patriotisme est un devoir pour tous et que les évêques et les prêtres ont à faire leur part pour que ce patriotisme au Québec soit « intégral, constructif et chrétien » [3]. C'est aussi le cardinal Maurice Roy, son successeur, qui, devant les deux Chambres du Parlement québécois, réunies pour lui rendre hommage, à l'occasion de son accession au cardinalat, déclarait :

> Pensant non seulement à moi-même mais à tous mes confrères dans le sacerdoce, réservés que nous sommes à des tâches sacrées et en même temps intimement liés à la vie totale de la nation, je n'en goûte pas moins une vive sensation à dire : *Civis sum* : je suis citoyen de Québec... La charge que Notre Saint Père le Pape vient de me confier ne m'attache pas seulement à l'Église, elle m'oblige à un nouveau titre à me consacrer plus parfaitement au bonheur de la société civile dont je suis membre [4].

C'est encore Mgr Paul Grégoire, archevêque de Montréal, qui, comme je l'ai déjà rappelé, n'a pas hésité à dire : l'Église continuera « à vivre et à vibrer au rythme de la société où elle s'incarne, à soutenir la quête d'identité d'un peuple qu'elle a façonné pour une part » ; quoi qu'il arrive, elle « entend rester activement

1. *Premier mandement à l'occasion des troubles de 1837, op. cit.*, p. 15.
2. Cf. « La mission du peuple canadien-français », dans André LABARRÈRE-PAULE, *Louis-François Laflèche*, collection « Classiques canadiens », Fides, Montréal, 1970, pp. 32-35.
3. *Devoir et pratique du patriotisme*, Québec, 1941, p. 16.
4. Allocution du 10 mars 1965. Texte dans *Relations*, avril 1965, pp. 124-125.

présente au devenir de ce peuple et travailler pour sa part à son épanouissement »[5]. C'est enfin, pour ne mentionner ici le nom que d'un seul prêtre, l'abbé Lionel Groulx, si profondément engagé dans le national canadien-français et qui, dans son testament, pouvait écrire : « Une autre de mes consolations, ce fut la conscience de travailler pour la survivance du Canada français : petit pays et petit peuple qui, parce que catholiques, m'ont toujours paru la grande entité spirituelle en Amérique du Nord »[6].

Tout indique que des témoignages de solidarité de ce genre se répéteront dans l'avenir, même si la communauté franco-québécoise prend de plus en plus ses distances à l'égard de l'Église. Celle-ci la laissera s'organiser elle-même et se donner ses structures propres. Comme le dit le rapport Dumont, même si elle ne définira plus nos destins culturels, économiques et politiques, l'Église, qui dans le passé a donné « cœur et âme à un peuple qui a connu une incessante menace d'extinction », ne peut s'évader « dans une conception éthérée du peuple de Dieu, de la communauté chrétienne ou de l'histoire du salut » et elle ne doit pas craindre de s'engager « dans une participation aux projets profanes de justice dans la cité »[7].

Elle l'aidera d'abord à survivre, c'est-à-dire à conserver sa langue et sa culture dans un monde étranger et souvent hostile. Le temps n'est plus, sans doute, où la langue française pouvait être considérée comme « la gardienne de la foi » et, à ce titre, énergiquement défendue par le clergé : cela faisait partie des multiples fonctions de suppléance qu'il exerçait alors. Mais aujourd'hui, il lui faut se consacrer davantage à sa mission propre ; il veut bien faire sa part au plan patriotique et national, mais de plus en plus il reconnaît que la défense et la conservation du français appartient d'abord et surtout à la communauté canadienne-française elle-même. Le cardinal Villeneuve, rappelons-le ici, l'a dit clairement à ses auditeurs : L'Église respectera votre langue et vos traditions, elle les considérera même à un titre particulier,

---

5. « Espérance chrétienne et devenir national ». Texte dans *Le Devoir,* 19 juin 1972.

6. Texte dans la *Revue d'Histoire de l'Amérique française,* juin 1967.

7. *L'Église du Québec : un héritage, un projet,* Montréal, 1971, pp. 14, 96 et 132.

mais ne lui demandez pas plus. Ne la chargez pas d'un devoir qui vous incombe à vous-mêmes, en tant que légitimes propriétaires. « Pourquoi vouloir que ce soit elle partout et toujours qui prenne le soin de vous les conserver, alors que son mandat et ses visées doivent être d'un autre ordre et plus élevé. » En tant qu'évêques et prêtres, ajouta-t-il, nous sommes chargés d'abord des âmes ; que si vous avez un héritage national à conserver, c'est à vous de vous en donner la peine ; nous ne vous arrêterons point et nous vous applaudirons, tant que vous respecterez la hiérarchie des biens et des amours [8].

Lui-même, d'ailleurs, venait de donner l'exemple quand, auparavant, il avait rappelé que chacun devait un amour prioritaire aux siens et à sa langue, mais en même temps une justice plus pressante envers les autres [9]. Enseignement qui trouve son application encore aujourd'hui, au moment où se discute avec tant d'âpreté la question des langues au Québec.

Ce qui vient d'être dit de la langue s'applique aussi à la culture par quoi se singularise la communauté canadienne-française dans son mode de vivre, de penser et de sentir. Cette culture, l'Église dans le passé l'a largement animée, façonnée, protégée et, ainsi, a grandement contribué à en assurer la survivance [10]. Elle pourra encore l'aider pour l'avenir, mais d'une façon beaucoup plus discrète et plus en conformité avec sa propre mission, laquelle est, non de conserver les cultures nationales [11], mais de les animer, de les spiritualiser et de les christianiser de l'inté-

---

8. *Devoir et pratique du patriotisme,* Québec, 1935, p. 25. J'ai déjà cité ces textes du cardinal Villeneuve aux pages 40-41.

9. *Ibid.,* p. 13. « Amour donc avant tout à ce qui est ma patrie et le plus quelque chose de moi-même. Or, il va de soi, ceux qui sont de même sang que moi et qui par suite sont de ma langue, de mes habitudes de pensée et de sentiment, me tiennent plus au cœur que ceux qui ne s'y rattachent que par l'habitation du même territoire et la sujétion au même gouvernement. Plus pressants sont donc mes devoirs d'amour envers les miens ; plus envers les autres j'ai des devoirs de justice. »

10. Voir, à ce sujet, Lionel GROULX, « Ce que nous devons au catholicisme », dans *Notre maître, le passé,* 1ère série, 3e édition, Montréal, 1941, pp. 271-286 ; aussi le *Rapport de la Commission royale d'enquête sur les problèmes constitutionnels,* Québec, 1956, vol. II, pp. 28-38.

11. Cf. VATICAN II, *Constitution pastorale « Gaudium et Spes »,* 1965, art. 42 et 58.

rieur [12]. Elle devra d'autant plus se borner à ce rôle au Québec que la communauté francophone entend de plus en plus subsister par elle-même, se donner les institutions profanes dont elle a besoin et s'acheminer vers une société séculière, comme je le montrerai plus loin.

L'Église pourra aussi aider la communauté francophone à obtenir la place qui lui revient au Canada et à bâtir cette coexistence organique qui l'établira dans ses droits et dans sa dignité. Elle le fera en vertu de deux principes qui en ce domaine régissent son action : le principe *catholique* ou d'universalité et le principe *national* ou d'incarnation. Le premier lui commande de se soucier de tous les groupes ethniques au Canada, de les réunir dans son sein et de les faire coexister autant que possible dans la paix et la fraternité : tel est le thème principal qu'a développé la Lettre collective de l'épiscopat canadien à l'occasion du centenaire de la Confédération. Mais, en même temps, le second l'oblige, si elle se veut efficace, à s'incarner le plus possible dans ces groupes ethniques et ces communautés nationales, pour en partager la vie, les besoins et les aspirations.

Conséquence pratique : l'Église du Québec, en tant que faisant partie de l'Église canadienne, aura tendance à mettre l'accent sur l'universalité, sur la nécessité de la coexistence pacifique, de l'union et de la fraternité, alors qu'en tant qu'Église profondément enracinée dans la communauté francophone, elle se sentira spontanément portée à se joindre à cette dernière, qui réclame justice et parité de droits et de chances d'avenir dans la collectivité canadienne. En somme, dans sa poursuite d'une coexistence organique lui assurant l'égalité et la dignité, la communauté francophone peut, à bon droit, compter sur l'appui de l'Église du Québec.

Le pourra-t-elle encore si, dépassant ce deuxième objectif, elle entend conquérir un jour son indépendance politique ? La réponse a déjà été donnée au chapitre précédent. Il s'agirait évidemment d'un cas de sécession, et la grande question qui se poserait alors

---

12. *Ibid.*, art. 43, paragr. 4. Le rapport Dumont, de son côté, dit que l'Église doit apprendre « à se situer de façon plus évangélique, plus libre et plus créatrice au cœur des enjeux les plus cruciaux de notre société et de la vie contemporaine » (p. 14).

à l'Église est celle-ci : cette sécession se ferait-elle pacifiquement, démocratiquement, en tenant compte des droits des principaux intéressés, ou dans la violence et même la guerre civile ? Dans le premier cas, l'Église n'aurait actuellement d'autre choix que celui de ratifier la décision des citoyens québécois, puisque l'épiscopat canadien tout entier a déjà proclamé, précisément à propos d'une pareille question, que « toutes les options politiques respectueuses de la personne et de la communauté humaine sont libres, tant sur le plan individuel que collectif ».

Dans le second cas, même si nous ne sommes plus en 1837, je ne pense pas que l'Église, comme telle, pourrait demeurer indifférente, pas plus qu'elle ne l'est demeurée en Espagne, au Congo, au Nigeria et au Vietnam, ainsi que nous l'avons vu précédemment. Cela ne veut pas nécessairement dire qu'elle se prononcerait en bloc pour l'un ou l'autre camp. À moins de circonstances exceptionnelles, comme il s'en est produit, par exemple, en Espagne où l'un des partis en cause s'est lié au communisme international, geste qui a amené une condamnation de la hiérarchie, il est fort probable que, sinon tout le clergé, du moins l'épiscopat québécois s'efforcerait de demeurer politiquement neutre, tout en remplissant auprès de tous sa mission de paix, de fraternité, de justice et de charité[13]. Tel est, à mon avis, le sens qu'il faut donner à la prise de position des évêques canadiens, le 21 avril 1972, alors qu'ils ont affirmé, d'une part, que « l'Église entend jouer, à travers le changement, la recherche, la discussion, le rôle d'une instance supérieure de rencontre, de justice, de dialogue, de communion » et, d'autre part, qu'en tant qu'évêques ils entendaient « servir le Peuple de Dieu là où il est et

13. Rappelons ces mots de la hiérarchie catholique aux fidèles de Madagascar à propos de la recherche de l'indépendance : « L'Église n'est pas une puissance politique chargée de promouvoir une forme de gouvernement ou de déclarer si un peuple est capable ou non de se gouverner lui-même, et elle entend n'être annexée par aucun courant d'opinion ou par aucune force au pouvoir ou aspirant à y être... Nous reconnaissons la légitimité de l'aspiration à l'indépendance comme aussi de tout effort constructif pour y parvenir. Mais nous vous mettons en garde contre les déviations possibles, spécialement contre la haine qui ne peut trouver place dans un cœur chrétien » (Cf. *Doc. cath.*, 1954, col. 693-696).

dans les options politiques, économiques, sociales et culturelles qu'il aura choisies »[14].

Prise de position qui vaut, non seulement pour ce projet de *nation* que je viens d'exposer, mais encore pour cet autre projet qui lui est complémentaire, du moins au Québec, et qu'il me reste à présenter : le projet de *société.*

---

14. Cf. *L'Église canadienne,* juin-juillet 1972, p. 165. — Dans son article sur « La survivance du Canada et l'Église », le sociologue Raymond Lemieux observe : « Il n'est pas sûr que l'Église catholique, ayant acquis un statut canadien remarquablement prestigieux, ne se sente pas très insécurisée devant les nouvelles montées du nationalisme québécois... (et que) l'hypothèse d'un gouvernement nationaliste à Québec représente un gain de prestige pour l'Église catholique ; au contraire » (Cf. *Relations,* mai 1973, p. 141). — Voir aussi de ce même auteur la communication « Projets et nouvelles expériences du catholicisme québécois : une cohérence politique en désintégration », à la 12e conférence internationale de sociologie religieuse à La Haye, du 26 au 30 août 1973, conférence dont les actes ont paru en volume sous le titre : *Métamorphose contemporaine des phénomènes religieux ?,* Lille, 1973, pp. 127-141.

DEUXIÈME PARTIE

Le projet de société:

Bâtir au Québec une société nouvelle, à la fois moderne et humaine

Même s'il se réalisait pleinement, même s'il débouchait un jour sur l'indépendance du Québec, le *projet de nation* ne suffirait pas à satisfaire les Canadiens français, du moins ceux du Québec, qui, comme l'a explicitement reconnu le rapport Laurendeau-Dunton, ont conscience et volonté de former une société distincte. Cette société est aujourd'hui en pleine transformation et regarde désormais beaucoup plus vers l'avenir que vers le passé. En elle s'élabore un autre projet, qui n'en compte pas moins de partisans que le premier et auquel beaucoup accordent même la priorité : un *projet de société,* le projet d'une société nouvelle, à la fois modernisée et humanisée, le projet d'un Québec nouveau.

Exprimé en termes aussi généraux, pareil projet, s'il suscite facilement l'adhésion, ne présente rien de spécifiquement québécois et correspond, en gros, aux besoins et aux aspirations de la plupart des peuples du monde actuel [1]. Il faut donc le préciser

---

1. Voir à ce sujet le rapport Dumont : *L'Église du Québec : un héritage, un projet,* Montréal, 1971, pp. 52-53. « Toutes les familles idéologiques ou politiques parlent d'une société humaine, libre et responsable, créatrice et solidaire. Elles se réclament de l'homme, par-delà leurs diverses conceptions et visions du monde. Conservateurs et progressistes, révolutionnaires et réformistes parlent le même langage de la fraternité, celle qu'on prétend ou nie trouver dans les conditions actuelles ou dans l'aboutissement d'une action évolutive ou radicale... (Mais) nous ne concevons pas une identité qui nous rendrait interchangeables ou indifférenciés. Par exemple, nous voulons notre modèle à nous de développement, notre vision de l'évolution ou notre révolution... De même, la fraternité ou la communauté deviennent sans intérêt si elles reposent sur de vagues affiliations, si elles ne s'inscrivent pas dans des appartenances particulières et des solidarités réelles. »

davantage et pour cela poser la question préalable : les Canadiens français du Québec ont-ils, sur le plan *social* tout comme ils en ont sur le plan *national,* des objectifs précis à atteindre, des objectifs qui seraient en quelque sorte les éléments constitutifs de cette société nouvelle, moderne et humaine, à laquelle ils aspirent ? La réponse n'est pas facile à formuler : sur le plan *social,* la situation est pour le moins aussi complexe que sur le plan national ; elle comporte autant, sinon plus, d'opinions divergentes qui s'affrontent et cherchent à s'incarner dans des associations, des syndicats et des partis politiques, chacun présentant son ébauche de projet d'avenir pour la société québécoise.

De plus, fait important à ne jamais oublier en la matière, les Canadiens français, même s'ils forment 80 pour cent de la population au Québec, ne sont pas les seuls à avoir leur mot à dire dans le caractère à donner à la société québécoise. Pareille entreprise, que cela plaise ou non, doit nécessairement tenir compte de l'attitude de cette minorité riche et puissante qui a toujours su très bien défendre ses intérêts et compte de nombreux et solides appuis, c'est-à-dire de l'attitude de la communauté anglophone.

Quoi qu'il en soit de ces difficultés, il n'en faut pas moins tenter de répondre à la question de base : *quelle sorte, quel type de société les Canadiens français veulent-ils pour l'avenir au Québec ?* Une société nouvelle, oui ; une société moderne et humaine, encore oui : là-dessus, semble-t-il, du moins tant qu'on demeure dans les généralités, il se manifeste très peu de désaccord [2]. Mais, de cette société nouvelle, quels seront les caractères, les lignes de force, les éléments constitutifs ? Pour le savoir, il importe tout d'abord d'examiner de plus près ce phénomène de recherche d'une société nouvelle que l'on constate aujourd'hui au Québec. Il faudra ensuite considérer tour à tour les grands courants qui agitent et portent en avant, chacun avec ses objectifs particuliers, la société québécoise, et, en cours de route, indiquer

---

2. Dans le programme publié par le Parti libéral du Québec avant les élections du 29 octobre 1973, on peut lire cette phrase : « En 1960, c'est une société moderne qu'il fallait bâtir ; aujourd'hui c'est une société humaine qu'il faut aménager. » (Cf. *Le Devoir,* 3 octobre 1973).

jusqu'à quel point l'Église peut s'insérer dans ces courants et appuyer ces objectifs [3].

---

3. On sait que, dans sa Lettre au cardinal Roy du 14 mai 1971, Paul VI a déclaré que l'action politique « doit être sous-tendue par un projet de société, cohérent dans ses moyens concrets et dans son inspiration, qui s'alimente à une conception plénière de la vocation de l'homme et de ses différentes expressions sociales » (no 25).

Pour en savoir plus long sur ce que c'est qu'*un projet de société,* sur son contenu possible ainsi que sur les moyens pour le réaliser, se reporter à la conférence prononcée par Alain BARRÈRE à la Semaine sociale de France, Rennes 1971, « À travers conflits et contradictions, naissance d'une « autre » société ? », conférence dans laquelle le président des Semaines sociales de France commente longuement le texte sur l'action politique et le projet de société cité plus haut.

Selon lui, un projet de société se situe au niveau des fins et de l'inspiration ; il comporte actuellement trois points essentiels : libérer l'homme du besoin, le libérer de la dépendance(de la technocratie, de la bureaucratie et de l'autoritarisme) et le libérer de la domination. Parmi les moyens à employer pour poursuivre cette triple libération, deux doivent être spécialement considérés : la participation et l'institution (Cf. Compte rendu, *Contradictions et conflits : naissance d'une société ?,* Lyon, 1971, pp. 317-324).

CHAPITRE VIII

La recherche d'une société nouvelle

Dès la fin de la seconde guerre mondiale, des signes nombreux laissent entrevoir que la société traditionnelle canadienne-française, jusque-là homogène de langue, d'esprit et de foi, est aux prises avec des forces qui menacent d'en bouleverser l'équilibre et d'en modifier les structures. Pour elle, l'heure des changements profonds a sonné.

Le Québec, qui semblait se situer hors de l'histoire, figé dans le temps, ancré dans ses croyances et dans ses institutions, et où le mot d'ordre joignant les générations les unes aux autres avait toujours été : rien ne doit changer de ce qui nous a été transmis, ce même Québec entre alors à fond dans le mouvement de l'histoire, ne reconnaît plus rien de sacré ni d'intouchable dans tout ce sur quoi il a vécu jusque-là et se révèle tout entier tendu vers l'élaboration d'une société nouvelle.

On a tant de fois décrit ce phénomène que je peux me permettre de me borner ici à quelques indications générales. Elles concernent les grands facteurs de changement, les besoins de modernisation et d'humanisation ressentis dans le milieu québécois et l'attitude de l'Église face à ces facteurs et à ces besoins.

Les grands facteurs de changement

À l'origine des changements survenus dans la société québécoise en ces dernières années, se retrouve une multitude de facteurs, parmi lesquels quatre au moins sont à signaler ici brièvement : l'industrialisation, l'urbanisation, la multiplication en nombre et en puissance des moyens de communication sociale et, ouvrant la voie en mettant la dernière main à tout cela, l'américanisation.

De société rurale et agricole qu'il était au XIXe siècle, le Québec est devenu, au cours du XXe, une société industrialisée et fortement urbanisée, avec tous les problèmes que comporte pareille société. En moins d'un siècle, la proportion rurale-urbaine s'est complètement renversée. En 1871, par exemple, le Québec était rural à 77.2% et urbain à 22.8% ; en 1971, ce même Québec était devenu urbanisé à 80.6% et seulement 19.4% de sa population pouvait être qualifiée de rurale, et encore cette population dite rurale se partageait-elle ainsi : 14.3% non agricole et un maigre 5.1% vraiment agricole.

D'autres peuples ont, sans doute, subi un changement du même genre, mais pas aussi rapidement ni aussi radicalement. Le peuple canadien-français, il ne faut jamais l'oublier, a été un peuple conquis, un peuple inséré tout jeune encore dans un empire étranger de langue et de religion, un peuple à qui on avait répété que ses meilleures chances de survie se trouvaient à la campagne, non à la ville, et que sa mission était d'ordre intellectuel, spirituel et apostolique, non d'ordre commercial, industriel et financier. Et voici que, en quelques décennies, ce même peuple se retrouvait embarqué dans le mouvement de l'histoire, entassé pour les trois quarts dans les villes, transformé en classe ouvrière sans racines et sans traditions et se faisant dire par ses intellectuels que ses constantes de vie jusqu'alors n'étaient en réalité que des mythes malfaisants, dont il lui fallait se débarrasser. Il y avait vraiment là de quoi l'ébranler dans ses certitudes et le faire douter de la valeur de ses traditions !

D'autant plus que, vers le même temps, les nouveaux moyens de communication et de diffusion lui permettaient de sortir de son isolement, lui facilitaient la connaissance des autres pays et le mettaient en contact avec une variété toujours grandissante d'opinions, d'idées et de théories. Ainsi envahi, son univers idéologique traditionnel, fait d'homogénéité et d'unité, ne tarda pas à se disloquer et à se désintégrer. En accueillant et en diffusant à peu près toutes les opinions, la télévision surtout contribua au changement de la mentalité traditionnelle canadienne-française, qu'elle engagea dans la voie, jusque-là peu fréquentée, du pluralisme [1].

De leur côté, les États-Unis, à travers les trois phénomènes précédents : industrialisation, urbanisation et croissance des moyens de communication sociale, faisaient de plus en plus sentir leur influence et contribuaient à accélérer le rythme du changement. Les Canadiens français suivent, bon gré mal gré, mais ce ne sont pas eux les meneurs du jeu ; ils demeurent, comme quelqu'un l'a dit, « un peuple non industrialisé dans un pays industrialisé » [2]. Aux Américains revient le principal rôle : le gouvernement québécois le proclame depuis longtemps dans l'*Annuaire* officiel qu'il publie [3].

Cette influence américaine n'a cessé, en ces dernières années, de croître au Québec, au point de tout envahir chez un peuple devenu perméable à l'excès. Elle a, plus que toute autre, contribué à accélérer les phénomènes d'industrialisation et d'urbanisation et à s'imposer à l'attention de ceux qui étaient à la recherche de nouveaux modèles dans les domaines de l'industrie, du commerce, de l'urbanisme, des moyens de communication sociale, à la recherche aussi de nouvelles structures et d'un nouveau contenu à donner au domaine de l'éducation. Pour un bon nombre de nos jeunes intellectuels formés dans les universités d'outre-frontières, moderniser la société québécoise a signifié lui imprimer les traits et lui insuffler l'esprit du modèle américain.

Rien d'étonnant, alors, que, sous l'impulsion conjuguée de ces puissantes forces, la société canadienne-française ait quitté son port d'attache, où elle jouissait tout de même d'une certaine

---

1. Voir mon article, « Radio-Canada et le Canada français », dans *Relations,* décembre 1961, en particulier le passage intitulé « La désintégration de la culture traditionnelle ».

2. Jean-Pierre LAROCHE, « Les Canadiens français et les affaires. Un peuple non industrialisé dans un pays industrialisé », dans l'ouvrage collectif *Le Québec qui se fait,* Montréal, 1971, 143.

3. Voir, par exemple, dans l'*Annuaire du Québec,* 1971, p. 143, le récit de l'industrialisation de la province et le rôle joué par les Américains à la recherche de matières premières, de pâtes et papiers, puis de minerai pour alimenter leurs industries.

stabilité, et qu'elle vogue maintenant à la recherche d'un nouveau type de société répondant au double besoin qui se fait de plus en plus sentir en elle : le besoin de se moderniser et celui de s'humaniser.

Le double besoin de modernisation et d'humanisation

À partir des années 50, le Québec perçoit de plus en plus clairement le besoin qu'il a de se moderniser. Contribuent à cette prise de conscience à la fois les grands facteurs de changement que nous venons de voir et un nationalisme qui élargit peu à peu ses ambitions jusqu'à réclamer pour la communauté francophone la coexistence dans l'égalité, une coexistence organique, avec la communauté anglophone, voire l'indépendance du Québec. Dans le camp des réformateurs sociaux d'alors comme dans celui des nationalistes, une même conviction s'installe et grandit : l'heure est venue, et c'est une nécessité, de *moderniser* la société québécoise, c'est-à-dire de la renouveler, de l'organiser pour répondre aux exigences du temps présent et du milieu géographique, de la mettre ainsi en accord avec les sociétés qui l'environnent, en particulier avec la société américaine. La réussite du double projet d'avenir — celui de nation et celui de société — apparaît alors conditionnée par la modernisation du Québec. La nouvelle classe moyenne fait sien cet objectif, accepte de faire alliance avec le nationalisme et prend pour modèle la société américaine [4].

Dans son esprit, moderniser le Québec, c'est le faire passer de son stade de société traditionnelle au stade de société industrielle — ou postindustrielle —, avec toutes les caractéristiques propres à cette dernière, caractéristiques qui, selon les sociologues, s'appellent industrialisation, urbanisation, bureaucratisation, diffusion de l'instruction, socialisation et sécularisation, le tout pé-

---

4. Cf. Hubert GUINDON, « Two Cultures : An Essay on Nationalism, Class, and Ethnic Tension », dans KRUHLAK, SCHULTZ, POBIHUSHCHY, *The Canadian Political Process : A Reader,* Toronto, 1970, pp. 75-93. L'auteur écrit : « The new middle class equated its social role with progress and the growth of its institution with modernization. Its cohesion was thus first achieved under the banner of modernization, not nationalism... The positive acceptance of modernization has been and still is the unifying ideology of the new middle class... (which) found in American society the model for modernization it sought to establish in French Canada... Nationalism became ideologically compatible when it became decisively modern... »

nétré de deux valeurs centrales ayant nom la rationalité et la démocratie [5]. Moderniser la société québécoise, cela voudrait donc dire travailler à y développer ces caractéristiques et surtout à y faire triompher ces deux dernières grandes valeurs.

À ce premier besoin s'en ajoute un autre, dont la prise de conscience se développe chaque jour davantage : celui d'une humanisation plus grande, plus intense, de cette même société. De plus en plus de Québécois aspirent à une société qui, en même temps que moderne, sera à la fois pour et par l'homme ainsi qu'en concordance et sympathie avec la communauté francophone. Une société, en conséquence, au service de l'homme, utilisant toutes les ressources de la science et de la technique pour aider l'homme à mieux satisfaire ses besoins essentiels, à se libérer aussi bien des contraintes de la nature que de l'exploitation dont il est souvent la victime de la part de ses semblables ; une société aussi dont l'homme sera le principal agent, qui fera appel à l'initiative et à la créativité des citoyens et leur permettra d'assumer de plus grandes responsabilités proprement sociales à fins libératrices [6].

J'ajoute que cette société dont on rêve devra être en concordance et sympathie avec la communauté francophone, une société par conséquent organisée de telle façon qu'elle en reflète et en soutienne les aspirations, lui reconnaisse toute la place à laquelle cette communauté a droit et lui soit vraiment une patrie.

À partir de ces constatations et de ces exigences, il semble possible de préciser les objectifs qu'entend poursuivre le peuple canadien-français du Québec dans sa recherche d'une société nouvelle. Cette société, il la veut modernisée et humanisante, davan-

5. Sur les grandes caractéristiques de la société moderne, voir, entre autres ouvrages, le volume de Gérald FORTIN, *La fin d'un règne,* Montréal, 1971, en particulier aux pages 236-237 et 340. Ailleurs, il écrit : « Le développement implique qu'une société traditionnelle doit se transformer ou se muter en société industrielle moderne, ou du moins se transformer suffisamment pour agir efficacement dans les cadres de cette société moderne. Les changements qui s'imposent se situent à plusieurs niveaux de la vie sociale : dans les institutions, dans le type de relations sociales, dans les normes et les valeurs sociales, dans la conception générale du monde... » (p. 194).

6. Voir, à ce sujet, mon article, « Pour une planification humaine de l'économie », *Relations,* novembre 1961.

tage en osmose avec sa propre communauté culturelle ; mais, en même temps, il lui faut tenir compte à la fois de la condition historique du Québec, de l'omniprésence de l'Église dans l'ancienne société et de la coexistence de la riche et puissante communauté anglophone. Ses objectifs, en conséquence, peuvent s'exprimer en ces cinq mots que je me contente ici de formuler, mais auxquels seront consacrés les prochains chapitres : rationalisation, libéralisation, démocratisation, socialisation et sécularisation [7].

Je ne prétends pas que ces cinq objectifs rallient en leur faveur l'ensemble du peuple canadien-français ni qu'ils comportent, chacun, le même nombre de partisans. Je reconnais seulement que, dans la recherche d'une nouvelle société pour le Québec, il vaut mieux partir de ces objectifs que d'une définition *a priori* de la société idéale ou utopique, précisément parce qu'ils tiennent aujourd'hui la vedette de l'actualité et constituent les grandes lignes — en tout cas, les lignes les plus visibles — de ce deuxième projet qui hante l'esprit des Canadiens français quand ils pensent à leur avenir et qu'il est permis d'appeler, comme je le fais ici, *projet de société.*

L'attitude de l'Église

Face à cette recherche, à ce désir d'une société nouvelle, à la fois plus moderne et plus humaine, l'Église, on le comprend, ne pouvait demeurer indifférente et passive. Pour bien comprendre son attitude, cependant, et ainsi se montrer juste à son égard, il importe de distinguer entre le passé et le présent.

Dans le passé, il paraît évident que l'Église a longtemps considéré avec méfiance et inquiétude ces grandes forces à l'œuvre dans le milieu québécois, forces qui avaient nom : industrialisation, urbanisation, multiplication des moyens de communication sociale

---

7. J'aurais pu ajouter un sixième objectif, très populaire aujourd'hui : celui de *libération.* Je ne l'ai pas fait pour deux raisons : d'abord, parce que, dans la première partie, j'ai déjà traité longuement de la libération *politique* et qu'au chapitre sur la socialisation j'aurai à parler de la libération économique et sociale ; ensuite, parce que, pris globalement, les cinq objectifs mentionnés ici se présentent comme les moyens concrets et actuels de promouvoir l'œuvre de libération.

et américanisation. Pareille attitude se comprend quand on se rappelle, d'une part, l'esprit du temps et, d'autre part, la position particulière qu'occupait l'Église dans la société québécoise.

L'esprit qui prévalait alors dans l'Église en était un de fermeture au monde et de méfiance à l'égard de ces innovations qu'on présentait comme des progrès, mais que beaucoup percevaient comme une menace pour la communauté francophone et la religion. À cette menace, plus que toute autre institution, l'Église est sensible, car elle occupe alors dans la société québécoise une position de premier plan et de grande influence et lui est si intimement liée qu'elle se sent en quelque sorte responsable de son sort et qu'elle subit bon gré mal gré les contrecoups des changements qui s'opèrent dans cette société. Position que l'Église estime alors avantageuse à la fois pour elle-même et pour la communauté francophone : pour elle-même, car elle peut ainsi exercer plus facilement et plus efficacement sa mission propre et garder catholiques les Canadiens français ; pour la communauté francophone, car elle l'incite à défendre et à maintenir le plus longtemps possible l'esprit, la discipline et les institutions qui, dans son esprit, ont contribué à faire de cette dernière une race saine et féconde et, en définitive, à la garder française.

Or, dans les grands facteurs de changement qui ébranlent alors la société traditionnelle, l'Église, je le répète, perçoit une menace, non seulement à sa position, mais aussi au double caractère catholique et français qu'elle s'est toujours efforcée de conserver au peuple du Québec. Elle adopte, en conséquence, une attitude défensive : au mouvement de l'histoire qui emporte les Canadiens français dans les villes, en fait les salariés de patrons le plus souvent étrangers, les livre désarmés au vent de toutes les opinions et les met de plus en plus en contact avec la puissante civilisation américaine, elle répond en insistant sur les bienfaits de la campagne et sur les méfaits des villes, en rappelant aux Canadiens français le caractère avant tout spirituel et apostolique de leur mission, en les mettant en garde contre les opinions qu'elle juge nocives pour leur santé tant physique que morale, en les prévenant enfin du danger de se laisser séduire surtout par ce que la civilisation américaine présente de moins bon pour eux.

Telle a été, en gros, l'attitude passée de l'Église, attitude que certains ne manquent pas de lui reprocher aujourd'hui, transposant dans le passé les réflexes et les exigences du présent. Quoi qu'il en soit, là n'est pas la question qui nous occupe, puisqu'il s'agit ici non pas d'hier mais de demain. Fait certain, l'Église a fini par entrer, elle aussi, dans le mouvement de l'histoire et par modifier considérablement son attitude. L'explication réside encore une fois dans l'esprit du temps et dans la position devenue maintenant la sienne au Québec.

L'esprit qui prévaut aujourd'hui dans l'Église, je l'ai déjà dit et le répète ici, en est un d'ouverture au monde, de sympathie pour ses besoins et ses aspirations, de reconnaissance de son autonomie, de confiance en ses capacités de création et de renouvellement. De cet esprit nouveau témoigne, en particulier, la constitution pastorale *Gaudium et spes,* adoptée par Vatican II en 1965 et portant le titre de *L'Église dans le monde de ce temps.* Avec le monde moderne l'Église se dit prête à faire la paix, à dialoguer, à travailler, à poursuivre un objectif commun : le service de l'homme. Elle considère désormais les grands facteurs de changement comme des faits avec lesquels il lui faut vivre et elle les juge maintenant, moins par rapport à elle-même que d'après le bien ou le mal qu'ils apportent à l'homme.

Loin de s'opposer aux changements, un pape comme Paul VI, par exemple, demandera aux chrétiens d' « assumer comme leur tâche propre le renouvellement de l'ordre temporel », car, ajoutera-t-il, « des changements sont nécessaires, des réformes profondes, indispensables ». L'œuvre à accomplir presse et « il faut se hâter : trop d'hommes souffrent, et la distance s'accroît qui sépare le progrès des uns et la stagnation, voire la régression des autres ». L'introduction de l'industrie lui paraît « nécessaire à l'accroissement économique et au progrès humain » : c'est « à la fois signe et facteur de développement ». Ainsi en est-il de la planification [8].

8. *Lettre encyclique « Populorum progressio » sur le développement des peuples,* 1967, nos 81, 29, 25 et 33. Au no 26, le pape remarque : « S'il est vrai qu'un certain capitalisme a été la source de trop de souffrances, d'injustices et de luttes fratricides aux effets encore durables, c'est à tort qu'on attribuerait à l'industrialisation elle-même des maux qui sont dus au néfaste système qui l'accompagnait. Il faut au contraire en toute justice reconnaître l'apport irremplaçable de l'organisation du travail et du progrès industriel à l'œuvre du développement. »

Plus tard, le même pape, écrivant au cardinal Maurice Roy, après avoir parlé de la croissance industrielle, de la civilisation urbaine et du rôle sans cesse plus important joué par les moyens de communication sociale, n'hésitera pas à demander qu'on mette toutes ces forces au service de l'homme et que, dans ce but, les chrétiens y soient présents et contribuent, pour leur part, à leur humanisation [9].

L'épiscopat canadien, de son côté, a adopté une attitude semblable, surtout dans ses Messages annuels à l'occasion de la Fête du Travail. Dans celui de 1969, par exemple, qui portait sur la présence et le rôle des « nouveaux pouvoirs » dans la société, pour apprécier l'action de ces derniers les évêques donneront cette règle : « Est-ce que tel pouvoir favorise le développement humain ? Est-ce qu'il contribue à bâtir une société plus juste et plus humaine tant au Canada que dans le monde entier ? » [10]. En 1970, le Message portera sur la « Libération » et se terminera par cet appel percutant : « Nous avons confiance que les chrétiens seront aux premières lignes de ce front de libération qui ambitionne de bâtir une société authentiquement humaine » [11].

En même temps que changeait l'esprit du temps, l'Église cessait peu à peu d'occuper au Québec des positions prédominantes dans les domaines de l'éducation, de l'assistance sociale, de l'hospitalisation et des loisirs, voire de la pensée et des projets d'avenir. Comme nous le verrons plus loin au chapitre sur la sécularisation, de gré ou de force, elle se retirait de ces domaines où, dans le passé, elle avait dépensé tant d'énergie. Retraite qui va si loin que maintenant l'Église semble avoir abandonné son projet d'hier de faire du Québec une société chrétienne et que

---

9. *Lettre apostolique « Octogesima adveniens » à M. le cardinal Maurice Roy,* 1971, nos 8 à 20. Le pape y déclare que l'Évangile « fait un devoir à l'Église de se mettre au service des hommes » (no 5). En conséquence, « l'Église invite tous les chrétiens à une double tâche d'animation et d'innovation afin de faire évoluer les structures pour les adapter aux vrais besoins » (no 50).

10. *Message de l'épiscopat canadien à l'occasion de la Fête du Travail,* septembre 1969, sur « Les nouveaux pouvoirs », cf. *L'Église canadienne,* septembre 1969, pp. 255-256.

11. *Message de l'épiscopat canadien à l'occasion de la Fête du Travail,* septembre 1970. sur la « Libération de l'homme contemporain », cf. *L'Église canadienne,* septembre 1970, pp. 255-256.

les auteurs du Rapport Dumont ont été jusqu'à se poser la question : « Après avoir été évincée de sa fonction d'antan qui la plaçait au cœur de notre vie collective, l'Église québécoise trouvera-t-elle un nouveau rôle d'animation dans le projet encore flou de la collectivité d'ici ? Sa mise en marge, dont nous avons souligné les aspects positifs, est-elle le signe d'une dissolution inévitable qui la réduirait au mieux à la vie strictement privée des croyants ? » La réponse de ces auteurs, on le sait, est que l'Église ne doit pas craindre de se situer encore « au cœur des enjeux les plus cruciaux de notre société » et de participer à sa façon, « aux projets profanes de justice dans la cité » [12].

En pratique, cela signifie que l'Église se reconnaîtra de moins en moins la responsabilité d'assurer l'avenir de la communauté canadienne-française et qu'elle aura tendance à considérer l'industrialisation, l'urbanisation, la croissance des moyens de diffusion et l'américanisation comme des faits qui affectent l'*homme* plutôt que le seul Canadien français. Déjà, dans la Lettre pastorale collective sur le Problème ouvrier, Lettre publiée en 1950, se perçoit ce changement d'attitude. Les évêques y invitent les Québécois à regarder le problème ouvrier dans le plan de Dieu et, parlant de l'urbanisation, ils amorcent une réconciliation avec la vie des villes et le milieu ouvrier : la première n'est pas nécessairement « meurtrière des âmes » et le second « peut être sanctificateur ». Aussi la tâche qui s'impose pour l'avenir est-elle d'instaurer au Québec « une condition ouvrière chrétienne qui corresponde sur un autre plan à ce qui fut autrefois notre civilisation agricole » [13].

Seulement, cette fois, le rôle de l'Église sera moins de fournir elle-même un projet de société que de participer, à sa manière et dans la mesure de ses moyens — avant tout moraux et spirituels — aux projets qui surgissent dans le milieu québécois, à ceux

---

12. *L'Église du Québec : un héritage, un projet,* Montréal, 1971, pp. 14, 84 et 132.

13. *Le problème ouvrier en regard de la doctrine sociale de l'Église.* Lettre pastorale collective des archevêques et évêques de la province civile de Québec, 1950, nos 37 et 84.

surtout qui lui paraîtront les plus aptes à promouvoir cet « humanisme plénier » qu'elle voudrait voir partout s'instaurer [14] Sa contribution principale sera d'abord d'offrir aux bâtisseurs de la société nouvelle ce qu'elle possède en propre, c'est-à-dire « une vision globale de l'homme et de l'humanité » [15], et ses faveurs iront au « projet de société... qui s'alimente à une conception plénière de la vocation de l'homme » et assure à ce dernier les meilleures chances de réaliser cette vocation [16].

C'est dans cette perspective qu'il nous faut maintenant examiner les grands objectifs dont il a été question tout à l'heure et qui constituent, en somme, les valeurs et les éléments de base de cette nouvelle société que l'on veut édifier. Pour l'homme, pour l'homme canadien-français en particulier, puisque c'est de lui qu'il s'agit ici, seront-ils des instruments de libération ou d'asservissement, d'humanisation ou de dégradation ? Dans le premier cas, l'Église se fera un devoir de les appuyer, dans le second, de les dénoncer.

---

14. PAUL VI, *Lettre encyclique « Populorum progressio » sur le développement des peuples,* 1967, no 42. « C'est un humanisme plénier qu'il faut promouvoir. Qu'est-ce à dire, sinon le développement intégral de tout homme et de tous les hommes ? »

15. *Ibid.,* no 13.

16. PAUL VI, *Lettre apostolique « Octogesima adveniens » à M. le cardinal Maurice Roy,* le 14 mai 1971, no. 25.

CHAPITRE IX

L'objectif "rationalisation" ou l'effort pour organiser rationnellement la société québécoise

Concentrée à plus de 80% au Québec (en 1971, 84% de tous les francophones canadiens habitent « la belle province »), prenant de plus en plus conscience des menaces qui pèsent sur elle ainsi que de ses retards, devenue sensible à l'appel de la modernisation, la communauté canadienne-française a entrepris de réorganiser la société qui lui avait en quelque sorte servi d'ossature jusqu'alors. Aux lendemains de la deuxième guerre mondiale, tout un mouvement se dessine qui réclame une révision complète des cadres et institutions de cette vieille société.

Que lui reproche-t-on ? En gros, ceci : de demeurer trop sous l'emprise de la tradition et de la religion, d'en être encore à ne suivre que les impulsions de l'instinct de survivance et ainsi de se contenter d'improvisations de fortune et de sursauts sans lendemain, de s'encrasser dans la routine et de retarder sur le milieu environnant, bref de donner le spectacle d'une société moyenâgeuse subsistant au sein de la civilisation la plus moderne qui soit : la civilisation nord-américaine. Pour remédier à ces défauts et rattraper ces retards, on a mis de l'avant une première réforme, dont l'objectif est de doter la société québécoise d'une organisation vraiment rationnelle.

Et par là, on entend une organisation qui, d'une part, fera prédominer dans la société les règles de la raison sur toute directive provenant soit de la tradition soit de la religion et, d'autre part, mettra au service de cette même société toutes les ressources de la science et de la technique dans le but d'en assurer un fonctionnement le plus efficace possible [1]. Y introduire la valeur et la règle de la *rationalité,* voilà, pense-t-on alors, le premier pas à faire pour *moderniser* la société québécoise [2].

La rationalisation de la société québécoise

Un effort de rationalisation a donc été entrepris et se poursuit au Québec. Pour certains, cet effort est le produit de « l'idéologie de rattrapage » qui, à partir de 1950, s'opposa à « l'idéologie de conservation » et se donna pour objectif « de rattraper la démocratie libérale des Nord-Américains » [3]. Pour d'autres, il découle du fait de l'apparition d'une nouvelle classe moyenne, qui s'est donnée pour mission de moderniser la société québécoise.

Cette nouvelle classe moyenne, écrit en substance, par exemple, le professeur Hubert Guindon, s'en prit à l'incompétence des

---

1. Cf. Robert GOETZ-GIREY, « Progrès des techniques et volonté de rationalisation », dans le compte rendu de la Semaine sociale de France de 1960, *Socialisation et personne humaine,* Lyon, 1961, pp. 63-79.

2. Le sociologue Gérald FORTIN a longuement expliqué en quoi consiste cette rationalité, qu'il considère comme l'une des deux grandes caractéristiques de la société moderne. Il écrit : « Les décisions qui affectent la vie de l'homme individuel aussi bien que des groupes, doivent être basées sur une connaissance rationnelle et scientifique des faits, et le choix des moyens doit être établi à partir d'un critère d'efficacité plutôt qu'à partir de l'attachement à la tradition pour elle-même... La valeur de la rationalité... s'est incarnée pour nous donner un système de production de plus en plus efficace. Elle nous a menés à un très haut degré de technicité non seulement dans les domaines économiques mais de plus en plus dans tous les domaines de la vie sociale. Elle conduit de façon presque inévitable toutes les sociétés à une forme plus ou moins poussée de planification socio-économique, c'est-à-dire à une rationalité délibérée dans l'organisation des activités humaines » (*La fin d'un règne,* Montréal, 1971, pp. 237 et 340).

3. Cf. Marcel RIOUX, *La Question du Québec,* Paris, 1969, pp. 99-100 et 172-173.

détenteurs des postes sociaux et politiques, à leur conduite arbitraire, à leur refus du progrès, à leur manière fantaisiste de distribuer les fonds publics. À ses yeux, pour occuper ces postes, une seule chose devait désormais compter : la compétence et, autant que possible, la compétence scientifique et technique, non plus le fait d'être prêtre, religieuse, catholique, membre du parti ou ami du pouvoir. Moderniser le Québec, c'était d'abord et surtout cela : rationaliser l'accès aux fonctions publiques, tant sociales que politiques [4].

Complétant ce point de vue, un autre sociologue, Gérald Fortin, décrit les efforts des jeunes techniciens canadiens-français pour arracher le pouvoir à une élite qu'ils considèrent comme dépassée et pour se poser eux-mêmes comme la nouvelle élite.

> Rejetant la vision rurale de la société, écrit-il, c'est une vision industrielle et même post-industrielle qui lui est apparue comme la seule réaliste. Il ne s'agissait plus pour elle de conserver une société passée mais plutôt de construire une société à venir. Cette société, elle serait industrielle, pluraliste (le catholicisme n'étant plus accepté comme la seule valeur) et française. Par ailleurs, il ne s'agissait plus d'une société strictement canadienne-française mais plutôt d'une société québécoise. Ce changement dans l'identification, de Canadiens français à Québécois, est un phénomène majeur par rapport au rôle de l'État et par rapport aux relations avec le monde extérieur [5].

---

4. *Art. cit.* à la note 4 du précédent chapitre. « In the bureaucratic institutions of health, education, welfare, and public service, the challenge to priestly rule or political appointees was not an attack on religion or on the older people, but on incompetence. It no longer was sufficient to be a priest to run an agency or a university department, a nun to run a hospital board or the nursing department, or a public official with a long record of service to head a ministry. What was necessary was that one should be professionally qualified. If he were not, he must forfeit the right to bureaucratic power. That scientific or technical competence should be the overriding concern in the selection, hiring, and promotion of bureaucratic personnel marked the claim to supremacy of bureaucratic leadership over traditional leadership.

A second characteristic of the attack on traditional leadership was that competence and training were the only prerequisites to claim office. A university teacher competent in his discipline and in his role as a teacher need not be Catholic even in an officially Catholic institution... The allocation of institutional position should be rational and open to achievement rather than ascription... »

5. *Op. cit.*, pp. 380-381.

Le gros de l'effort de rationalisation se porta sur l'organisation de l'État, en particulier de la fonction publique. En peu de temps, surgirent des organismes chargés de promouvoir et de planifier le développement économique de la province, tels, par exemple, le Conseil d'orientation économique, la Société générale de financement, la Régie des rentes et la Caisse de dépôt et de placement, la Régie québécoise d'exploitation des forêts, etc. Puis, deux grandes enquêtes vinrent tracer la voie à une organisation plus rationnelle, d'abord de l'enseignement à la suite du rapport de la Commission Parent, ensuite des services sociaux à la suite du rapport de la Commission Castonguay-Nepveu. En conséquence, le Québec se voyait doté d'un ministère de l'Éducation comparable à ceux des autres provinces et le système lui-même se transformait du tout au tout. Les collèges classiques qui, depuis la conquête de 1760, avaient maintenu la tradition humaniste gréco-latine, étaient remplacés par les CEGEP ou collèges d'enseignement général et professionnel ; les commissions scolaires dans la province subissaient une réorganisation plus rationnelle et on procédait enfin à la restructuration du système sur l'Île-de-Montréal.

Au ministère des Affaires sociales, une même volonté d'organisation rationnelle se faisait jour. Afin d'accroître l'efficacité des différents services sociaux sous le contrôle gouvernemental, on s'efforça d'y introduire le plus de rationalité possible. L'effort en ce domaine déboucha même sur les relations avec Ottawa et le ministre québécois entreprit de convaincre ce dernier de la nécessité de reconnaître au Québec la responsabilité première, qui lui permettrait d'instaurer « une politique intégrée ». Si le Québec, déclara Claude Castonguay, réclame certains pouvoirs, ce n'est pas pour le seul plaisir de les exercer, « mais parce qu'ils lui apparaissent essentiels pour assumer ses responsabilités et utiliser de façon aussi efficace et rationnelle que possible les ressources énormes consacrées à ce secteur »[6].

---

6. Claude CASTONGUAY, discours à l'Assemblée nationale du Québec, le 29 avril 1971. Voir, à ce sujet, mon article, « Le combat de Claude Castonguay pour une politique sociale intégrée », dans *Relations*, février 1972, pp. 36-39, ainsi que celui de Jeanne SAUVÉ, « Quebec's bid to rationalize policies », dans *The Gazette,* January 14, 1972.

On pourrait en dire autant des autres ministères, mais leur effort d'organisation et de planification avait moins de conséquences pour l'Église à l'œuvre dans la société. Le Québec, aujourd'hui, semble donc être définitivement entré dans la voie de la rationalisation. Beaucoup considèrent que c'est là le premier pas à faire, le premier geste à poser, pour que se réalise un jour le projet de société qu'ils portent en eux-mêmes.

L'attitude de l'Église

Il semblerait, à première vue, que l'Église ait peu à voir, dire et faire en ce domaine d'une organisation rationnelle de la société québécoise. Ne s'agit-il pas d'une question à caractère profane et technique qui ne la regarde pas ? Bien plus, cette rationalisation du milieu québécois s'étant opérée en quelque sorte à ses dépens — n'y a-t-elle pas perdu la direction et souvent même le contrôle de la plupart des institutions d'enseignement, d'hospitalisation et de bien-être qu'elle avait fondées ? — on pourrait s'attendre à ce qu'elle la considère d'un œil peu sympathique et lui ménage sa collaboration.

Peut-être en aurait-il été ainsi autrefois, mais Vatican II a modifié considérablement l'attitude de l'Église à l'égard du monde, attitude qui est passée de la méfiance à la sympathie, de l'isolement à la solidarité. Faut-il rappeler encore les déclarations de *Gaudium et spes ?* L'Église se veut désormais solidaire du genre humain et de son histoire, elle se veut au service de l'homme et elle affirme sa volonté de travailler, pour sa part, à l'instauration d'une société qui soit vraiment humaine, c'est-à-dire où l'homme sera la première valeur et où sa « vérité essentielle », son éminente dignité et ses droits fondamentaux seront respectés. Elle affirme que « l'ordre des choses doit être subordonné à l'ordre des personnes », qu'il « faut travailler au renouvellement des mentalités et entreprendre de vastes transformations sociales ». Elle estime les valeurs humaines, mais pas au point de s'aveugler sur leurs déficiences et leur besoin de purification [7].

---

7. VATICAN II, *Constitution pastorale « Gaudium et spes » sur l'Église dans le monde de ce temps,* nos 1 à 3, 26, par. 3. « Ces valeurs, dans la mesure où elles procèdent du génie humain, qui est un don de Dieu, sont fort bonnes ; mais il n'est pas rare que la corruption du cœur humain les détourne de l'ordre requis : c'est pourquoi elles ont besoin d'être purifiées » (*Ibid.,* no 11, par. 2).

Si, de ces considérations générales, on descend au niveau de cet objectif de rationalisation que l'on poursuit aujourd'hui au Québec, quelle peut être l'attitude de l'Église ? Je répondrais que, dans ce phénomène, elle voit de grands avantages, mais perçoit aussi des dangers, tant pour l'homme en général que pour la collectivité québécoise en particulier.

Déjà, en 1931, abordant le problème de « la restauration de l'ordre social », le pape Pie XI, d'une part, rappelait que « les experts en sciences sociales appellent à grands cris une *rationalisation* qui rétablira l'ordre dans la vie économique », tout en avertissant, d'autre part, que, pour donner tous ses fruits, cette rationalisation devrait se faire chrétienne [8]. Quelque trente ans plus tard, Vatican II n'hésitait pas à déclarer que le « gigantesque effort par lequel les hommes, tout au long des siècles, s'acharnent à améliorer leurs conditions de vie, correspond au dessein de Dieu » ; effort qu'on ne peut qu'approuver à condition qu'il « soit conforme au bien authentique de l'humanité... et (qu'il) permette à l'homme, considéré comme individu ou membre de la société, de s'épanouir selon la plénitude de sa vocation » [9].

Favorable au progrès scientifique et technique, l'Église l'est certainement aujourd'hui. On n'a pour s'en convaincre qu'à relire les déclarations explicites des deux derniers papes, Jean XXIII [10]

8. PIE XI, *Lettre encyclique « Quadragesimo anno » sur la restauration de l'ordre social,* 1931, no 147.

9. *Constitution pastorale « Gaudium et spes »,* 1965, no 34, par. 1 et no 35, par. 2. Un peu plus loin dans la même Constitution, on peut lire : « Il faut encourager le progrès technique, l'esprit d'innovation, la création de l'extension d'entreprises, l'adaptation des méthodes, les efforts soutenus de tous ceux qui participent à la production, en un mot, tout ce qui peut contribuer à cet essor. Mais le but fondamental d'une telle production n'est pas la seule multiplication des biens produits, ni le profit ou la puissance ; c'est le service de l'homme : de l'homme tout entier, selon la hiérarchie de ses besoins matériels, comme des exigences de sa vie intellectuelle, morale, spirituelle et religieuse » (no 64).

10. « L'Église a enseigné de tout temps, et elle enseigne encore, que le progrès scientifique et technique, tout comme la prospérité qui en résulte, sont des biens authentiques, un signe du progrès de la civilisation. Mais elle enseigne aussi qu'on doit les juger d'après leur véritable nature ; ils ne peuvent être considérés que comme des moyens pour l'homme d'atteindre plus facilement une fin supérieure : devenir meilleur dans l'ordre naturel et dans l'ordre surnaturel » (JEAN XXIII, *Lettre encyclique « Mater et magistra »,* 1961, no 246).

et Paul VI [11]. Mais, tout en reconnaissant les bienfaits produits, ces deux papes n'ont pas manqué de rappeler que pareil progrès ne pouvait suffire à lui seul à réaliser la promotion de l'homme et que même il comportait des dangers s'il n'était mis pleinement au service de la personne humaine.

Déjà, en 1931, le pape Pie XI mettait le doigt sur l'un de ces dangers, quand il constatait non sans tristesse que « la matière inerte sort ennoblie de l'atelier, tandis que les hommes s'y corrompent et s'y dégradent » [12]. Et son successeur, Pie XII, n'a pu s'empêcher de noter le contraste entre un immense progrès scientifique et technique et un recul très net du sens de la dignité humaine : l'ère technique, a-t-il déclaré, est en train « de transformer l'homme en un géant du monde physique aux dépens de son esprit, réduit à l'état de pygmée du monde surnaturel et éternel » [13]. Les idolâtres de la technologie, dira-t-il plus tard, finissent « par devenir ennemis de la vraie liberté humaine, car ils traitent l'homme comme les choses inanimées d'un laboratoire. » [14]. Quant à Paul VI, il s'est longuement interrogé sur « l'ambiguïté du progrès » surtout d'un progrès considéré uniquement comme l'effort de libération de l'homme à l'égard des nécessités de la nature et des contraintes sociales ; d'un progrès qui met l'accent plus sur la quantité que sur la qualité, mesurant tout en termes d'efficacité et d'échanges, et négligeant trop « le développement de la conscience morale qui conduira l'homme à prendre en charge des solidarités élargies et à s'ouvrir librement aux autres et à Dieu » [15].

Ce que l'Église déplore et dénonce, ce n'est pas la rationalisation elle-même provenant du progrès scientifique et technique, mais le *rationalisme* théorique et pratique de beaucoup de ses

---

11. « Tout programme, fait pour augmenter la production, n'a en définitive de raison d'être qu'au service de la personne... Il ne suffit pas de promouvoir la technique pour que la terre soit plus humaine à habiter... La technocratie de demain peut engendrer des maux non moins redoutables que le libéralisme d'hier. Économie et technique n'ont de sens que par l'homme qu'elles doivent servir » (PAUL VI, *Lettre encyclique « Populorum progressio »*, 1967, no 34.
12. PIE XI, *Lettre encyclique « Quadragesimo anno »*, 1931, no. 146.
13. PIE XII, Message radiophonique de Noël 1953.
14. PIE XII, Message radiophonique de Noël 1956.
15. PAUL VI, *Lettre apostolique « Octogesima adveniens »*, 1971, no 41.

promoteurs, pour qui ne compte que la seule raison, devenue principe suprême, source et juge de la vérité, et qui prétendent tout soumettre, même l'homme, à leurs calculs rationnels. Il en résulte, certes, une société rationalisée, mais organisée pour le rendement et l'efficacité par une élite dirigeante de technocrates, de planificateurs et de bureaucrates, une société qui tend à se transformer en une immense machine administrative où l'ordinateur est roi et dispose du sort des personnes [16].

Au Québec, l'effort de rationalisation qui se poursuit depuis quelques années, s'il a beaucoup fait pour moderniser la société, n'en a pas moins suscité tout un cortège de récriminations, et pas toutes injustifiées [17]. Qu'il s'agisse du domaine de l'éducation, de la santé ou du bien-être social, des plaintes s'élèvent chaque jour contre le caractère impersonnel et mécanique que revêt trop souvent le nouveau système.

Les jeunes y sont particulièrement sensibles ; ils en souffrent et se révoltent contre un régime qui, estiment-ils, les traite comme des numéros, les manipule comme des marionnettes, laisse peu de place à leur élan créateur et au développement de leur sensibilité, et auquel ils appliquent volontiers la définition que jadis Nietzsche donnait de l'État, quand il le qualifiait du plus froid des monstres froids [18]. Et ils ne sont pas les seuls à penser ainsi, surtout en ce

---

16. Voir, à ce sujet, les observations pertinentes d'Edgar MORIN dans son ouvrage *Introduction à une politique pour l'homme,* Paris, 1969, aux pages 56 et suivantes. Exemple : « Le développement économique en Extrême-Occident commence à révéler un fantastique sous-développement affectif, psychologique, moral, de l'être humain. La disette d'amour des sociétés repues, la misère de l'homme qui ne décroît pas avec la décrue de la misère physiologique et matérielle, mais qui s'accroît avec l'abondance et le loisir ... » (p. 56).

17. Cf. Pierre VADEBONCOEUR, *Indépendances,* Montréal, 1972. L'auteur s'y élève contre la technique, l'organisation, la rationalité et plaide en faveur de la liberté, de la poésie et de l'indépendance.

18. Cf. Jacques LAZURE, *L'asociété des jeunes Québécois,* Montréal, 1972. Ainsi, par exemple : « Toujours dans la même logique de la personne humaine totale qui les entraîne vers la négation de l'impersonnalité et de l'individualisme, les jeunes Québécois regimbent aussi contre la rationalité scientifique qui caractérise la modernité industrielle. Héritière choyée du positivisme du XIXe siècle, cette rationalité envahit tous les champs du savoir et même de l'activité sociale. Un de ses leitmotive réside dans la neutralité objective. Théodore Roszak a dénoncé avec vigueur ce mythe de la conscience objective ... et montré clairement comme les jeunes le remettent en question de plus en plus, quand ils ne vont pas jusqu'à l'abhorrer tout simplement » (p. 93).

qui regarde la qualité du système d'éducation. Ce que nous avons réussi à bâtir au Québec en ces dernières années, a-t-on écrit, c'est « l'école des technocrates », il reste à donner à cette école un caractère humain [19]. Et faisant le bilan de l'expérience des CEGEP ou collèges d'enseignement général et professionnel, deux sociologues n'hésitent pas à conclure : « C'est en définitive le droit de l'homme de se réaliser pleinement à travers le système d'éducation, au lieu de s'aliéner et de se diminuer, que nous réclamons pour la jeunesse actuelle et future » [20].

C'est exactement la même chose que, dans leurs déclarations officielles, les dirigeants de l'Église demandent : ils disent oui à la rationalisation administrative, mais souhaitent qu'elle s'accompagne du souci toujours plus grand d'humaniser le système, de sorte que l'homme en soit, non la victime, mais le bénéficiaire.

Il n'est pas sûr, enfin, que cet effort de rationalisation, s'il se poursuit uniquement d'après le modèle américain ou ontarien, aboutisse à bien servir les véritables intérêts et à assurer l'avenir de la communauté francophone au Québec. Ce doute se retrouve exprimé moins dans les déclarations de l'Église institutionnelle que dans celles d'observateurs laïcs, tant francophones qu'anglophones. Les premiers, par exemple, avouent ne pas croire à la possibilité de « créer une société industrielle et française dans le contexte nord-américain » [21]. Les seconds mettent des nuances,

---

19. Cf. Paul-Émile GINGRAS, « L'école des technocrates » dans *Relations,* décembre 1969. « En 1970, le technocrate croit le gros œuvre en place et l'essentiel de la réforme assuré. D'autres, cependant, élèves, maîtres, administrateurs ou parents, face à l'école des technocrates, affirment volontiers que la réforme scolaire n'est pas commencée... » Voir aussi Hélène PELLETIER-BAILLARGEON, « L'exode vers les collèges privés », dans *Maintenant,* février 1973, pp. 10-13, ainsi que le « dossier » publié par la revue *Éducation et Société,* octobre 1973 : « A quoi sert l'école aujourd'hui... », en particulier l'article de Robert PICARD, « La bureautechnocratie contre l'Homme ».

20. Fernand DUMONT et Guy ROCHER, « L'expérience des cegeps : urgence d'un bilan », dans *Maintenant,* janvier 1973, p. 23.

21. « Vouloir créer une société industrielle et française dans le contexte nord-américain est une sorte de folie collective au moment où l'économie est presque entièrement contrôlée par les États-Unis et que les Canadiens français, par suite de l'idéologie traditionnelle, n'ont pratiquement aucune expérience ni aucun contrôle du monde industriel » (Gérald FORTIN, *La fin d'un règne,* Montréal, 1971, p. 381).

mais aboutissent à peu près à la même conclusion : une société industrielle est possible au Québec, mais les francophones risquent d'y perdre leur âme [22].

Analysant les causes qui ont donné naissance à la « révolution tranquille » au Québec, l'historien W.L. Morton mentionne la tentative d'y créer une société séculière et matérialiste sur le modèle des États-Unis ou même de l'Ontario, deux sociétés attirantes, efficaces, prospères, qui offrent à leurs citoyens les moyens de s'assurer une vie bourgeoise et confortable. En dépit de l'influence de l'Église et de la persistance de la culture traditionnelle, conclut-il, le Québec révolutionnaire s'est laissé fasciner par ces modèles et il a opté d'être nord-américain [23].

Le dilemme du Canada français, remarque un autre anglophone, est le suivant : d'une part, s'il veut retenir sa population, il lui faut favoriser le plus possible l'avènement d'une société technologique, mais, d'autre part, s'il désire conserver son identité, il doit veiller à ce que cette société technologique soit compatible avec une culture francophone intégrale et viable, ce qui suppose que les Canadiens français soient capables de vivre presque entièrement dans leur langue. Étant donné l'intégration croissante de l'économie québécoise dans l'économie continentale, il y a là un

---

22. Se reporter aux inquiétudes manifestées par le sociologue Guy ROCHER dans son livre *Le Québec en mutation,* Montréal, 1973, en particulier au chapitre intitulé « Les conditions d'une francophonie nord-américaine originale ». L'auteur présente ce chapitre en ces termes : « L'avenir de notre francophonie m'apparaît plus incertain aujourd'hui que jamais, non seulement dans le contexte canadien mais plus encore dans celui de la civilisation états-unienne qui nous entoure et qui pénètre jusqu'au plus intime de nos vies et de nos consciences » (p. 85).

23. « The third element essential to the revolution in Quebec was therefore the attempt to create a secular and materialistic society. To this there at least seemed to be few barriers. The French Canadian, poor or well off, accepted readily the models before him. One was that of the United States, near, fascinating, resplendent with efficiency, bright with speed, and uncompromised by any political tie, such as those that existed with Britain and the rest of Canada. Equally attractive, possibly in some ways more so, was the model of neighbouring Ontario, prosperous, growing, yet lazy with all those comforts of bourgeois life which were the aspirations of middle-class French Canadians and the better-off members of the trade unions. The spiritual influence of the Church, still strong, the older values of French Canadian culture, might continue to question the quality of the American or Ontarian ways of life, but to little effect. Revolutionary Quebec had opted to be North American, on whichever model — efficient, prosperous, wordly... » (W.L. MORTON, *The Canadian Identity,* Toronto, 1972, second edition, pp. 117-118).

défi qui ne sera pas facile à relever et exigera certainement une action décisive de la part du gouvernement québécois [24].

Ces deux points de vue d'observateurs anglophones donnent à réfléchir sur les avantages et les dangers d'une rationalisation de la société québécoise qui serait poursuivie en ne s'inspirant que du modèle américain [25]. Sans doute, faut-il moderniser le Québec et pour cela en organiser rationnellement la société, mais l'opération ne doit pas se faire au détriment de l'homme québécois et de la communauté francophone. C'est pourquoi il faut aussi l'humaniser, le rendre de plus en plus sympathique à l'un et à l'autre, de plus en plus préoccupé de l'amélioration, non seulement du niveau de vie, mais de la qualité de la vie pour l'un et pour l'autre. A cet objectif d'humanisation, l'Église du Québec peut et doit apporter son concours : cela la regarde beaucoup plus que toutes les tentatives de modernisation ayant pour but de convertir la communauté francophone au progrès scientifique et technique et de transformer le Québec en société industrielle.

---

24. « First, if French Canada is going to retain its population, the Quebec government will have to take measures to further the process of transformation of French Canada into a complete technological society. In particular, French-Canadian cadres will have to assume much greater control of the Quebec economy... Secondly, if French Canada is to retain its identity, this technological society must be compatible with a full and viable Francophone culture. The essential condition here is that French Canadians should be able to live almost entirely in the French language. In particular, they must be able to work in that language. With the increased integration of the Québec economy into a continental economy, this goal represents a very difficult challenge. It is not clear whether, given the best conditions, this challenge can be met. Certainly, it would require major, decisive action on the part of the Quebec government. So far, this has not been in evidence » (Ken McROBERTS, « Quebec : Canada's Special Challenge and Stimulus », dans l'ouvrage collectif publié sous la direction de Thomas A. HOCKIN, *The Canadian Condominium,* Toronto, 1972, pp. 58-59).

25. La violence fait désormais partie de la vie quotidienne aux États-Unis ; phénomène inévitable étant donné le développement de la rationalité scientifique en ce pays et s'il est vrai que, « quel que soit le système, capitaliste ou socialiste, un monde où la science et la technique jouent un rôle constitutif est par lui-même générateur de violence et ne peut évoluer sans une certaine violence ». C'est que « la science est pouvoir » et, « en restreignant la rationalité à la seule rationalité scientifique, l'idéologie scientiste disqualifie à ses propres yeux toute autre source de pouvoir » (Cf. Philippe ROQUEPLO, *L'énergie de la foi,* Paris, 1973, pp. 94-95).

CHAPITRE X

L'objectif "libéralisation" ou la quête de la cité libre

En même temps que se poursuit l'effort pour doter la société québécoise d'une organisation rationnelle exigée par le temps présent et le milieu nord-américain, une autre aspiration, déjà perceptible dans les années 50, prend de l'ampleur et s'incarne dans des mouvements qui se donnent pour objectif la libéralisation de cette même société. Et par là les promoteurs de ces mouvements entendent une société moins autoritaire et moins contraignante, une société ouverte et sympathique à la liberté, garantissant à tous, non seulement en théorie mais en pratique, le libre exercice de leurs droits, une société par conséquent aujourd'hui pluraliste et libératrice, prenant nettement le parti de la liberté contre tous ceux qui voudraient la retenir captive, qu'il s'agisse des gouvernements, des Églises, des institutions économiques et sociales, des écoles ou même des familles.

Espoirs et déceptions

Les efforts tentés, durant cette période, pour libéraliser davantage la société québécoise sont encore dans toutes les mémoires. Aussi suffira-t-il de rappeler ici quelques points de repère. En 1948, par exemple, tel un coup de tonnerre dans un ciel sans nuage, éclate le cri des artistes du *Refus global,* cri qui annonce « la décadence de la domination chrétienne », proclame que « le règne de la peur multiforme est terminé », invite à s'unir tous ceux qui veulent voir « l'homme libéré de ses chaînes inutiles » et se conclut par la résolution de poursuivre « dans la joie notre sauvage besoin de libération » [1].

Puis, à partir de 1950, entre en scène l'équipe de la revue *Cité libre,* qui s'en prend aux excès d'autorité qu'elle estime percevoir tant dans l'Église que dans l'État. Au Québec, écrit l'un de ses directeurs, « on nous éduque à avoir des réflexes d'esclaves devant l'autorité établie » [2]. Et un autre, à qui on reproche d'aggraver par son attitude, la crise d'autorité dans l'Église, répond en posant la question : ne s'agit-il pas plutôt d'une crise de liberté ? [3]

Désormais la porte est ouverte à toutes les contestations. Le gouvernement se voit accusé de despotisme et d'arbitraire, les évêques et les curés, de dogmatisme, le système d'éducation, d'autoritarisme à tous les niveaux. Le Frère Untel, dans ses « Insolences », ridiculise le Département de l'Instruction publique et propose que ses membres soient décorés « de toutes les médailles qui existent, y compris la médaille du Mérite Agricole », puis mis à la retraite. Ce qui l'amène à écrire :

> L'exercice de l'autorité, dans la province de Québec, c'est la pratique de la magie. En politique : le roi-nègre ; pour tout le reste : les sorciers. Ils règnent par la peur et le mystère dont ils s'entourent. Plus c'est loin, plus c'est mystérieux ; plus ça nous tombe dessus avec soudaineté, mieux c'est : plus ç'a l'air de venir directement de Dieu-le-Père... L'autorité n'a jamais été aussi écrasante, aussi omniprésente, aussi efficace. C'est au point qu'il n'y a plus que quelques hommes libres de par le monde [4].

Sur ces entrefaites éclate la « révolution tranquille », entreprise à la fois de rationalisation et de libéralisation de la société

---

1. Cf. Guy ROBERT, *Borduas,* Montréal, 1972, ouvrage qui reproduit, aux pages 273-283, le texte du manifeste intitulé *Refus global.*

2. « Il est surtout urgent de comprendre cela au Québec, où l'on nous éduque à avoir des réflexes d'esclaves devant l'autorité établie. Il faut nous-mêmes redevenir l'autorité, et que les préfets de discipline et les agents de police reprennent leur place de domestiques. Il n'y a pas de droit divin des premiers ministres, pas plus que des évêques : ils n'ont d'autorité sur nous que si nous le voulons bien » (Pierre Elliott TRUDEAU, « Politique fonctionnelle-II », dans *Cité libre,* février 1951, p. 28).

3. Gérard PELLETIER, « Crise d'autorité ou crise de liberté ? », dans *Cité libre,* juin-juillet 1952.

4. *Les insolences du Frère Untel,* Montréal, 1960, pp. 41, 51 et 86.

québécoise. L'Église elle-même, à la suite de Vatican II, se fait plus libérale, se prononce en faveur de la liberté religieuse, renonce à son *Index* et à bien d'autres contraintes. Le gouvernement québécois supprime son bureau de censure des films et reconnaît à ses fonctionnaires le droit de faire la grève. Un vent de liberté souffle sur la province et va s'amplifiant. Après la libéralisation des lois sur le mariage, on réclame celle des lois sur le divorce, la contraception, l'avortement, la peine de mort, etc., et toute une campagne s'organise qui se donne pour objectif la libération de la femme.

Est-ce à dire que la cause de la liberté a totalement triomphé et qu'est alors terminée la quête de la cité libre ? Loin de là. A mesure que se déroulent les événements, les anciens combattants de la liberté s'inquiètent et estiment que la cause de celle-ci est en train d'être trahie, en particulier, proclament-ils, par ces nationalistes qui se disent révolutionnaires et ne sont que des fascistes déguisés. Pour l'un de ces combattants, la vraie révolution n'a jamais eu lieu, ce qu'il explique en ces termes :

> La révolution au Québec, si elle avait eu lieu, aurait d'abord consisté à libérer l'homme des contraintes collectives : libérer le citoyen qu'abrutissaient des gouvernements rétrogrades et arbitraires, libérer des consciences que brimait une église cléricalisée et obscurantiste, libérer des travailleurs qu'exploitait un capitalisme oligarchique, libérer des hommes qu'écrasaient des traditions autoritaires et surannées. La révolution au Québec aurait consisté à faire triompher les libertés de la personne humaine comme des droits inaliénables, à l'encontre du capital, à l'encontre de la nation, à l'encontre de la tradition, à l'encontre de l'église et à l'encontre même de l'État. Or cette révolution n'a jamais eu lieu...

Le même confesse, alors, qu'il croyait que, vers 1960, la liberté allait finir par triompher : n'y avait-il pas eu le *Refus global,* la grève d'Asbestos, la lutte des syndicats et *Cité libre ?* La liberté semblait chose acquise, mais, observe-t-il, on n'a pas su en profiter.

> La génération qui entrait dans la vingtaine en 1960 était la première de notre histoire qui reçut la liberté à peu près entière en partage. Le dogmatisme de l'Église, de l'État,

> de la tradition, de la nation était vaincu... L'Autorité avait repris la place qui lui convient sous un régime de liberté... En 1960, tout devenait possible au Québec, et même la révolution... Une génération entière était enfin libre d'appliquer toutes ses énergies créatrices à mettre cette Province attardée à l'heure de la planète... Hélas! la liberté s'est avérée une boisson trop capiteuse pour être versée à la jeunesse canadienne-française de 1960 [5].

Depuis que ces propos ont été tenus par un futur premier ministre du Canada, le Québec a connu à la fois la recrudescence de la contestation et de la violence et l'escalade de la répression. Il a vu se dérouler les tragiques événements d'octobre 1970, le meurtre de Pierre Laporte, la proclamation de la Loi des Mesures de guerre, l'arrivée de l'armée, puis, plus tard, l'assaut des grandes centrales syndicales contre le gouvernement, la révolte de leurs chefs et, finalement, leur emprisonnement.

La quête de la cité libre est donc loin d'avoir atteint son objectif, en particulier celui qu'à la revue du même nom, en mai 1964, on décrivait comme étant le triomphe de la liberté « à l'encontre du capital, à l'encontre de la nation... et à l'encontre même de l'État » [5]. Si, dans certains domaines, cette quête a donné des résultats, dans d'autres elle semble être revenue à son point de départ, et peut-être même a-t-elle régressé. Ainsi, par exemple, d'après le secrétaire général de la Ligue des Droits de l'homme, nombreux sont ceux qui, aujourd'hui, se demandent « si nous ne sommes pas en train de devenir moins libres que nous ne l'étions sous le règne de Duplessis et sous la gouverne de l'Église, avant les années 60 ». Selon lui, « la multiplication du pouvoir personnel à tous les niveaux, au nom de la légitimité des mandats définis par les dirigeants élus et exécutés dans le cadre d'un fonctionnarisme et d'une technocratie qui se veulent de plus en plus tout-puissants et superbes », voilà ce que nous a donné cette réorganisation sociale qui avait suscité tant d'espoirs! Si bien

---

5. Pierre Elliott TRUDEAU, *Le fédéralisme et la société canadienne-française,* Montréal, 1967, pp. 220-221. Un peu plus loin, le même auteur ajoute : « Quand les libertés personnelles existent, il serait inconcevable qu'un révolutionnaire les détruise au nom de quelque idéologie collective. Car le but même de la collectivité, c'est de mieux assurer les libertés personnelles. (Ou alors on est fascistes...) » p. 224.

qu'il faut dire : « Le duplessisme n'est pas mort, il s'est multiplié, structuré, systématisé »[6].

Chose certaine, après avoir longtemps réclamé un État fort, les francophones québécois sont en train de découvrir que, dans notre monde moderne, un État fort subit nécessairement la tentation de *rationaliser,* c'est-à-dire d'organiser scientifiquement, l'exercice de la liberté de ses citoyens. Il y succombe habituellement et se considère volontiers comme le maître qui sait tout et l'organisateur qui planifie tout[7], à moins que ne se développe dans la société elle-même une vigoureuse réaction en faveur de la liberté, réaction non seulement négative en ce sens qu'elle conteste ouvertement le système[8], mais encore positive en ce sens qu'elle manifeste la volonté de prendre part aux décisions aptes à l'améliorer ou à le changer, ainsi que nous le verrons au prochain chapitre sur la démocratisation.

L'attitude de l'Église

Par l'attitude qu'elle a adoptée en ces dernières années, il n'est pas exagéré de dire que l'Église a contribué, pour sa part, à

---

6. Maurice CHAMPAGNE, « Être libre au Québec », dans *Le Devoir,* 23 janvier 1973. — Le même critique le ministère de l'Éducation en des termes qui rejoignent ceux qu'employait le Frère Untel, en 1960, à l'égard de l'ancien Département de l'Instruction publique : « Le ministère de l'Éducation... est une énorme machine administrative et économique, coupée de la réalité concrète de l'enseignement, mais dominant cette réalité au point de décourager l'initiative régionale et individuelle. On souhaitait un système souple ; on n'aura peut-être jamais été aussi rigide... La mise en place de notre système de polyvalentes est une aberration à trop d'égards, hélas, qui montre jusqu'à quel point une société tout entière peut-être dépossédée de son bon sens, si elle remet aveuglément ses responsabilités entre les mains de quelques technocrates, épris du pouvoir de réduire la province à l'exécution de leurs idées personnelles... »

7. « Au cours de la dernière décade, nous avons cru nous libérer en nous remettant entre les mains de l'État. L'omnipuissance que nous reprochions à l'Église, nous en avons investi l'État. En fait, nous nous sommes donné un nouveau maître, plus autoritaire et plus centralisateur que l'ancien » (Maurice CHAMPAGNE, *art. cit.* à la note 6).

8. « Ce que la contestation exprime de façon souvent maladroite et brutale, ce sont les angoisses individuelles et collectives face à un monde devenu insolite et effrayant. C'est également un désir de libération, de purification et de création ; c'est en définitive l'aspiration vers un nouvel humanisme » (Léon DION, *Société et politique : la vie des groupes,* II, *Dynamique de la société libérale,* Québec, 1972, p. 470).

la libéralisation de la société québécoise. Non seulement elle a cru sage de se retirer de l'avant-scène qu'elle occupait depuis toujours, mais elle a jugé bon aussi de n'intervenir qu'en de rares occasions, de garder le silence, de laisser faire et laisser passer, donnant ainsi à la liberté le plus de chances possible de s'exprimer et de se déployer.

L'exemple, il est vrai, venait de haut. Déjà, dans son enseignement, Jean XXIII avait opéré un transfert d'accent en faveur de la liberté et vigoureusement affirmé les droits de l'homme. En société, avait-il déclaré, l'individu doit agir par conviction personnelle, être mu par son sens des responsabilités et non sous l'effet de contraintes ou de pressions extérieures : « Une société fondée uniquement sur des rapports de force n'aurait rien d'humain : elle comprimerait nécessairement la liberté des hommes, au lieu d'aider et d'encourager ceux-ci à se développer et à se perfectionner. » En conséquence, une société dûment ordonnée, bienfaisante, respectueuse de la personne humaine aura pour bases, non seulement la vérité, la justice et l'amour, mais encore la liberté ; elle devra se réaliser dans la liberté, « c'est-à-dire de la façon qui convient à des êtres raisonnables, faits pour assumer la responsabilité de leurs actes » [9].

Vatican II allait se prononcer dans le même sens. Faisant l'éloge de la liberté, il affirme que nos contemporains ont raison de l'estimer grandement et de la poursuivre avec ardeur, raison aussi de concevoir l'autorité comme un service, comme « une force morale qui prend appui sur la liberté et le sens des responsabilités » [10]. Beaucoup, aujourd'hui, observe-t-il, requièrent « que soit juridiquement délimité l'exercice de l'autorité des pouvoirs publics, afin que le champ d'une franche liberté, qu'il s'agisse des personnes ou des associations, ne soit pas trop étroitement circonscrit ». Lui-même, de son côté, entend proclamer, non seulement que « la personne humaine a droit à la liberté religieuse », mais aussi que le devoir essentiel de tout pouvoir civil est de

---

9. JEAN XXIII, *Lettre encyclique « Pacem in terris »*, 1963, nos 34 et 35. — Voir à ce sujet Walter J. BURGHARDT, « Reconstructing the Social Order : Truth, Justice, Love — and Freedom », dans *Review of Social Economy*, August 1972, pp. 200-206.

10. *Constitution pastorale « Gaudium et spes »*, 1965, nos 17 et 74, par. 2.

« protéger et promouvoir les droits inviolables de l'homme » et qu' « il faut s'en tenir à la coutume de sauvegarder intégralement la liberté dans la société, coutume qui exige que le maximum de liberté soit reconnu à l'homme, et qu'elle ne soit restreinte que lorsque c'est nécessaire et dans la mesure qui s'impose » [11]. En bref, la règle à suivre en la matière, selon Vatican II, est la suivante : autant de liberté que possible et seulement autant de restriction que nécessaire.

Paul VI, à son tour, se fera le défenseur de la vraie liberté dans la société d'aujourd'hui. Lançant sa campagne pour « le développement des peuples », il dira : vaincre la faim et faire reculer la pauvreté sont des tâches nécessaires, mais insuffisantes : « Il s'agit de construire un monde où tout homme, sans exception de race, de religion, de nationalité, puisse vivre une vie pleinement humaine, affranchie des servitudes qui lui viennent des hommes et d'une nature insuffisamment maîtrisée ; un monde où la liberté ne soit pas un vain mot » [12].

Ces paroles, les évêques du Canada les ont reprises, développées et appliquées à la situation canadienne, en particulier lors de leur Message de la Fête du Travail 1970. Ils notent, eux aussi, que de partout s'élèvent des voix qui réclament la libération des esclavages modernes et que, dans ces aspirations, il faut reconnaître « l'expression contemporaine de cette « faim et soif de justice » dont parle l'Évangile ». Ils demandent aux « Canadiens nantis » de se soustraire à l'esclavage de la recherche constante de plus de biens et les avertissent qu'ils « n'accéderont à la liberté que le jour où, par amour pour Dieu et leur prochain, ils consentiront librement à partager leurs biens et aussi leur pouvoir avec ceux-là qui, au Canada et dans le Tiers-Monde, ont moins que leur juste part ». Et pour terminer leur message, les évêques demandent aux chrétiens de se porter « aux premières lignes de ce front de libération qui ambitionne de bâtir une société authentiquement humaine » [12].

---

11. *Déclaration « Dignitatis humanæ », sur la liberté religieuse,* nos 1, 2 et 7.

12. PAUL VI, *Lettre encyclique « Populorum progressio »*, 1967, no 47.

Ainsi, de nombreux signes existent qui marquent une évolution de l'attitude de l'Église à l'égard de la liberté, des signes qui portent à penser qu'elle se fera de plus en plus l'alliée de ceux qui se dévouent aux causes de la libération des hommes ainsi que la libéralisation des sociétés. Avant de l'affirmer absolument, toutefois, il importe de bien s'accorder sur le sens à donner à ces mots que tout le monde emploie mais qui regorgent d'équivoques [14]. Si on entend :

—par *liberté,* la poursuite absolue de son bon plaisir et la licence de tout faire, même le mal, même du tort aux autres,

—par *libération,* l'affranchissement à l'égard de tout pouvoir et de toute autorité, et

—par *libéralisation,* la suppression de toute contrainte et de toute discipline,

alors il est clair que l'Église ne peut donner son adhésion à de pareilles conceptions, et cela pour la raison bien simple que, mises en pratique, elle conduisent à la déshumanisation à la fois de l'homme et de la société.

Rappelons-le, au cas où on aurait tendance à l'oublier : le *projet de société,* en lequel s'incarnent aujourd'hui bien des aspirations au Québec, vise à instaurer une société humaine, la plus humaine possible. Pour qu'une pareille société s'y développe, il faut, sans doute, que la liberté y fleurisse, puisse s'exprimer et agir, mais aussi qu'elle accepte ses responsabilités sociales. Être libre, a-t-on dit, c'est être responsable ; j'ajoute qu'assumer sa responsabilité d'homme tant envers soi-même qu'envers les autres, c'est le grand moyen d'établir et de maintenir une société d'hommes libres, de prévenir l'emploi de la force de la part de l'État

---

13. *Message de la Fête du Travail 1970,* cf. *L'Église canadienne,* septembre 1970, pp. 255-257.

14. Ainsi, par exemple, répondant au reproche de ne pas parler de la « libération » du Québec, le président du Parti québécois, René Lévesque, disait : « On est dans un monde où il y a toute une série de fronts-de-libération-de-tout-ce-que-vous-voudrez. À ce mot de libération s'est malheureusement greffée l'idée de fusil, de terrorisme. Faudrait donc être assez follement romantiques pour jouer avec une série d'expressions qui nous permettraient de nous faire plaisir dans certaines chapelles et qui en fait iraient à l'encontre de la mentalité et des réactions normales des Québécois » (Cf. *Le Devoir,* 12 février 1973).

et l'usage de la violence de la part des citoyens, de hausser son propre niveau d'humanité, de s'humaniser et de contribuer à l'humanisation de la société dont on fait partie. Une société vraiment humaine, humanisée, suppose et exige des hommes à la fois libres et responsables.

Si donc, par la *libéralisation* de la société québécoise, on entend une opération visant à ouvrir toutes grandes les portes à toutes les libertés sans qu'il existe, en retour, chez les citoyens, la conscience et la volonté d'assumer leurs responsabilités sociales, l'Église ne pourra que se méfier d'une pareille opération, parce qu'elle sait, d'expérience, que l'homme, l'homme québécois, en sera la première victime.

La confirme dans cette conviction l'aventure du libéralisme. Celui-ci a voulu faire de la liberté de choix de l'individu une liberté suprême et absolu, sa fin à elle-même et il a réduit la fonction de l'État à la protection de cette liberté. Là où il a été appliqué, le système a donné des résultats désastreux dans tous les domaines, en particulier dans le domaine économique et dans le domaine moral. Les papes, de Léon XIII à Paul VI, n'ont cessé de le dénoncer et d'en condamner les abus. Ils ont vu en lui le principal responsable de la question sociale, de la misère imméritée des ouvriers, de la naissance du prolétariat, de la suprématie des plus forts et des plus riches, puis de la dictature économique. Décrivant les effets funestes d'un système qui permet à un petit nombre d'hommes de disposer d'une énorme puissance et d'un pouvoir économique discrétionnaire, Pie XI disait : c'est là « le fruit naturel d'une concurrence dont la liberté ne connaît pas de limites », avec cette conséquence que « ceux-là seuls restent debout, qui sont les plus forts, ce qui souvent revient à dire, qui luttent avec le plus de violence, qui sont le moins gênés par les scrupules de conscience » [15].

De son côté, Paul VI considère comme un malheur le fait que l'industrialisation se soit produite, dans la plupart des pays,

---

15. PIE XI, *Lettre encyclique « Quadragesimo anno »*, 1931, no 115.

sous le règne du « capitalisme libéral » [16], et il déclare qu'un « chrétien qui veut vivre sa foi dans une action politique conçue comme un service » ne peut, sans se contredire, adhérer « à l'idéologie libérale, qui croit exalter la liberté individuelle en la soustrayant à toute limitation, en la stimulant par la recherche exclusive de l'intérêt et de la puissance, et en considérant les solidarités sociales comme des conséquences plus ou moins automatiques des initiatives individuelles et non pas comme un but et un critère majeur de la valeur de l'organisation sociale » [17].

Il n'est pas nécessaire d'avoir longtemps étudié, il suffit d'avoir vécu et quelque peu observé, pour se rendre compte que le libéralisme économique a toujours joué contre les Canadiens français au Québec : conquis et colonisés, ils n'y sont ni les plus riches ni les plus forts, de sorte qu'une liberté illimitée en ce domaine ne peut signifier que la domination sur eux de ceux qui le sont. Aussi, quand ils réclament une libéralisation de la société québécoise, beaucoup maintenant font exception du domaine économique, pour lequel ils envisagent plutôt un régime de socialisation.

Ces conséquences néfastes du libéralisme dans le domaine économique, presque tout le monde les perçoit et les déplore, mais bien peu aujourd'hui osent suivre l'Église quand elle déclare que le libéralisme, appliqué à l'ordre moral, engendre des maux non moins graves. Pie XI, on le sait, voyait en lui le grand responsable de la dureté et de la déshumanisation de la vie économique [18], et Paul VI le regarde comme une des principales causes

---

16. « Un système s'est malheureusement édifié sur ces conditions nouvelles de la société, qui considérait le profit comme motif essentiel du progrès économique, la concurrence comme loi suprême de l'économie, la propriété privée des biens de production comme un droit absolu, sans limites ni obligations sociales correspondantes. Ce libéralisme sans frein conduisait à la dictature, à bon droit dénoncée par Pie XI comme génératrice de « l'impérialisme international de l'argent ». On ne saurait trop réprouver de tels abus, en rappelant encore une fois solennellement que l'économie est au service de l'homme » (PAUL VI, *Lettre encyclique « Populorum progressio »*, 1967, no 26).

17. PAUL VI, *Lettre apostolique « Octogesima adveniens » au cardinal Roy*, 1971, no 26. — Un peu plus loin, le pape déclare : « Dans sa racine même, le libéralisme philosophique est une affirmation erronée de l'autonomie de l'individu, dans son activité, ses motivations, l'exercice de sa liberté » (no 35).

18. PIE XI, *Lettre encyclique « Quadragesimo anno »*, 1931, nos 143-144.

de la crise morale que nous traversons. « Nous vivons, dira-t-il, dans une époque de laxisme, où l'on invoque la liberté, non pas pour faire le bien, comme ce serait naturel, mais pour ne pas le faire, pour jouir d'une émancipation de toute norme imposée de l'extérieur » [19].

On parle d'instaurer au Québec une société humaine, ouverte et sympathique plus à la liberté qu'à l'autorité, et dans ce but on réclame une libéralisation des lois tant de l'État que de l'Église. L'objectif, encore une fois, est valable et recommandable, mais il ne donnera ses fruits en humanité que si les citoyens québécois se montrent en même temps capables de développer en eux une conscience accrue de leurs responsabilités sociales. Des individus qui font de leur liberté personnelle leur seule règle de conduite, qui refusent toute contrainte, toute loi et toute discipline autres que celles qu'ils veulent bien s'imposer eux-mêmes, qui entendent agir à leur guise selon l'impulsion de leur instinct, de leur bon plaisir ou de leur intérêt, de pareils individus se classent parmi ceux qui veulent jouir des bienfaits de la liberté mais refusent d'en assumer les devoirs ; ce faisant, ils contribuent à la désintégration de la société et, par ricochet, à l'apparition d'un besoin, d'un désir du renforcement du pouvoir, disons d'une dictature qui se chargera d'imposer l'ordre, *son* ordre. Un expert en la matière a écrit :

> Aujourd'hui les hommes aspirent à se libérer du besoin et de la dépendance. Mais cette libération commence par la liberté intérieure qu'ils doivent retrouver face à leurs biens et à leurs pouvoirs ; ils n'y arriveront que par un amour transcendant de l'homme et, par conséquent, par une disponibilité effective au service. Sinon, on ne le voit que trop, les idéologies les plus révolutionnaires n'aboutissent qu'à un changement de maîtres : installés à leur tour au pouvoir, les nouveaux maîtres s'entourent de privilèges, limitent les libertés et laissent s'instaurer d'autres formes d'injustice [20].

---

19. PAUL VI, Allocution du 6 septembre 1972. — Sur le même sujet, lire aussi les allocutions suivantes : « Vraie et fausse liberté », 5 février 1969. — « Liberté et responsabilité », 3 janvier 1970. — « Liberté du chrétien et autorité », 29 janvier 1970. — « La 'liberté libérée' de l'homme moderne », 25 février 1970. — « Loi naturelle et loi chrétienne », 18 mars 1970, etc.

20. PAUL VI, *Lettre apostolique « Octogesima adveniens » au cardinal Roy*, 1971, no 45.

Si l'Église refuse d'emboîter le pas dans toutes ces campagnes de libération qui pullulent aujourd'hui : campagnes pour le mariage libre, le sexe libre, la contraception libre, le divorce libre, l'avortement libre, etc., c'est qu'elle les considère comme opposées au véritable bien de l'homme, comme un refus d'assumer ses responsabilités sociales et, en définitive, comme une dégradation de l'humain tant dans l'individu que dans la société.

Pour ne citer qu'un exemple, n'est-ce pas là l'argument de fond de l'encyclique *Humanæ vitæ* sur la régulation des naissances ? Le pape s'y prononce en faveur de la « paternité responsable », mais pour lui une telle paternité suppose, non seulement la maîtrise sur l'instinct des passions, mais aussi le respect de l'ordre moral objectif ; elle « implique que les conjoints reconnaissent pleinement leurs devoirs envers Dieu, envers eux-mêmes, envers la famille et envers la société, dans une juste hiérarchie des valeurs ». En rappelant cette doctrine, continue Paul VI, « en défendant la morale conjugale dans son intégralité, l'Église sait qu'elle contribue à l'instauration d'une civilisation vraiment humaine ; elle engage l'homme à ne pas abdiquer sa responsabilité pour s'en remettre aux moyens techniques ». Elle n'est pas sans se rendre compte qu'elle demande aux époux beaucoup d'efforts, mais elle est convaincue que « ces efforts sont anoblissants pour l'homme et bienfaisants pour la communauté humaine ». En cette matière tout particulièrement, une discipline est nécessaire, discipline qui, mise en pratique, aide les époux à développer intégralement leur personnalité, « à bannir l'égoïsme, ennemi du véritable amour, et approfondit leur sens de responsabilité »[21].

C'est à ces hauteurs d'humanité que l'Église cherche à conduire l'homme, l'homme d'ici aussi bien que l'homme d'ailleurs, précisément parce qu'elle s'en fait une conception à la fois très haute et fort exigeante. Paul VI l'a dit en termes bien frappés : « L'Église ne veut pas élever des hommes mesquins et médiocres. Elle cherche à les éduquer fortement. Elle veut en eux des vertus viriles. Elle veut en eux ce que saint Augustin appelle une « liberté

21. PAUL VI, *Lettre encyclique « Humanæ vitæ » sur la régulation des naissances,* le 25 juillet 1968, nos 10, 18, 20 et 21.

libérée », c'est-à-dire non soumise aux suggestions inférieures et extérieures »[22].

Avec les Québécois d'aujourd'hui qui aspirent à une société libéralisée, à une société où sera libérée leur liberté, l'Église ne saurait, en principe, être que d'accord. À la condition, toutefois, que cette libération s'opère dans le sens de l'humain, c'est-à-dire qu'elle facilite à l'homme l'accomplissement intégral de sa vocation, donc aussi dans sa dimension morale et spirituelle. À la condition encore, pour éviter qu'elle n'aboutisse à engendrer une autre forme déguisée de servitude[23], qu'elle s'accompagne d'une discipline personnelle ainsi que d'une conscience plus vive des responsabilités sociales. Faible et menacé comme il l'est, le peuple canadien-français ne peut se permettre de s'adonner indistinctement à toutes les libéralisations qu'on lui propose, car il en est qui, en nourrissant l'égoïsme individuel et en développant l'irresponsabilité envers les autres, loin de lui apporter une véritable libération, ne feront que frayer la voie à un nouvel asservissement.

22. PAUL VI, Allocution du 25 février 1970 sur « La 'liberté libérée' de l'homme moderne ». Cf. *Actes pontificaux,* mai 1970, p. 33.

23. Voir à ce sujet, par exemple, l'article de Jean de FABRÈGUES, « Un cinéma destructeur » dans *France catholique,* 5 janvier 1973. Certains films érotiques, écrit cet auteur, sont destructeurs à la fois de la liberté et de l'humain. Il cite, d'une part, Claude Mauriac qui y dénonce « une liberté sexuelle qui est une autre forme de serviture », et, d'autre part, Maurice Merleau-Ponty qui écrit : « L'érotisme de profanation est trop attaché à ce qu'il nie pour pouvoir être une forme de liberté. »

CHAPITRE XI

L'objectif "démocratisation" ou l'émergence de la volonté de participation

Au projet de société, tel qu'il flotte dans l'air présentement au Québec, il manquerait quelque chose à la fois de moderne et d'humain, si on n'y incluait pas, en plus de la rationalisation et de la libéralisation, un autre objectif, c'est-à-dire celui d'une plus grande *démocratisation* de la société québécoise. Le mot prête à de multiples sens et il pourrait tout aussi bien désigner le mouvement de libéralisation dont nous venons de parler que le phénomène de socialisation dont il sera question au chapitre suivant : ne s'agit-il pas, en effet, dans le premier cas, de la démocratie libérale, et dans le second, de la démocratie sociale ?

Dans le présent chapitre, toutefois, le mot revêt un sens à la fois plus restreint et plus précis : il désigne le processus par lequel une société reconnaît à ses membres le droit de participer aux décisions qui les concernent. La société moderne, explique le professeur Gérald Fortin, se caractérise par l'émergence de deux valeurs centrales ; celle de la rationalité et celle de la démocratie, celle-ci aussi importante que la première. La démocratie comme valeur, ajoute-t-il, n'est pas un système politique précis ; en particulier, ce n'est pas le fait de pouvoir élire à une période fixe des gouvernants ; c'est l'idée que tous les citoyens ou tous les groupes qui les représentent peuvent participer aux décisions qui affectent leur vie. Cette idée se développe et s'impose à mesure que le niveau d'instruction d'une population augmente. Vient un temps où, « connaissant les problèmes, comprenant ces problèmes, la population refuse que les actions à prendre vis-à-vis ces problèmes soient le fait d'un petit groupe de privilégiés, ce petit groupe fût-il un groupe d'experts ou un groupe d'élus. Individuellement ou collectivement, les citoyens veulent avoir leur mot à dire dans le gouvernement des choses humaines. Le citoyen moderne est un individu qui veut s'autodéterminer non seulement dans ses actes privés et personnels mais dans sa vie publique et collective » [1].

Cette aspiration travaille aujourd'hui la communauté francophone du Québec et rencontre maintenant dans l'Église un accueil sympathique.

L'éveil démocratique au Québec

Une société se démocratise dans la mesure, d'une part, où elle offre à ses membres, par l'intermédiaire d'institutions appropriées, la liberté, la possibilité de participer aux décisions qui les concernent et, d'autre part, où s'éveille et se manifeste en pratique chez eux la volonté d'utiliser ces institutions et de prendre part à ces décisions. En d'autres termes, pour que se développe et joue efficacement le processus de démocratisation dans une société donnée, il ne suffit pas qu'y soit reconnue la liberté de participer, ni même qu'y soient présentes des possibilités pratiques, donc institutionnelles de le faire, il faut encore que les citoyens acceptent d'assumer leurs responsabilités démocratiques et d'entrer dans le jeu de la participation.

---

1. Gérald FORTIN, *La fin d'un règne,* Montréal, 1971, pp. 340-341 et 350. — Le même avait auparavant écrit : « Plus les individus de la société moderne seront instruits, plus ils exigeront... la liberté de critiquer les décisions des détenteurs de pouvoirs. On pourrait donc dire que l'idée de participation est une idée qui fait partie intégrante de la société moderne. Parce qu'il est devenu plus rationnel, l'homme moderne veut davantage prendre part à l'élaboration des décisions qui l'affectent ; il veut davantage qu'on lui démontre le bien fondé et la légitimité de ces décisions. Qu'on parle de démocratie, de co-gestion, de participation, de partage des responsabilités ou de développement communautaire, on parle toujours de ce désir de l'homme moderne de contrôler son destin et de proclamer son refus devant un univers arbitraire qui lui serait imposé de force » (p. 283).

Il n'est pas besoin d'être très versé dans l'histoire du peuple canadien-français pour savoir et admettre que ces trois conditions — liberté, possibilités pratiques, volonté de participation — sont loin d'avoir toujours existé au Québec. Pour certains, l'explication réside surtout dans ce fait que les Canadiens français, n'ayant pas eu à lutter pour obtenir le régime démocratique, « n'ont pas vraiment cru à la démocratie pour eux-mêmes », mais ont fait semblant d'y croire et ne l'ont acceptée « qu'en y voyant un moyen de faire se relâcher l'emprise du conquérant ». Ce manque d'esprit civique, ajoute-t-on, s'est aggravé du fait que, catholiques, les Canadiens français ont subi l'influence d'une Église à la fois autoritaire, méfiante à l'égard de la souveraineté populaire et plus préoccupée d'assurer la foi catholique que de sauvegarder la liberté démocratique [2].

Quelle que soit la valeur historique de cette explication du retard des Canadiens français à faire confiance à la démocratie et à opérer la démocratisation de la société québécoise, le phénomène qui s'impose à l'attention aujourd'hui est celui de l'éveil chez eux de la volonté de participer davantage à l'élaboration des décisions qui les concernent et de contrôler de plus près les gestes de leurs dirigeants. Il n'est plus aucun pouvoir qui, de nos jours, ne soit contesté, le pouvoir ecclésiastique aussi bien que les pouvoirs politique, social et économique. Les ouvriers veulent participer à la gestion de l'entreprise, les étudiants et les professeurs à la direction des collèges et des universités, les citoyens à la prise des décisions gouvernementales, au niveau tant municipal que provincial et fédéral.

De plus en plus, on se dit insatisfait des régimes et des institutions où la démocratie se réduit à voter à certains intervalles,

2. Pierre Elliott TRUDEAU, « De quelques obstacles à la démocratie au Québec », dans *Le fédéralisme et la société canadienne-française,* Montréal, pp. 107-128. Un peu plus loin, le même auteur écrit : « La mort de Duplessis, c'est la fin d'une dynastie et de l'oligarchie qu'elle favorisait. L'instauration de la démocratie libérale est la promesse que dorénavant toutes les classes nouvelles pourront accéder au pouvoir. Mais, en pratique, ces classes découvrent que plusieurs des voies de promotion sont obstruées : le clergé conserve sa main-mise sur l'éducation, les Anglais dominent notre finance, les Américains envahissent notre culture. Seul l'État du Québec est à l'ensemble des Canadiens français : on veut donc pour cet État la plénitude des pouvoirs... » (p. 182).

par exemple, à tous les quatre ou cinq ans. C'est là, dit-on, une démocratie purement formelle, qui doit être complétée par une démocratie réelle s'étendant à tous les secteurs de la vie sociale et politique, par une démocratie qui, en plus d'offrir à tous, sans distinction, des chances et des conditions de vie égales, fera aussi place et appel à la liberté de chacun pour qu'il participe au gouvernement des sociétés dont il fait partie. Bref, conclut-on, démocratie réelle veut dire de nos jours démocratie de participation [3] ; bien plus, c'est toute la vie humaine, pas seulement politique, mais encore sociale, économique et industrielle qui doit devenir démocratique [4], la démocratie étant aujourd'hui devenue, selon le mot de Georges Burdeau, « une philosophie, une manière de vivre, une religion et presque accessoirement une forme de gouvernement » [5].

De cette insatisfaction à l'égard des régimes actuels sont nés une foule de groupes nouveaux, qui cherchent à la fois à contrôler l'activité des gouvernants en place, à prendre part davantage à leurs décisions et même à se poser comme de « nouveaux pouvoirs » : comités de citoyens, corps professionnels, corps intermédiaires, conseils diocésains, commissions de toutes sortes, sans parler des multiples groupes de pression qui existent déjà ou se fondent chaque jour [6]. Même si on n'est pas pleinement d'accord

3. Le mot *démocratie* couvre aujourd'hui une foule de choses et de notions, il désigne souvent tout ce qui, dans un pays, a rapport à l'instauration de la liberté et de l'égalité. « La démocratie, a-t-on écrit, désigne toujours la volonté de réaliser la liberté dans l'égalité... Tout le monde sans doute se veut démocrate, mais tout le monde aussi se veut socialiste. Est-ce une égalisation suffisante des conditions de vie qui assure la liberté ?... Est démocratique tout ce qui favorise l'égalisation des chances d'abord, des conditions sociales ensuite. L'enseignement, par exemple, sera démocratique dans la mesure où les efforts de l'État et des enseignants tendront à assurer à chacun la même possibilité d'accès aux sources du savoir et du savoir-faire, quelles que soient la fortune et la classe sociale » (Abel JEANNIÈRE, « La démocratie reste à inventer », dans *Projet,* janvier 1973, p. 3).

4. Sur les différents sens à donner aux expressions « démocratie politique », « démocratie sociale », « démocratie économique », « démocratie industrielle », voir JEANNIÈRE, *ibid.*

5. *La Démocratie,* Paris, 1966, p. 5.

6. Cf. Jacques GRAND'MAISON, *Vers un nouveau pouvoir,* Montréal, 1969, ainsi que le Message de l'épiscopat canadien à l'occasion de la Fête du Travail 1969, intitulé « Les nouveaux pouvoirs », texte dans *L'Église canadienne,* septembre 1969, pp. 255-256.

avec les objectifs poursuivis ou avec les méthodes employées par certains de ces groupes, on n'en doit pas moins reconnaître qu'il y a là un effort valable pour amorcer un commencement de démocratie de participation.

Malheureusement, comme l'écrit le professeur Léon Dion, la société libérale est aujourd'hui en pleine crise et les peuples, inquiets, se demandent s'ils n'auront pas à choisir entre une véritable démocratie de participation et une démocratie sans le peuple. La voie de la démocratie de participation est « pleine de promesses mais parsemée d'écueils », écueils dont le premier est l'apathie des citoyens : « L'analyse des comportements politiques concrets, observe-t-il, contredit de façon brutale les représentations conventionnelles du citoyen, comme individu rationnel, éclairé et engagé, courantes dans les sociétés démocratiques de type libéral. Deux à trois pour cent des citoyens tiennent les leviers de commande politique. Dix à vingt pour cent concourent de diverses façons à leur pouvoir tandis que quatre-vingt à quatre-vingt-dix pour cent croupissent dans l'apathie et sont plus ou moins laissés pour compte » [7].

Est-il utopique de vouloir changer ce tableau et modifier cette situation ? Certains croient que c'est possible : chez tout citoyen, disent-ils, sommeille un désir de participation qu'il faut trouver le moyen d'aviver ; aussi se sont-ils donné pour objectif de faire

---

7. Léon DION, *Société et politique* : *La vie des groupes.* Tome II : *Dynamique de la société libérale,* en particulier, la conclusion : « La crise de la société libérale », pp. 467-473.

Traitant des deux dimensions de l'idéal démocratique, c'est-à-dire de l'égalité et de la liberté, un autre auteur écrit que la liberté suppose enthousiasme et créativité, mais qu'on constate partout un désenchantement morne et généralisé : « Deux tendances se mêlent : la stagnation dans le quotidien et la renonciation forcée à vivre libres. Aucun des comportements n'est vivifié par une force impérieuse et rationnelle ; la perte de la liberté est inaperçue du plus grand nombre, ceux qui la perçoivent ne la déplorent pas tous. C'est en vain qu'on accuserait les partis d'être incapables de rassembler et d'orienter les énergies. Nous sommes acculés à une alternative plus grave : crise de régime ou crise d'une société incapable de définir non seulement le régime qu'elle désire, mais ce qu'elle veut. Elle ne sait exprimer clairement que son insatisfaction » (Abel JEANNIÈRE, *art. cit.,* p. 9).

Voir aussi l'article d'Hélène PELLETIER-BAILLARGEON, « L'exode vers les collèges privés, l'échec de la participation scolaire », dans *Maintenant,* février 1973, pp. 10-13.

accepter et pratiquer une plus grande démocratisation de la société québécoise [8]. Dans la poursuite de cet objectif et dans l'accomplissement de cette tâche, jusqu'à quel point peuvent-ils compter sur le concours de l'Église ?

Le concours de l'Église

À première vue, il semblerait que ceux qui aspirent à démocratiser la société québécoise aient peu à attendre de la part de l'Église : ses structures internes ne sont-elles pas plus autoritaires que démocratiques et sa méfiance à l'égard des idées dites « démocratiques » n'est-elle pas un fait historique ? Cette double objection, encore courante au Québec dans les années 50, a perdu aujourd'hui beaucoup de sa force, par suite des transformations survenues, en ces derniers temps, dans l'Église universelle et québécoise. De plus, comme il s'agit ici uniquement du concours que l'Église d'aujourd'hui ou de demain peut apporter aux projets d'avenir du peuple canadien-français, je ne crois pas nécessaire de m'attarder longuement à la constitution interne de l'Église pour déterminer jusqu'à quel point cette constitution est ou n'est pas démocratique au sens que la science politique donne à ce terme. Si, par certains aspects, l'Église tombe dans le champ d'observation de la science politique, par certains autres, qui sont d'ailleurs les plus importants, elle se situe au-dehors et au-delà de ce champ d'observation, précisément parce que, comme l'a enseigné de nouveau Vatican II, elle est d'abord un mystère et que ses pouvoirs ne lui viennent pas des hommes mais de son divin fondateur, Jésus-Christ [9].

Il me paraît plus important et plus au point à cet égard de m'arrêter au rapprochement en train de s'opérer entre l'Église et l'idéal démocratique [10]. L'Église, en effet, c'est manifeste, tant

---

8. Cf. le numéro spécial de *Relations* sur « L'animation sociale au Québec », mai 1970.

9. VATICAN II, *Constitution dogmatique « Lumen Gentium » sur l'Église*, 1964. — Voir aussi Jules GRITTI, *Démocratie dans l'Église ?*, Paris, 1969, et Jean CADET, *L'Église et son organisation*, Paris, 1963.

10. Edgard MORIN nous avertit qu'il faut éviter de « tomber de l'aspiration démocratique dans l'illusion démocratique. Si l'aspiration démocratique exprime l'aspiration à l'égalité, dans la liberté et la responsabilité pour tous, l'illusion démocratique serait la suppression de tout système d'autorité ou de pouvoir, ou la croyance qu'il pourrait y avoir responsabilité effectivement égale de tous dans la conduite de la chose publique » (*Introduction à une politique pour l'homme*, Paris, 1969, p. 95).

par son exemple que dans son enseignement, accepte de plus en plus et même recommande ce qu'on désigne aujourd'hui sous le nom de démocratie de participation.

Par son exemple, d'abord. Il n'est peut-être pas d'institution qui se soit autant transformée sur ce point. On connaît le virage opéré par Vatican II : il a défini l'Église comme étant d'abord et surtout « le Peuple de Dieu », mis l'accent sur la collégialité épiscopale, recommandé l'institution d'un synode d'évêques qui conseillerait et aiderait le pape dans le gouvernement de l'Église et souhaité que, dans les différentes églises particulières, « la vénérable institution des synodes et des conciles reprenne une vigueur nouvelle » [11].

À la suite du Concile, les tentatives se sont multipliées pour instaurer dans l'Église cette démocratie de participation, et cela à tous les niveaux : universel, national, diocésain et paroissial. On a mis sur pied toute une série de conseils, formés soit de prêtres seuls, soit de laïcs seuls, soit de prêtres et de laïcs, qui donneraient leur avis sur les questions se posant dans les différents secteurs de la vie ecclésiale, par exemple, sur la justice dans le monde, sur la famille, le développement et la paix, la pastorale, la catéchèse, etc. La paroisse, en particulier, a accentué un peu partout son caractère démocratique en faisant appel à une large participation des laïcs [12]. Même si ces tentatives n'ont pas toujours

---

11. VATICAN II, *Constitution dogmatique « Lumen Gentium »* et *Décret « Christus Dominus » sur la charge pastorale des évêques dans l'Église.* Se reporter aux commentaires que la collection *Unam Sanctam* a consacrés aux documents de Vatican II, en particulier à la Constitution dogmatique *Lumen Gentium,* tout spécialement à deux chapitres du tome III, « La constitution hiérarchique de l'Église » (le problème de la collégialité) et « Les laïcs dans l'Église » (le problème des relations entre les laïcs et la hiérarchie).

12. Dans une conférence prononcée à Toronto, le 28 février 1950, Mgr Maurice Roy, archevêque de Québec, a montré que cette participation des laïcs à la vie paroissiale, en particulier à l'administration de la fabrique, date de loin : « La paroisse canadienne, a-t-il déclaré, cent cinquante ans avant l'introduction du régime parlementaire au Canada, avait déjà les traits essentiels d'une institution démocratique et..., plus récemment, en fondant des organisations économiques dont ils ont remis la direction à des laïques, nos curés ont enseigné à leurs fidèles à s'occuper eux-mêmes de leurs affaires » (*Paroisse et démocratie au Canada français,* dans la collection « L'Oeuvre des Tracts », no 370, juin 1950, p. 4).

été couronnées de succès [13], elles n'en indiquent pas moins la voie nouvelle dans laquelle l'Église s'efforce aujourd'hui de s'engager [14].

Son enseignement en la matière a suivi une évolution analogue. Les dirigeants ecclésiastiques ont commencé par se montrer méfiants à l'égard d'un mouvement issu des révolutions républicaines et qui, par surcroît, véhiculait des idéologies hostiles à l'Église, d'autant plus que le peuple leur semblait peu préparé à se gouverner lui-même et facilement enclin à suivre les « façonneurs » d'opinion, la plupart du temps opposés à la religion.

Mais, à partir des années 30, l'Église prend de plus en plus conscience des menaces que les États totalitaires font peser sur l'homme, sur sa liberté et ses droits. Il lui apparaît alors nécessaire de rappeler que « la société est faite pour l'homme et non l'homme pour la société », que « seul l'homme, seule la personne humaine, et non la collectivité en soi, est doué de raison et de volonté moralement libre » et qu'il « est conforme à la raison et à ses exigences qu'en dernier lieu toutes les choses de la terre soient ordonnées à la personne humaine » [15].

Tirant en quelque sorte la conclusion pratique de cet enseignement, Pie XII, après avoir dénoncé l'absolutisme de l'État [16], aborde directement, durant la guerre, le problème de la démocratie. Les peuples, dira-t-il, se sont réveillés et ils ont pris en face de l'État une attitude critique ; s'opposant aux monopoles d'un pouvoir dictatorial et incontrôlable, ils réclament un système de gouvernement qui soit plus compatible avec la dignité et la liberté des citoyens. Étant donné cet état d'esprit, « faut-il s'éton-

---

13. Selon un observateur, deux causes principales sont à l'origine des difficultés de fonctionnement de la démocratie dans les conseils diocésains et paroissiaux : l'apathie des laïcs et la présence de démagogues qui en faussent le jeu (William L. DOTY, « Democratic Procedure », dans *The Priest,* February 1973, pp. 35-39).

14. Je ne prétends pas que l'Église soit devenue, en tous points, un modèle de vie démocratique, ni même qu'elle doive l'être ; je note que, sur ce terrain, elle a fait beaucoup plus de chemin que bien d'autres institutions. Voir le passage que le rapport Dumont a consacré à cette question : « Participation et hiérarchie », pp. 120-122.

15. PIE XI, *Lettre encyclique « Divini Redemptoris » sur le communisme,* 1937, nos 29-30.

16. PIE XII, *Lettre encyclique « Summi Pontificatus » sur l'État,* 1939.

ner que la tendance démocratique envahisse les peuples et obtienne largement le suffrage et le consentement de ceux qui aspirent à collaborer plus efficacement aux destinées des individus et de la société ? »

L'Église, continue Pie XII, veut, à son tour, s'intéresser à ce problème, non pas pour dire à chaque peuple les structures politiques qui lui conviennent, ce qui ne lui appartient pas, mais pour réaffirmer la dignité de l'homme et ses exigences : « À la dignité de la personne humaine, dira-t-il, est attaché le droit de prendre une part active à la vie publique et de concourir personnellement au bien commun. L'homme comme tel, bien loin d'être l'objet et comme un élément passif de la vie sociale, en est au contraire et doit en être et demeurer le sujet, le fondement et la fin ». Le citoyen vivant en démocratie a des droits, par exemple, le droit d'« exprimer son opinion personnelle sur les devoirs et les sacrifices qui lui sont imposés » et celui de « ne pas être contraint d'obéir sans avoir été entendu ». Mais ce même citoyen a aussi des devoirs, en particulier celui de se faire une opinion personnelle, « de l'exprimer et de la faire valoir d'une manière conforme au bien commun ». Et Pie XII ira même jusqu'à déclarer que « la forme démocratique de gouvernement apparaît à beaucoup comme un postulat naturel imposé par la raison elle-même » [17]. La sympathie du pape à l'égard de la démocratie est donc manifeste, surtout parce qu'il y voit un régime qui respecte la liberté et la dignité des citoyens.

De la doctrine que l'homme est le sujet et le premier agent de la vie sociale et politique va se dégager peu à peu une exigence de participation accrue pour tous les membres de la société et pour les citoyens, précisément pour que cette vie sociale et poli-

17. PIE XII, *Radiomessage de Noël au monde entier,* 24 décembre 1944. — Commentant ce radio-message, le P. Calvez écrit : « Fondamentalement, il traite de la démocratie comme antithèse au totalitarisme, démocratie de la liberté et de la dignité des hommes assurées par le contrôle des pouvoirs... Si démocratie désigne tout système assurant le respect pratique des droits du citoyen et de sa dignité, l'Église la reconnaît sans réserve, précisant que le respect pratique des droits s'obtient, pour une part au moins, grâce au contrôle du pouvoir par le peuple » (Jean-Yves CALVEZ, S.J., « Christianisme et société démocratique », cours à la Semaine sociale de Caen, 1963, *La société démocratique,* compte rendu, Paris, 1963, pp. 193-195).

tique soit et demeure humaine [18]. Jean XXIII étendra même cette exigence au système économique [19] et il demandera qu'on reconnaisse « la légitimité de l'aspiration des travailleurs à prendre part à la vie de l'entreprise où ils sont employés » [20]. Parmi les droits de la personne humaine, il mentionnera celui « de prendre une part active à la vie publique et de concourir personnellement au bien commun » ; c'est là, ajoutera-t-il, « un droit inhérent à leur dignité de personnes, encore que les modalités de cette participation soient subordonnées au degré de maturité atteint par la communauté politique dont ils sont membres et dans laquelle ils agissent » [21].

La Constitution pastorale *Gaudium et spes* de Vatican II viendra confirmer de son autorité cet enseignement sur le droit et le devoir du citoyen de participer à la vie sociale et politique [22]. Et Paul VI, dans sa Lettre apostolique au cardinal Roy, parlera de cette double aspiration qui se fait plus vive chez l'homme, « au fur et à mesure que se développent son information et son éducation : aspiration à l'égalité, aspiration à la participation ; deux formes de la dignité de l'homme et de sa liberté ». Cette double aspiration, ajoutera-t-il, « cherche à promouvoir un type de socié-

---

18. Selon le P. Calvez encore, la socialisation d'après-guerre a fait inclure dans la démocratie « le vœu d'une personnalisation par la participation au sein de la société socialisée ». De plus, « si la démocratie, naguère, avait trait au monde politique seulement, l'aspiration à la participation et à l'égalité des chances a trait désormais à toute institution sociale ; on insistera autant sur la démocratie dans l'entreprise, dans l'économie, dans l'accès à l'enseignement et la culture, que sur la démocratie dans l'État. On dira donc « société démocratique » plus encore que « démocratie » (*Loc. cit.*, p. 193).

19. « Si les structures et le fonctionnement d'un système économique sont de nature à compromettre la dignité humaine de ceux qui s'y emploient, à émousser en eux le sens des responsabilités, à leur enlever toute initiative personnelle, nous jugeons ce système injuste, même si les richesses produites atteignent un niveau élevé et sont réparties selon les lois de la justice et de l'équité » (JEAN XXIII, *Lettre encyclique «Mater et magistra»,* 1961, no 83).

20. *Ibid.*, no 91.

21. JEAN XXIII, *Lettre encyclique « Pacem in terris »,* 1963, nos 26 et 73.

22. « Il est pleinement conforme à la nature de l'homme que l'on trouve des structures juridico-politiques qui offrent sans cesse davantage à tous les citoyens, sans aucune discrimination, la possibilité effective de prendre librement et activement part tant à l'établissement des fondements juridiques de la communauté politique qu'à la gestion des affaires publiques, à la détermination du champ d'action et des buts des différents organes, et à l'élection des gouvernements » (no 73).

té démocratique », dont aucun modèle n'a jusqu'ici donné complète satisfaction. Aussi est-il du devoir du chrétien de participer à cette recherche, comme il l'est de participer à l'organisation et à la vie de la société politique [23].

Poursuivant son analyse de la situation actuelle, Paul VI observe qu'à la base des sociétés modernes se retrouve l'idéologie du progrès, progrès qu'on a fait consister trop souvent en une croissance économique purement quantitative. Pareil progrès laisse aujourd'hui insatisfait ; on commence à souhaiter, et avec raison, atteindre aussi des objectifs d'ordre qualitatif : « La qualité et la vérité des rapports humains, le degré de participation et de responsabilité sont non moins significatifs et importants pour le devenir de la société que la quantité et la variété des biens produits et consommés » [24].

Cela vaut tout particulièrement, continue Paul VI, pour la société politique où, de nos jours, s'impose « un plus grand partage des responsabilités et des décisions ». A la suite de Jean XXIII, qui avait déjà souligné « combien l'accès aux responsabilités est une exigence fondamentale de la nature de l'homme » et indiqué « comment, dans la vie économique et en particulier dans l'entreprise, cette participation aux responsabilités devait être assumée », le pape demande d'étendre au champ social et politique « un partage raisonnable dans les responsabilités et les décisions ». Certes, bien des obstacles subsistent, mais ces obstacles « ne doivent pas ralentir une diffusion plus grande de la participation à l'élaboration de la décision, comme aux choix eux-mêmes et à leur mise en application ». Bien plus, « pour faire contrepoids à une technocratie grandissante, il faut inventer des formes de démocratie moderne, non seulement en donnant à chaque homme la possibilité de s'informer et de s'exprimer, mais en l'engageant dans une responsabilité commune » [25].

A cet enseignement pontifical nettement favorable à la démocratie de participation, il serait facile d'ajouter celui des évê-

---

23. PAUL VI, *Lettre apostolique « Octogesima adveniens » au cardinal Maurice Roy,* 1971, nos 22-24.
24. *Ibid.,* no 41.
25. *Ibid.,* no 47.

ques canadiens sur le même sujet. Je me contente de mentionner leur Message de 1969 à l'occasion de la Fête du Travail. Son titre est « Les nouveaux pouvoirs ». Leur naissance, disent les évêques, est un « signe des temps », et leur émergence dans la société moderne « marque un réel progrès dans le développement de la société démocratique ; elle signifie une redistribution du pouvoir parmi les groupes qui jusqu'ici en étaient dépourvus ». Il faut souhaiter, continue le Message, que cette diffusion du pouvoir se traduise « par une plus grande participation aux décisions » et fasse davantage «appel au sens des responsabilités » ; en ce cas, elle pourra « contribuer grandement à épanouir l'homme et à bâtir une société plus humaine ». A quoi attribuer cette éclosion des « nouveaux pouvoirs » ? Les évêques répondent : « Au fait que les citoyens sont mieux renseignés et à une démocratie de participation mieux vécue. » Conclusion : « Nous voyons, disent-ils, d'un bon œil la naissance de ces « nouveaux pouvoirs » dans la société et dans l'Église. Ils méritent appui et encouragement. Les valeurs humaines, sociales et chrétiennes qu'ils véhiculent en font de précieux agents pour le développement de tout homme et de tout l'homme » [26].

Est-il besoin de poursuivre plus longuement cette enquête ? Quelle qu'ait été son attitude dans le passé, il est clair que l'Église est maintenant disposée à soutenir l'effort humain qui vise à instaurer une société vraiment démocratique, ou, si l'on veut, à promouvoir la démocratisation tant des sociétés particulières que de la société globale. C'est que la démocratie, en évoluant, est deve-

---

26. *Message de la Commission épiscopale d'Action sociale à l'occasion de la Fête du Travail 1969.* Texte dans *L'Église canadienne,* septembre 1969, pp. 255-256. — L'expression « nouveaux pouvoirs », dit le Message, « réfère à cette volonté qui s'affirme de plus en plus chez les « sans pouvoir », les démunis et les laissés pour compte, de se donner une voix, de dire leurs insatisfactions, d'exprimer leurs aspirations et de dialoguer avec les détenteurs des pouvoirs en place. Cette nouvelle force qui prend sa source dans les besoins les plus fondamentaux des citoyens, vient faire échec à l'anonymat de ces pouvoirs impersonnels, sclérosés et coupés de la vie ; le citoyen moderne n'accepte plus d'être exclu des centres de décisions qui pourtant décident de sa vie quotidienne. »

Voir aussi le Message de 1970, en particulier le paragraphe 10, qui commence par ces mots : « Les déshérités sont de plus en plus conscients que la participation est une des clefs de leur libération... » (Cf. *L'Église canadienne,* septembre 1970, p. 256).

nue à ses yeux moins un régime déterminé de gouvernement qu'une forme de vie sociale plus apte à la fois à assurer le respect pratique des droits du citoyen contre l'absolutisme de l'État et à favoriser la participation de tous à la prise des décisions collectives les concernant. Dans cette forme de vie sociale et politique, l'Église voit une réponse concrète à une exigence actuelle de la dignité humaine et du progrès social [27] ; elle y découvre aussi une concordance marquée avec sa propre doctrine du bien commun humain, lequel, comme on l'a dit, « n'est pas constitué seulement de satisfactions matérielles ou culturelles *extérieures à l'exercice de la liberté personnelle* », mais « inclut, comme une composante essentielle, *la participation personnelle et responsable des hommes* à la gestion d'un destin qui est humain (et qui n'est pas plus qu'humain) » [28].

Tout donc indique que l'Église appuiera l'effort de démocratisation qui se poursuit actuellement au sein de la société québécoise. Elle pourra même contribuer à sa façon au succès de l'entreprise. La condition posée par Montesquieu à la réussite de la démocratie, en effet, tient toujours : aujourd'hui comme hier, cette réussite repose sur la « vertu » des citoyens et là où cette « vertu » fait défaut, la démocratie n'arrive pas à se réaliser [29].

Constatation que le professeur Léon Dion a exprimée de la manière suivante : « La démocratie suppose que les hommes sont

---

27. « Si la société démocratique consiste en liberté des citoyens contrôlant le pouvoir, en égalité des chances et démocratisation, en participation personnelle et responsable, l'Église n'y est nullement indifférente » (Jean-Yves CALVEZ, S.J., *art. cit.*, p. 196).

28. Jean-Yves CALVEZ, S.J., « Démocratie et participation », dans l'ouvrage collectif *Démocratie aujourd'hui*, Paris, 1963, p. 51. Le même ajoute : « On n'est pas en droit de gouverner des peuples d'hommes comme des troupeaux. Une part essentielle du bien commun que l'homme attend de la société politique, c'est une reconnaissance de soi-même comme homme, comme participant de l'humanité universelle, dans une société humaine concrète... Comment l'obtenir sans des procédures précises assurant effectivement cette reconnaissance, c'est-à-dire sans une participation personnelle et responsable de chacun au destin global ? Le droit de participation d'un être personnel et libre à la réalisation de son propre destin social, telle est la justification de la démocratie » (*Ibid.*).

29. Selon le philosophe Jacques Maritain, « la tragédie des démocraties modernes est qu'elles n'ont pas réussi encore à réaliser la démocratie... La cause principale (de cet échec) est d'ordre spirituel... » (*Christianisme et démocratie*, New York, 1943, pp. 31 et 33).

parfaits, mais elle ne sait pas comment les améliorer et, le plus souvent, ne se préoccupe guère d'y parvenir »[30].

Le christianisme que l'Église enseigne et diffuse a cette prétention : non seulement d'incliner et de stimuler les citoyens à la vie vertueuse, mais encore de savoir comment les améliorer et de se préoccuper sans cesse d'y parvenir. A condition, évidemment, qu'on accepte de le mettre en pratique. L'Église sait que la démocratie, pour réussir, a besoin de vrais citoyens, de citoyens qui ont conscience de leurs droits et devoirs, de leur dignité et de leur liberté ainsi que de leurs responsabilités. Sa tâche à elle est précisément de développer et de former cette conscience ; elle est de faire comprendre que la participation n'est pas seulement un droit, mais aussi un devoir exigeant. En d'autres termes, qu'« il n'y a pas de participation sans que l'on paie de sa personne, qu'on donne de soi-même, qu'on assume mutuellement la responsabilité d'autrui ». Autant d'actes qui relèvent à la fois de l'idéal démocratique et de l'esprit même de l'Évangile, si bien que de l'union de cet idéal et de cet esprit surgit une participation qui est à la fois « une expression de la vie chrétienne... (et) la plus parfaite réalisation de l'aspiration à la société démocratique »[31].

Est-il encore possible que cette union, maintenant restaurée, de l'idéal démocratique et de l'esprit chrétien se retrouve à la base de l'entreprise de démocratisation qui se poursuit actuellement au Québec ? L'Église le souhaite et l'espère ; elle est, je pense, désormais toute disposée à faire sa part pour que l'entreprise réussisse

30. Léon DION, *op. cit.*, p. 462.

31. Jean-Yves CALVEZ, S.J., « Christianisme et société démocratique », *op. cit.*, p. 204. L'auteur termine son cours par ces mots : « Le christianisme ne peut s'arrêter à *justifier* la société démocratique, il lui indique bien plus l'idéal où elle doit se hausser, lui montre ce qu'elle doit sans relâche travailler à devenir. Car le christianisme implique un exercice toujours plus plénier de la liberté, qui est sortie de soi et de son égoïsme ; toujours plus de reconnaissance de l'égale dignité d'autrui ; une participation toujours plus responsable ; toujours plus de démocratie, par conséquent, si on a reconnu que, dès ses manifestations les plus confuses, l'aspiration à la démocratie implique obscurément ces dépassements. L'Église rejeta naguère la démocratie nouvel Évangile ; mais quand la démocratie se dépouille de cette confusion et de cette illusion, et quand elle déborde les formules constitutionnelles particulières, c'est l'Évangile même qui appelle à la démocratie dans la vie sociale — la démocratie jamais achevée, la démocratie à faire » (p. 206).

et pour que, dans la société québécoise, prévalent à l'avenir un esprit et des structures vraiment démocratiques : du même coup, cette société prendrait un caractère plus humain et se mettrait davantage en accord avec les besoins et les aspirations de la majorité francophone.

CHAPITRE XII

L'objectif "socialisation" ou la poursuite de l'égalité dans et par la société

1 — Socialisation et socialisme au Québec

En un sens, le présent chapitre ne fait que prolonger et compléter les deux chapitres précédents. S'il est vrai, comme on l'a dit déjà, que le monde moderne se caractérise essentiellement par la présence active de deux valeurs qui le travaillent constamment, c'est-à-dire la rationalité et la démocratie, il n'en reste pas moins que l'idéal démocratique n'a été jusqu'à ce jour que partiellement réalisé. Le XIX siècle a mis l'accent sur la liberté des individus face aux pouvoirs politiques et s'est efforcé d'instaurer le règne des démocraties dites libérales. Le XXe, lui, a pris conscience, d'une part, que l'égalité, tout autant que la liberté, faisait partie de l'idéal démocratique et, d'autre part, qu'il fallait étendre à tous les autres secteurs de la vie en société l'application et les exigences de cet idéal. En conséquence, on se mit à parler de plus en plus de démocratie sociale, de démocratie économique, de démocratie industrielle, de démocratie scolaire, voire de démocratie populaire, en mettant l'accent, chaque fois, sur la nécessité de la participation et la poursuite de l'égalité [1].

Dans le même sens, un autre phénomène était en cours et en train de marquer de son empreinte le monde moderne : le phénomène de la *socialisation* ou de l'accroissement progressif des rapports tant des individus avec la société que de la société avec les individus. L'ère du monde *socialisé* commence : d'une part, se multiplient et s'intensifient les relations des citoyens dans leur vie commune et, d'autre part, la société se reconnaît de plus en plus d'obligations à l'égard de ses membres, en particulier celle de réaliser une plus grande égalité entre eux.

De la socialisation considérée comme phénomène de la vie moderne, on est peu à peu passé à la socialisation recherchée et utilisée comme instrument d'égalisation des chances et des conditions de vie dans la société et, pour lui assurer un caractère à la fois moderne et humain, on s'est efforcé de lui appliquer les deux grandes valeurs déjà maintes fois rappelées : on a voulu qu'elle soit à la fois rationnelle et démocratique. *Rationnelle,* c'est-à-dire organisée pour un rendement efficace selon les données de la science et de la technique ; *démocratique,* c'est-à-dire ouverte le plus possible à la participation responsable des citoyens et apte à réaliser une plus grande égalité entre eux.

Dans cette voie, cependant, dans cette poursuite de l'égalité au sein de la société, d'autres s'étaient déjà engagés et avaient fait

1. Voici un texte qui développe bien cette même idée : « De même que la démocratie politique, rejetant les dictatures et les régimes privilégiant une classe, un parti ou une race au détriment des autres, réclame « le gouvernement du peuple pour le peuple et par le peuple », de même aussi la démocratie économique écarte-t-elle tout système qui ne répond qu'aux besoins de privilégiés ou qui ne réserve le pouvoir de décision qu'à une minorité. Elle dépasse donc en exigences la démocratie sociale qui postule une répartition équitable des richesses produites entre toutes les catégories de la société ; elle dépasse aussi les exigences de la démocratie industrielle si l'on entend par celle-ci l'accession des travailleurs à la direction des entreprises ou à celle des institutions économiques. Poussant dans sa logique l'esprit et les principes de la démocratie, elle requiert non seulement que les résultats de l'économie bénéficient à tous, mais que le pouvoir économique lui-même soit entre les mains du peuple. Ainsi l'économie deviendra « humaine », non seulement parce qu'elle procurera à chacun les conditions matérielles de son épanouissement, mais encore parce qu'elle permettra à l'homme lui-même de grandir par l'exercice des responsabilités » (Manifeste « Pour une démocratie économique », dans *Économie et humanisme,* mai-juin 1958, p. 1).

de la socialisation, en particulier de celle des moyens de production, le grand remède à opposer aux inégalités et aux injustices sociales, la pièce en quelque sorte maîtresse de leur idéologie et de leur système, connus l'une et l'autre sous le nom de socialisme. Socialisation et socialisme sont deux choses distinctes, certes, mais les idéologies et l'histoire les ont si intimement et si souvent réunies qu'il est devenu difficile de traiter de l'une sans parler en même temps de l'autre [2].

La socialisation au Québec

A partir de ces quelques données préliminaires, on peut dire que la socialisation telle qu'elle s'est développée au Québec peut être considérée à la fois comme un fait, comme un objectif et comme une idéologie.

Comme un *fait* tout d'abord, un fait qui saute aux yeux et sur lequel il n'est pas nécessaire de s'étendre longuement. Depuis la fin de la seconde guerre mondiale surtout, les Québécois, entassés dans les villes, resserrés sur eux-mêmes, jouissent de nouveaux moyens de communication mis à leur disposition par suite des progrès de la science et de la technique, ont multiplié leurs rapports, intensifié leurs relations, fondé de nouvelles associations, développé leurs syndicats et unions, leurs coopératives et corporations, leurs comités et conseils, etc., tissant ainsi entre eux tout un réseau de liens sociaux.

En même temps avaient surgi de nouveaux besoins d'assistance, de bien-être et de sécurité, que les individus laissés à eux-mêmes n'arrivaient pas à satisfaire ; le concours de la société, en particulier de son instrument principal, l'État, apparut bientôt indispen-

---

2. Voir, à ce sujet, le compte rendu de la 47e Semaine Sociale de France (Grenoble, 1960) : *Socialisation et personne humaine,* Lyon, 1961 ; — le compte rendu du 18e Congrès du Département des relations industrielles de l'Université Laval : *Socialisation et relations industrielles,* Québec, 1963, en particulier les textes de Gérard DION, « La socialisation : caractère et signification », de Raymond GÉRIN, « L'entreprise privée face à la socialisation », de Louis-Marie TREMBLAY, « Le syndicalisme en contexte socialisé ». — On pourra consulter aussi J.-M. AUBERT, *Pour une théologie de l'âge industriel,* Paris, 1971, en particulier le chapitre IV, « Développement et socialisation, chance et risque de notre temps », surtout les pages 215-228.

sable et le phénomène de la socialisation s'enrichit d'une nouvelle dimension : celle du transfert progressif de l'individuel au social, l'État intervenant de plus en plus à la fois pour mettre de l'ordre dans le foisonnement des rapports sociaux et pour prendre en charge la satisfaction de besoins dont s'acquittait auparavant l'initiative privée.

Ce qui n'avait été d'abord qu'un fait, consécutif aux changements et aux besoins ressentis dans la vie économique et sociale de la population, c'est-à-dire la socialisation résultant des interventions de l'État, fut bientôt perçu comme un *objectif* à poursuivre par tous ceux qui avaient à se plaindre des inégalités existant alors dans la société québécoise. Le recours à l'État dans le but de créer une société plus égalitaire devint le grand mot d'ordre du jour.

C'est ainsi, par exemple, qu'au début des années 60, un débat s'engage sur le rôle de l'État dans la collectivité, plus précisément sur le rôle de l'État québécois à l'égard de la communauté francophone. Des intellectuels interviennent pour supplier les Canadiens français de se convertir à l'État, de cesser d'en faire un épouvantail et de le regarder plutôt comme l'instrument le plus efficace de leur libération. Le directeur du *Devoir* y va d'un éditorial, dans lequel il dénonce « politiciens et moralistes » qui « se sont appliqués à démontrer que l'intervention de l'État dans la vie économique et sociale est une erreur dangereuse » et dont la doctrine se résume en ces mots : « L'étatisme, voilà le péché » [3].

Dans un article que j'écrivis à cette époque, j'analysais les trois courants de pensée et d'action qui poussaient alors à une socialisation par l'État dans le but de remédier aux inégalités sociales [4].

3. Gérard FILION, « Nos vaches sacrées », éditorial du *Devoir,* 15 février 1961. Ce même éditorial contenait aussi ces phrases : « Nous avons été victimes d'une éducation dogmatique, bâtie à partir de concepts abstraits, absente de toute préoccupation réaliste. Les thèses de philosophie affirmaient que, en principe, la vie sociale et économique est de droit privé. Peu de gens cherchaient à savoir si, étant donné les circonstances historiques et politiques dans lesquelles nous vivons, certains accommodements avec les principes ne pouvaient pas être trouvés... Au lieu de cela, les politiciens se contentaient de s'enrichir avec quelques amis et les moralistes empoisonnaient la pensée des jeunes générations avec des thèses depuis longtemps dépassées sur l'État gendarme, l'État simple arbitre des conflits. »

4. R. ARÈS, « Du rôle de l'État québécois dans la collectivité », *Relations,* avril 1961.

Un courant « laïc » tout d'abord, né de la conviction que les laïcs n'occupent pas toute la place qu'ils devraient occuper dans certains secteurs de la vie sociale, notamment dans l'enseignement. Certains d'entre eux, persuadés qu'ils ne parviendraient pas à redresser cette situation par leurs seules forces individuelles et par le seul intermédiaire des institutions libres et privées, préconisaient ouvertement, comme la solution à ce problème, l'intervention directe et massive de l'État dans l'enseignement à tous les niveaux. J'écrivais alors à leur sujet : ils parlent de « désacraliser la société civile », de briser « l'empire bureaucratique du clergé » ; ils dénoncent « la méfiance instinctive, maladive même, qu'ont longtemps manifestée les élites traditionnelles du Canada français contre ses interventions (de l'État) dans le domaine de l'éducation » ; ils réclament enfin la création d'un ministère de l'éducation pour, disent-ils, mettre fin à l'anarchie qui règne dans le domaine de l'enseignement et permettre aux laïcs d'occuper la place qui leur revient dans l'enseignement secondaire ainsi que d'accéder aux plus hauts postes au niveau universitaire.

Se mêlant à ce premier courant, un autre se développe alors, qui, lui aussi, a ses regards tournés vers l'État et vise à instaurer une plus grande égalité dans la société québécoise : le courant dit « nationaliste ». Ce courant prend sa source dans une situation tragique : celle d'infériorité et de dépendance faite au groupe francophone surtout dans le domaine économique. Face à cette situation humiliante et dangereuse, conscients par ailleurs que les efforts tentés jusqu'ici n'ont pas réussi à assurer le redressement nécessaire, un nombre de plus en plus considérable de Canadiens français en viennent à penser que seul l'État possède la puissance requise pour opérer ce redressement et tirer le peuple canadien-français de sa vallée d'humilitation et de sa condition servile. Aussi, contre les gros intérêts financiers, commerciaux et industriels installés au Québec et gérés, pour la plupart, par des anglophones, réclament-ils une intervention énergique de l'État. Nous sommes, disent-ils, en situation d'urgence, et seul l'État est capable d'accomplir certaines tâches dans les moments d'urgence nationale. Nous sommes une nation politiquement dépendante, économiquement dominée, socialement déchirée et culturellement attardée : il faut, en conséquence, que l'État devienne l'instrument à la fois de l'égalité à rétablir et de notre libération nationale [5].

Vers le même temps, commence à se développer un troisième courant, lequel, sans être encore idéologique et systématique, n'en laisse pas moins transpirer ses tendances « socialisantes ». C'est un courant qui rassemble et entraîne la plupart de ceux qui, ayant perdu foi en l'entreprise capitaliste, et même en l'institution libre et privée, pour réaliser la justice sociale et l'amélioration des classes laborieuses, mettent désormais leurs espoirs dans l'État, dans un État qui se chargerait de nationaliser les principales industries et d'exploiter les grandes ressources naturelles, prendrait en mains la direction à la fois de l'économie, de la sécurité sociale, de l'enseignement et de la culture dans la collectivité.

Presque tous ces gens se retrouvent à l'époque autour du *Nouveau Parti,* surtout les chefs ouvriers et les intellectuels [6]. Au cours des congrès qui ont lieu pendant l'automne de 1960, les déclarations sur la planification économique et le socialisme sont à l'honneur. La planification économique, dit l'un des orateurs, est nécessaire pour assurer le plein emploi ; durant la guerre, l'État est intervenu dans bien des domaines et on a eu recours au dirigisme ; aujourd'hui encore son intervention s'impose et

---

5. Voici comment l'un des rédacteurs du *Devoir* exposait alors cette thèse nationaliste : « Nous avons une foule de raisons particulières et combien pressantes de souhaiter que l'État provincial assume pleinement l'existence de la communauté canadienne-française. Si par hypothèse cet État devait disparaître, il n'y aurait plus de motifs sérieux de parler d'un avenir pour le Canada français... Dès lors, toute opposition à l'action étatique joue directement contre l'intérêt élémentaire du Canada français : on peut discuter des modalités de cette action, on n'en saurait contester le principe. Ici plus que partout ailleurs, l'État c'est la nation : dans aucun domaine, un progrès en profondeur ne sera possible s'il n'est le fait de l'État lui-même. Et le rôle des éducateurs, de la presse, des organismes privés, doit être aujourd'hui de préparer les esprits à l'intervention de l'État, de créer un climat psychologique favorable à cette intervention qu'une longue tradition de conservatisme obtus a présentée comme néfaste alors qu'elle est l'instrument essentiel du salut national » (J.-M. L., « La clef du salut national : l'État », dans *Le Devoir,* 11 mars 1961).

6. Déjà, en 1955, la Fédération des Unions internationales du Québec avait réclamé la « socialisation des ressources naturelles et des services sociaux », comme moyen de réaliser une plus grande égalité. Cf. Louis-Marie TREMBLAY, *Le syndicalisme québécois/Idéologies de la C.S.N. et de la F.T.Q. (1940-1970),* Montréal, 1972, pp. 263-265.

peu importe le nom qu'on lui donne : planification, planisme, dirigisme ou socialisme [7]. Un autre orateur, chef ouvrier bien connu, déplore qu'on soit en train de galvauder, et même de prostituer, l'expression « planification économique » ; selon lui, la planification économique est impensable et impossible sans le dirigisme économique de l'État. L'État, ajoute-t-il, doit réaliser la planification, diriger effectivement l'économie du pays : voilà ce que recherche le véritable socialisme démocratique, lequel, tout comme le socialisme démocratique britannique ou scandinave, n'a rien de doctrinaire, contrairement au socialisme européen, au socialisme des pays latins [8]. Un intellectuel, lui, met en garde le *Nouveau Parti* contre des compromis trop grands avec le système capitaliste et déclare : « Le vrai socialiste refuse ces compromissions. Il considère son système comme la vérité économique et politique de l'âge technologique. Il le considère comme la vérité et le capitalisme comme l'erreur. Le socialiste tient sa vérité pour universelle » [9].

Le socialisme au Québec

Déjà donc, à cette époque du début des années 60, tout en demeurant un fait ainsi qu'un objectif à poursuivre pour rétablir l'égalité, la socialisation est en train de se donner un contenu idéologique et de faire sa jonction avec les systèmes socialistes. Raoul Roy publie, depuis 1959, sa *Revue socialiste,* organe de l'*Action socialiste pour l'indépendance du Québec* (l'A.S.I.Q.), dont le thème de base est le suivant : pas d'indépendance sans libération économique, et pas de libération économique sans abandon du capitalisme et adoption du socialisme ; le peuple canadien-français est un peuple prolétaire et la seule voie de salut pour un peuple prolétaire, c'est le socialisme [10].

En octobre 1963, paraît le premier numéro de la revue *Parti pris,* dont les rédacteurs se donnent pour mission de libérer le Québec de ceux qui l'oppriment économiquement et idéologique-

7. Cf. *Le Devoir,* 18 novembre 1960, p. 9.
8. Cf. *Le Devoir,* 5 décembre 1960, p. 3.
9. Cf. *Le Devoir,* 28 novembre 1960, p. 3.
10. Voir le « Manifeste politique » publié dans le premier numéro de *La Revue socialiste,* avril 1959, pp. 13-33.

ment, de faire l'unité des groupes révolutionnaires en leur montrant que l'indépendance est impossible sans le socialisme et inversement : « Nous luttons, proclament-ils, pour un État libre, laïque et socialiste » [11].

Le printemps suivant, un groupe d'universitaires et de chefs ouvriers publie la revue *Socialisme* 64, présentée comme la « revue du socialisme international et québécois ». La « révolution tranquille » s'essouffle, lit-on dans le premier numéro ; un peu partout, on commence à se rendre compte que « seul le *socialisme* peut donner un contenu, des outils et une ligne générale à cette révolution nationale ». La revue « se veut non orthodoxe et non dogmatique. Ces notions lui paraissent étrangères à l'essence même du socialisme, puisqu'elles le renverraient à une pensée moyenâgeuse ou sclérosée, alors qu'il est profondément jeunesse et dynamisme : le socialisme c'est la création quotidienne de la liberté » [12].

Quelques mois plus tard, en septembre de la même année, une autre revue voit le jour, sous la direction de Pierre Vallières et de Charles Gagnon. Son nom est déjà tout un programme : *Révolution québécoise.* Elle se veut indépendantiste, mais surtout socialiste : « La seule façon de rendre le peuple québécois concrè-

---

11. *Parti pris,* no 1, octobre 1963, pp. 3-4. A l'été de 1968, la revue cessait de paraître et, en 1972, quelques-uns des rédacteurs procédaient, dans une autre revue (*La barre du jour,* nos 31-32, hiver 1972) à leur examen critique, dont voici des extraits. « Il y avait chez nous de la foi. Notre religion, c'était le Québec. Nous attendions sa résurrection, son épiphanie. Nous croyions même pouvoir jouer un rôle actif dans cette mise au monde — la nôtre, celle de notre peuple » (André BROCHU, p. 32). — « Ce que je voyais dans le socialisme, c'était moins la doctrine que le souci de la justice, le rêve — ou l'utopie — d'un monde où l'homme cessait d'être un loup pour l'homme... Ayant perdu la foi religieuse..., j'avais besoin d'une vision globale de la vie... Le marxisme me permettait de surmonter mes contradictions et de dompter l'anarchie de mon esprit » (André MAJOR, p. 37). — « La pensée et le combat de *Parti pris* s'articulaient autour de trois objectifs réunis dans un même projet : un Québec libre, socialiste et laïque... Si Dieu est mort au Québec et si les curés, faute d'avoir été assassinés, agonisent, l'indépendance et le socialisme rivalisent comme objectifs que s'arrachent individus, groupes et partis... L'anarchisme de la revue fut sa force et sa faiblesse. C'est le drame de tous les libertaires, de poser la bonne question : « Comment supprimer l'exploitation de l'homme par l'homme sans supprimer l'homme ? » et d'être incapables d'y répondre » (Philippe BERNARD, pp. 71-72).

12. *Socialisme 64,* printemps 1964, no 1, p. 3. Depuis 1970, cette revue s'appelle *Socialisme québécois.*

tement indépendant, dit le texte de présentation, de le libérer définitivement du sous-développement économique et culturel, c'est l'établissement d'une économie québécoise de type socialiste. » Il ne s'agit pas d'un socialisme à la N.P.D. (Nouveau parti démocratique), ni à la suédoise, ni d'un socialisme « travailliste », comme on le pratique en Grande-Bretagne : « Au Québec, il s'agit, au contraire, d'établir un socialisme véritable, c'est-à-dire une nationalisation des grands moyens de production, de distribution et de financement qui permette d'organiser rationnellement, au moyen d'une planification adéquate et obligatoire, les principaux secteurs de la production industrielle et agricole, dans le but d'abolir le chômage, les inégalités sociales et l'insécurité » [13].

A partir de ces années 1963-1964, l'idéologie socialiste se répand de plus en plus au Québec chez les intellectuels et dans la classe ouvrière ; elle s'incarne provisoirement dans le Parti socialiste du Québec, mais n'atteint son sommet de popularité qu'en 1971-1972 avec les manifestes des grandes centrales syndicales, dont les deux thèmes de base sont la guerre au capitalisme et la construction d'un socialisme québécois. La Confédération des Syndicats nationaux (la CSN) donne le ton en publiant coup sur coup deux documents de combat : « Il n'y a plus d'avenir pour le Québec dans le système économique actuel » et « Ne comptons que sur nos propres moyens ». On y trouve une violente dénonciation du système capitaliste et de l'impérialisme américain. Les travailleurs québécois, y lit-on, savent désormais qu'ils ne peuvent compter ni sur les capitalistes nationaux ni sur un gouvernement au service des capitalistes ou des impérialistes : « La cause fondamentale de cet état de choses est simple : les travailleurs ne sont pas propriétaires des usines dans lesquelles ils travaillent. » En conséquence, ils doivent posséder l'économie, laquelle ne peut être que socialiste. Et par socialisme, nous voulons dire :

1. que la société (par l'État) possède les moyens de production (usines, terres, matières premières) ;
2. que les travailleurs participent directement et collectivement à la gestion et aux choix économiques ;

13. *Révolution québécoise,* septembre 1964, no 1, pp. 4-5.

3. que l'activité économique vise la satisfaction la plus complète possible des besoins de la population ;
4. que l'activité économique est planifiée directement par l'État [14].

Peu de temps après, la Fédération des Travailleurs du Québec (la FTQ) publiait son manifeste, intitulé « L'État, rouage de notre exploitation », dans lequel elle critiquait durement l'État libéral et demandait à ses membres de travailler à l'instauration d'un socialisme québécois [15]. A son tour, la Corporation des Enseignants du Québec (la CEQ), après avoir lancé son « Livre blanc sur l'action politique » [16], allait, l'année suivante, publier son propre manifeste sur « L'école au service de la classe dominante » [17], l'un et l'autre hostiles au capitalisme et sympathiques au socialisme, en accord quant au fond avec les mémoires des deux autres centrales syndicales [18].

Dans l'intervalle, le Conseil central de Montréal des syndicats de la CSN avait tenu, en avril 1972, son congrès sur le thème

---

14. Ces deux manifestes, publiés en brochures, suscitèrent une violente et longue controverse, à laquelle prirent part économistes, sociologues, politicologues et éditorialistes. La présente citation sur le socialisme provient de la brochure *Ne comptons que sur nos moyens*, automne 1971, p. 48.

15. Documents de travail pour le 12e congrès, tenu à Montréal, du 30 novembre au 4 décembre 1971. Cf. *Le Devoir* des 30 novembre, 1er et 2 décembre 1971, en particulier la déclaration de Louis LABERGE, « Un seul front » et l'éditorial de Claude RYAN, « Le message de Louis Laberge à la FTQ ».

16. Document présenté au congrès de la CEQ en juin 1971. Ce document qui porte aussi le titre de *Premier plan* a été publié dans *L'Enseignement*, en octobre 1971. Se reporter aussi à ce qu'en dit *Le Devoir* du 3 juillet 1971.

17. Document présenté au congrès de la CEQ en juin 1972. Cf. *Le Devoir* 26 juin 1972 ; *Le Droit* des 3, 4 et 5 octobre 1972, trois articles d'Elias Mark GOLDSTEIN, « L'école au service de la classe dominante. Anatomie du manifeste présenté au XXIIe congrès de la C.E.Q. ».

18. Ces trois manifestes ont été traduits en anglais et réunis dans un volume intitulé : *Quebec — Only the Beginning, The manifestoes of the Common Front*, edited by Daniel Drache, Toronto, 1972. L'éditeur écrit dans sa présentation : « As for the content of the manifestoes, their publication constitutes a milestone in the development of indigenous Marxist thinking in Quebec. They demonstrate once again the effectiveness of Marxism as a basic tool of analysis and as the ideology of the working class... Taken together they speak of a common objective : in order to build a Quebec free of U.S. control and English Canadian domination, the working class must create a socialist society based on the needs of the majority of the Quebec people... » Parlant du Livre blanc *Phase One* de la CEQ, l'auteur écrit : « In a way it is the most Leninist of the documents » (p. XXIV).

« Le socialisme, c'est la démocratie », c'est-à-dire « la participation totale de tous les citoyens à la construction de leur avenir collectif ». Cette démocratie devra être à la fois politique, économique, industrielle, sociale et culturelle, et elle devra s'accompagner d'une socialisation des moyens de production, de la médecine, du droit, du sol urbain, etc. [19]. L'année suivante, c'est au tour du Conseil du travail de Montréal (le CTM), réunissant les unions affiliées au Congrès du travail du Canada, de se prononcer dans le même sens. Sa déclaration de principe affirme que le CTM entend « collaborer avec tous ceux qui veulent d'une société socialiste et à l'élimination de toute domination qui va à l'encontre des intérêts des travailleurs » [20].

Déjà, cependant, d'autres groupes et d'autres particuliers s'étaient ouvertement prononcés en faveur du socialisme. Je ne retiens que deux cas : celui de l'équipe de *Maintenant* et celui de Fernand Dumont [20a].

En septembre 1967, la revue *Maintenant* publie un numéro spécial intitulé « Un Québec libre à inventer », dans lequel l'équipe de direction se déclare, en éditorial, favorable à l'option socialiste. C'est là, écrit-elle, une option indissociablement liée à l'option nationaliste au Québec, une option qui s'impose pour domestiquer l'économie québécoise, rattraper les retards accumulés, diriger l'économie au moyen de la gérance à défaut du capital, pour contrebalancer dans un système de concurrence le gigantisme des entreprises capitalistes qui nous entourent, etc. ; bref une

19. Cf. *Le Devoir,* 8 et 15 avril 1972. Par démocratie *économique,* le document présenté au congrès entend l'érection d'un système de propriété collective de l'économie, accompagné d'une gestion démocratique ; par démocratie *industrielle,* il réclame la participation des travailleurs à l'élaboration des conditions de travail et à la vie de l'entreprise, jusqu'à l'autogestion.

20. Cf. *Le Devoir,* 14 mai 1973.

20a. On pourra lire aussi avec intérêt les pages que le professeur Guy ROCHER, dans son livre *Un Québec en mutation* (Montréal, 1973), vient de consacrer à la question : « Le nécessaire socialisme sera-t-il possible ? ». Après avoir affirmé que le capitalisme « joue contre le Québec à tous égards » et que les espoirs des Canadiens français de dissoudre les inégalités existantes reposent sur des solutions d'inspiration socialiste, l'auteur en vient à souhaiter l'avènement d'« un modèle proprement québécois d'un socialisme enraciné dans l'esprit, l'histoire, la mentalité et les structures sociales du Québec » (pp. 56-60).

option qui nous fournit notre seule chance de posséder et d'animer culturellement notre économie.

Bien plus, cette prise en charge par l'État de l'économie lui permettra d'établir une politique sociale conforme aux aspirations du Québec, car « seule une planification globale des différentes composantes de la vie nationale peut garantir notre développement et nous permettre de résister aux pressions extérieures ». Pour nous tirer d'affaire, il nous faut « un gouvernement puissant et dynamique », un gouvernement socialiste :

> Un gouvernement socialiste, parce qu'il aura pour souci constant de susciter et d'organiser la participation des masses aux tâches communes, vivifiera au sein de la population l'esprit national, de sorte que nous puissions reprendre, après deux siècles d'aliénation, nos réflexes d'identité et de fierté. Il ne faut pas avoir peur des mots. L'avenir de la nation canadienne-française passe par le socialisme. Bien sûr, il ne peut s'agir que d'un socialisme démocratique de participation qui est à inventer et qui devra être original.

En conséquence, cette option socialiste doit servir de dénominateur commun « autour duquel toutes les forces vives de la nation doivent se regrouper »[21].

Sociologue, professeur, écrivain, président de la Commission d'étude sur les laïcs et l'Église, Fernand Dumont a exposé en maintes occasions sa pensée sur le socialisme. On en retrouvera l'essentiel dans l'ouvrage *La vigile du Québec,* dont le troisième chapitre s'intitule précisément « Du côté d'un socialisme d'ici » et regroupe quelques conférences prononcées par l'auteur, non

21. « Un Québec libre à inventer », dans *Maintenant,* 15 septembre 1967, pp. 236-237. — Lors du centième numéro de la revue, le directeur, le P. Vincent HARVEY, réaffirmait la même position et écrivait : « La véritable démocratisation va de pair avec l'instauration progressive d'un socialisme *de chez nous* qui tienne compte de notre situation nord-américaine. » Et il ajoutait ces mots qui manifestent quelque peu son idée sur le genre de socialisme auquel il pensait : « C'est dans cette optique que la revue a encouragé et continuera d'encourager les mouvements d'animation sociale comme les comités de citoyens, de conscientisation et de politisation du peuple » (Cf. *Maintenant,* novembre 1970, p. 280).

Voir aussi le volume *Vincent Harvey, l'homme d'espérance,* Montréal, 1973, en particulier sa réponse à la question : « Pourquoi la revue a-t-elle pris une option politique de type socialisant et souverainiste ? », pp. 152-153, et le passage « Socialisme et foi chrétienne », pp. 125-128.

seulement sur le socialisme, mais encore sur « l'idéal coopératif », « la lutte contre la pauvreté » et la politique.

Au point de départ de la pensée de Fernand Dumont sur le socialisme, deux idées se retrouvent, qui reviennent constamment par la suite : il nous faut percevoir et définir nous-mêmes nos besoins et en même temps élaborer un idéal collectif. C'est une élite capitaliste étrangère qui a jusqu'ici défini nos besoins et nos idéaux collectifs ; ceux qui s'élèvent aujourd'hui contre nos idéologies d'hier devraient tenir compte que nos ancêtres n'avaient guère d'autre choix et surtout que « leur pensée était très attentive au sort des pauvres et des petits ». Il ne s'agit pas pour nous de rompre radicalement avec le passé mais de transformer les « valeurs traditionnelles en valeurs d'avenir ». Et pour cela, nous devrons nous appuyer sur des élites nouvelles, car « ce sont elles qui ont le plus de chances d'exprimer la volonté des pauvres ; ce sont elles aussi qui incarnent le mieux l'idéal d'une société égalitaire ».

> Définition des besoins et partage d'un même idéal vont de pair, car les hommes, et singulièrement les pauvres, ne désirent pas seulement une société prospère. Ils veulent une société fraternelle où on puisse partager ensemble, en plus des fruits de la croissance économique, un même idéal... La société n'est pas un mécanisme de division de travail qu'il s'agirait de rendre encore plus parfait ; elle est aussi, et surtout, le lieu d'un projet collectif où les hommes veulent être engagés avec toutes leurs valeurs... Un idéal collectif ne s'invente pas comme une politique particulière. Il n'est pas possible qu'une société le formule sans marquer une certaine continuité par rapport aux valeurs de son passé... Une collectivité qui est contrainte de se redéfinir radicalement, et c'est bien le cas actuellement pour le Canada français, doit retrouver dans la réinterprétation de son histoire la continuité de son être original et quelques inspirations pour les tâches de l'avenir [22].

Ces prémisses posées, Fernand Dumont explique ce qu'il entend par un socialisme d'ici, « un socialisme pour le Québec ».

---

22. Fernand DUMONT, *La vigile du Québec,* Montréal, 1971, pp. 125-133, *passim.*

Tout d'abord, il s'agit d'une utopie, et d'une utopie à la fois nécessaire, concrète et qui affirme que tous les citoyens doivent contribuer de quelque manière à la détermination des fins de la société. Malheureusement, « notre socialisme est à peu près sans passé autochtone et il risque de rallier les oppositions ou les révoltes les plus hétéroclites, tous les malaises de la mauvaise conscience recouverts de quelques références marxistes ». Au XIXe siècle, le socialisme s'est attaqué au monopole des décisions par une classe sociale ; il a été d'abord une critique du pouvoir, puis d'une culture et d'une classe : la culture et la classe bourgeoises.

Aujourd'hui, pouvoir, culture et classe ont grandement évolué, mais « les intentions fondamentales du socialisme du XIXe siècle doivent être encore les nôtres », car les anciennes critiques portent toujours. L'État a pris plus d'importance dans notre vie collective, mais la société canadienne-française est encore sous-développée et notre petite bourgeoisie nationale cherche à maintenir son emprise sur la société en écartant les nouveaux pouvoirs sociaux. C'est l'une des tâches du socialisme d'ici de lui barrer la route et de mettre à nu les idéologies qu'elle propage et les mécanismes qu'elle met en branle par le moyen des « corps intermédiaires ».

Le socialisme, toujours selon Fernand Dumont, est d'abord une mise en cause de l'ensemble de la société. En maintenant une critique globale, il évite de s'enliser dans le réformisme. Dans la conjoncture actuelle du Québec, il faut d'abord opter pour l'État et favoriser le renforcement de notre jeune et frêle technocratie, « un des seuls groupes de décision qui incarne une idée un peu précise du bien général ». En conséquence, nous devons tout faire « pour que l'État du Québec se dégage, au milieu de nos confusions, comme le pouvoir déterminant ». Seule la planification peut nous donner un foyer de discussion collective pour la construction de l'avenir. Si nous contestons les pouvoirs économiques et nos élites traditionnelles, c'est parce qu'ils ne représentent pas une véritable participation de tous, parce qu'ils échouent à définir l'avenir de la communauté des hommes.

Les nouvelles élites militantes, cependant, « ne seront vraiment définitrices de notre société que si elles peuvent trouver dans une idéologie coordonnatrice le lieu d'une solidarité et la vision d'un nouvel ordre social ». Cette idéologie, il ne s'agit pas de la fabriquer de toutes pièces dans quelques cénacles d'intellectuels, mais de la faire surgir de notre « enracinement culturel que nous rappelle sans cesse le socialisme ». Deux dangers sont à éviter : verser dans un *pluralisme* qui ne serait « qu'une quincaillerie idéologique où la liberté serait aussi vide qu'absolue », et croire qu'il faille partir de zéro par rapport aux générations passées : ce serait là « une façon paradoxale de vouloir convertir une culture au socialisme et qui consisterait à se désolidariser radicalement d'avec elle pour lui demander ensuite de se reconnaître dans l'idéal qu'on lui propose ». Il faut plutôt consentir à un effort de récupération de notre tradition historique : c'est là la tâche la plus importante dans la construction du socialisme au Québec.

Il ne s'agit pas de reprendre le contenu des idéologies d'hier, mais les problèmes qui leur ont donné naissance et les nostalgies utopiques qui s'y sont exprimées. Toute notre histoire est traversée à la fois par une longue angoisse, qui fut comme le perpétuel appel à un sens de la vie en commun, et par le rêve patiemment répété d'une société égalitaire. « Renouer avec cette conscience d'autrefois, ce serait pour le socialisme d'ici, nous révéler notre existence historique authentique. Du même coup, ce serait montrer que, pour une société tourmentée depuis toujours par la précarité de sa condition et par la conscience impuissante de son exploitation, il n'est d'autre continuité de son destin et d'autre image de son avenir que dans le socialisme » [23].

Cette prise de position en faveur du socialisme, Fernand Dumont devait la réaffirmer plus tard, en particulier lors du Congrès des Affaires québécoises, en mars 1972 à Québec, sur le thème « Pour un socialisme d'ici ». On lui avait demandé de préciser ce qu'il entendait par socialisme. Dans sa conférence, il commence par remarquer que le mot draine de son passé les significations les plus ambiguës et que, d'après certains, il a l'inconvénient de gêner notre tâtonnante recherche d'un nouveau langage politique

23. Fernand DUMONT, *La vigile du Québec,* Montréal, 1971, pp. 137-154, *passim.*

québécois. Mais, tous les mots ne sont-ils pas piégés ? Ainsi, par exemple, « libre entreprise », « fédéralisme », « indépendantisme » ne sont pas non plus des notions claires *a priori.* Pour ce mot « socialisme », comme pour tous les autres (« la société juste », par exemple), il s'agit de dire ce qu'on y dissimule : « J'y mets, pour ma part, dira-t-il, deux choses. »

« Tout d'abord, une cité socialiste est celle où les grands objectifs de la collectivité sont ouvertement posés. » Dans une société adulte, les citoyens font la cité et, pour la faire, ils ont besoin de savoir ce que les pouvoirs leur proposent comme horizon de leur vie, de leur peine, de leurs sacrifices, de leurs espoirs.

> Une société socialiste, c'est celle où on planifie ; le plan n'y est pas d'abord un secret de technocrates — bien que ceux-ci y jouent un rôle capital : c'est la somme des choix et des contraintes d'un projet de société. Le plan éclaire des enjeux, départage des intérêts, indique des cheminements. Il est déjà, de soi, un instrument de participation puisqu'on ne *participe* pas à une collectivité informe même si les comités et les organismes consultatifs y sont nombreux. Le plan fait monter en surface ce qui se déguiserait autrement sous les arbitrages dispersés, les astuces des pouvoirs cachés, les slogans de circonstance. Planifier, pour une société, c'est mettre ses cartes sur la table, au su et au vu des citoyens.

La cité socialiste, continue Dumont, est aussi celle où des solidarités s'expriment. Et ce mot s'applique d'abord aux rassemblements de personnes qui partagent de mêmes difficultés et de mêmes idéaux et qui se rejoignent pour exprimer ce qu'elles vivent déjà et au plus creux de la vie quotidienne. Ainsi, par exemple, les *opérations-dignité* de la Gaspésie, les nouvelles associations coopératives de Montréal, etc. Bien plus, si l'on remonte le cours de notre histoire, on découvre que le Québec a été une juxtaposition de sociétés plus particulières, nos pères ayant été enfermés dans leurs rangs et leurs paroisses. On parle maintenant du Québec comme formant une société globale, mais nos solidarités de l'avenir devront être, pour une large part, « des transmutations de solidarités d'avant ». Il ne s'agit ni de ressusciter le passé ni de proposer d'abstraites sociétés pour l'avenir ; les solidarités acquises des hommes et des cultures doivent être élargies et contestées, elles doivent trouver des formes et des expressions inédites.

Et Fernand Dumont conclut son exposé par ces précisions :

> Le mot *socialisme* n'a peut-être, au fond, qu'une seule fécondité : celle de jeter la suspicion sur tous les langages (y compris le sien). Être socialiste, c'est vouloir que les paroles soient confrontées à une cohérence ouvertement contestable : celle de la planification. Être socialiste, c'est vouloir aussi que les paroles ne soient pas seulement des murmures individuels, des propos d'atomes dispersés et d'atomes inutiles, des déclarations de tavernes ou des résolutions de comités : un langage de solidarités d'abord éprouvées sur les plus humbles terrains. De ces paroles sans cesse en quête de leurs fécondes agglomérations, sans cesse en recherche de ceux qui les parlent, on ne fera pas seulement des partis de gauche ou de droite. On fera peut-être aussi une société où, quand on parle de libre entreprise, de démocratie ou de socialisme, chacun puisse se méfier et espérer à la fois [24].

Si je me suis aussi longtemps attardé à présenter la pensée de Fernand Dumont sur le socialisme, ce n'est pas sans raison : non seulement cette pensée jouit d'un grand rayonnement dans à peu près tous les milieux au Québec, mais encore elle représente l'effort le plus personnel qui ait été tenté pour élaborer un « socialisme d'ici », c'est-à-dire un socialisme qui s'inspire à la fois de notre passé et de nos besoins et aspirations pour l'avenir. Qu'en dépit de toutes les ambiguïtés dont s'entoure le mot socialisme, l'auteur ait quand même tenu à l'adopter dans son vocabulaire, voilà qui n'est pas sans mettre en question les opinions trop globales et pas suffisamment nuancées sur les mouvements et les systèmes dits socialistes [25].

Même au Québec, en effet, multiples sont ces mouvements et ces systèmes. Ils vont de la simple réaction aux injustices sociales actuelles attribuées au capitalisme à l'adoption sans restriction

---

24. Fernand DUMONT, « Socialisme et solidarités », dans *Maintenant,* avril 1972, pp. 7-12. C'est le texte de l'exposé au Congrès des Affaires québécoises, en mars 1972.

25. Cf. l'entrevue accordée par Fernand Dumont à Paul Longpré, « Le Québec va droit vers le socialisme », dans *L'Action-Québec,* 16 février 1972.

d'un marxisme révolutionnaire, d'une ardente aspiration à la justice sociale à une socialisation totalitaire [26]. Certains y font entrer pêle-mêle à la fois les nationalisations, la planification, le syndicalisme, le coopératisme, la cogestion, l'autogestion, etc. [27].

Pour le moment, le socialisme qui paraît le plus en vogue est celui qu'on qualifie habituellement de « démocratique » et de « québécois » ou « d'ici ». On espère par ces qualificatifs répondre d'avance à la double accusation qui pèse sur le socialisme de n'être qu'un étatisme déguisé et un système importé de l'étranger.

En le qualifiant de *démocratique,* on veut lui donner un visage humain, en faire un système capable de joindre et concilier les valeurs de justice, d'égalité et de solidarité que véhicule l'idéal socialiste avec celles de liberté, de participation et de responsabilité que présuppose l'idéal démocratique. Les unions ouvrières,

---

26. Cf. R. ARÈS, « Socialisme et justice sociale », dans *Relations,* septembre et octobre 1958. Empruntant à l'économiste français, François Perroux, sa distinction entre mouvement et système, j'écrivais alors : « Considéré comme mouvement, le socialisme rassemble une multitude d'opinions, de tendances et d'aspirations tirant leur origine d'une commune réaction contre les injustices de la société capitaliste, et trouvant leur unité dans une même fin, qu'on pourrait formuler aujourd'hui par l'expression fort générale et commode : la réalisation de la justice sociale... » Mais, « rechercher la justice sociale comme un idéal est une chose, proposer un système pour la réaliser concrètement en est une autre. La question capitale qui se pose alors est donc la suivante : le système socialiste est-il apte à réaliser la justice sociale ? » À cette question on ne peut donner une réponse globale et définitive, car « il n'y a pas une seule sorte de socialisme, mais plusieurs ».

27. Personne, semble-t-il, ne songe à abandonner le mot « socialisme », devenu aux yeux de plusieurs, une sorte de mot magique, synonyme de justice, d'égalité et de libération, de lutte pour soutenir la cause des pauvres et des opprimés. Optant pour la conservation du mot à cause de « ses connotations originelles », un homme comme Edgar Morin écrivait : « Le socialisme, ainsi entendu, ne se résume pas en une formule économique ou politique ; il est conçu comme un complexe d'aspirations. C'est tout d'abord l'aspiration à socialiser, c'est-à-dire rendre commun à tous ce qui est privilège, appropriation, jouissance. C'est, dans cette logique, la tendance à une gestion collective de l'entreprise, et à la socialisation de l'économie, qui s'oppose aujourd'hui non seulement au système capitaliste, mais aux systèmes autoritaires de l'État. C'est le souci de l'émancipation des opprimés et la croyance qu'ils peuvent, à partir de leur expérience, sécréter une culture. C'est l'idée qu'il y a un pouvoir créateur dans les grands mouvements de masse populaire (ceci devant être distingué du culte bébête de la classe ouvrière comme de la religion du parti-incarnant-le-prolétariat) » (*Introduction à une politique de l'homme,* Paris, 1965, p. 87).

en particulier, qui avaient tout d'abord penché pour un socialisme d'État, pour un système où l'État, après avoir nationalisé les principales entreprises de production, répartirait plus équitablement les revenus, égaliserait mieux les chances et les conditions de vie, n'ont pas tardé à se rendre compte qu'elles ne feraient que changer de maître si elles ne parvenaient pas à démocratiser aussi l'État, à le contrôler, à participer à sa gestion et à le mettre davantage au service des travailleurs [28]. Déçues et frustrées, elles sont maintenant portées à considérer l'État québécois comme leur adversaire, comme le principal rouage de leur exploitation, parce que, disent-elles, il n'est ni socialiste ni démocratique, mais bien capitaliste et soumis aux exigences de l'impérialisme étranger et de la classe dominante. D'où leur mot d'ordre : emparons-nous de l'État pour le socialiser et le démocratiser.

La plupart des partisans du socialisme au Québec s'empressent de le qualifier aussi de « québécois », « d'ici », de « chez nous » ou encore de socialisme « à la québécoise ». Leurs raisons d'agir ainsi ne manquent pas. Les expériences socialistes étrangères sont loin d'être attirantes sur toute la ligne : si quelques-unes sont parvenues à instaurer un peu plus d'égalité entre les différentes couches de la population, le prix en a souvent été la domestication de la liberté. Au Québec, avec un socialisme original, on espère faire mieux.

Une autre raison incite à tenter quelque chose de différent : la composition de la société québécoise. Celle-ci, comme toutes les autres sociétés du monde occidental, renferme une classe patronale et une classe ouvrière, mais elle a ceci de particulier que la plupart des plus gros employeurs sont des anglophones et l'immense majorité des ouvriers, des francophones, de sorte que les conflits qui naissent en elle ne sont pas seulement d'ordre social, mais encore d'ordre linguistique, culturel et « national ». Qualifiés facilement de « capitalistes », ces patrons et employeurs,

28. Selon le professeur Dumont, à trop compter sur l'étatisation pour réaliser le socialisme, il y a danger d'aboutir à « l'État monstrueux ». Cf. la note précédente, no 25. Le texte de cette entrevue commence par ces mots, qui résument la pensée du professur : « Le Québec n'a guère le choix des moyens, il s'achemine vers le socialisme. Reste à savoir s'il s'agira d'un socialisme d'État encombré par une monstrueuse bureaucratie, d'un socialisme doctrinaire où les classes sociales seraient réduites à des mécaniques ou d'une forme de vie en commun, bien enracinée chez nous. »

en tant qu'anglophones, passent pour les agents de la domination étrangère que subit la société francophone [29].

La conséquence très nette est que chez elle le combat pour la libération nationale se double d'un combat pour la libération sociale [30]. Longtemps au Québec nationalistes et socialistes ont fait bande à part et se sont regardés un peu comme des frères ennemis, mais aujourd'hui la réconciliation et la jonction des forces sont en train de se faire. Une sorte de front commun s'est constitué qui a pris pour mot d'ordre un vocable devenu très populaire en Amérique latine : celui de *libération.*

Jusqu'à ces toutes dernières années, selon les sociologues, les idéologies dont s'inspiraient les Canadiens français pouvaient se ramener à trois : l'idéologie de conservation, celle de rattrapage et celle de développement, chacune s'appliquant à la fois à l'homme, à la nation et à la société, chacune engendrant une disposition d'esprit pouvant aller jusqu'au choix d'un système économique et social. À partir des années 70, une nouvelle idéologie entre en scène et se gagne aussitôt des adhérents : *l'idéologie de la libération.* Elle part d'un fait : partout dans le monde, il existe encore des hommes, des peuples, des sociétés opprimés, humiliés, aliénés, colonisés, maintenus ainsi en état de servitude par les impérialismes internationaux et les systèmes économiques fondés sur la primauté du profit, comme le capitalisme. À ces hommes, ces peuples et ces sociétés, il est tout à fait vain de proposer le rattrapage ou le développement, tant qu'ils seront

---

29. Cf. le numéro spécial de *Recherches sociographiques,* janvier-avril 1965, sur « Les classes sociales au Canada français », en particulier le texte de Marcel RIOUX, « Conscience ethnique et conscience de classe au Québec », pp. 23-32. Pour un autre point de vue, voir Gilles BOURQUE et Nicole LAURIN-FRENETTE, « Classes sociales et idéologies nationalistes au Québec (1760-1970) », dans *Socialisme québécois,* avril-mai-juin 1970, pp. 13-55.

30. « Il appert qu'une bonne majorité des professeurs d'université et de ceux que le Québec estime ses maîtres à penser et ses cerveaux directeurs, surtout dans le domaine des sciences de l'homme, luttent à l'intérieur de l'univers de la libération nationale à la fois pour l'indépendance politique du Québec et pour l'instauration d'un socialisme d'ici... Chose certaine, beaucoup d'intellectuels du Québec, par leur fonction d'enseignement et de recherche, contribuent actuellement à renforcer l'univers de la libération nationale, en y insufflant sans cesse la théorie socialiste dont il a besoin pour continuer ses combats » (Jacques LAZURE, *L'asociété des jeunes Québécois,* Montréal, 1972, p. 194).

exploités par les impérialistes et les systèmes actuels. La seule idéologie qui leur convienne et puisse leur être utile, c'est celle de la libération, idéologie, ajoutent certains, qui n'atteindra son objectif que si elle sait prendre les moyens les plus efficaces, y compris l'analyse et les méthodes marxistes, que si elle s'incarne dans un système canalisant et organisant toutes les forces libératrices : le socialisme [31].

À cette idéologie, à cette analyse, à ces méthodes et à ce système, les chrétiens du Québec sont instamment priés d'adhérer. C'est là, leur dit-on, un devoir de justice et de charité : la communauté francophone est colonisée, exploitée, aliénée, il faut l'aider à se libérer de l'impérialisme et du capitalisme qui la retiennent captive, il faut lui faire comprendre et admettre que, pour elle, la voie de l'avenir et de la libération passe par le socialisme et qu'en conséquence elle se doit de s'y engager au plus tôt [32].

L'Église l'accompagnera-t-elle sur ce terrain ? Le prochain chapitre va tenter de répondre à la question.

---

31. Cette idéologie de la *libération* a déjà donné naissance à une multitude d'ouvrages et d'articles, dont je signalerai les principaux, au passage, dans le prochain chapitre. Pour le moment, je me contente de renvoyer à l'article d'Yves VAILLANCOURT, « Les politisés chrétiens et la libération », dans *Relations,* mai 1972.

32. Aux yeux de certains observateurs étrangers, c'est déjà l'image que le Québec projette : « Le Québec est en pleine mutation sociale et une société socialiste originale s'y construit dans le cadre d'un capitalisme à l'américaine... L'indépendance n'est qu'un aspect presque secondaire de la profonde révolution sociale qui secoue le pays, sans le moindre désordre... On peut s'attendre à l'avènement pas trop lointain — mais pas très proche — d'un Québec devenu souverain, sans heurts ni cassures, profondément transformé de l'intérieur, sorte de pilote d'une forme de socialisme opportuniste que l'on ne trouve encore cataloguée nulle part » (Max OLIVIER-LACAMP, « Quand les Québécois font leur révolution », *Le Figaro,* section hebdomadaire, 14 mars 1973, p. 4).

CHAPITRE XIII

L'objectif "socialisation" ou la poursuite de l'égalité dans et par la société (Suite)

2. — L'Église face à la socialisation et au socialisme

Socialisation et socialisme sont devenus des réalités, des caractéristiques du monde moderne. Même au Québec, même dans la société canadienne-française. Que la chose lui plaise ou non, c'est là un signe des temps auquel l'Église doit prêter attention, un phénomène dont il lui faut se préoccuper, car il y va à la fois de la condition humaine et de son propre avenir. Qu'a-t-elle à dire sur le sujet, plus précisément sur la socialisation et le socialisme envisagés comme éléments constitutifs du projet de société que des francophones élaborent présentement au Québec ? A-t-elle, en plus et en complément, quelque pensée à formuler à propos de cette nouvelle idéologie qui fait si bon ménage avec le socialisme : l'idéologie de la libération ?

L'Église et la socialisation

La socialisation, ai-je écrit au chapitre précédent, peut être considérée à la fois comme un fait, un objectif à atteindre et une idéologie inspiratrice d'un système économique. En ce dernier cas elle n'est pas loin de s'identifier au socialisme lui-même et c'est en traitant de ce dernier que j'aurai l'occasion de dire ce que l'Église en pense. Restent les deux premiers cas à examiner ici.

1. Considérée comme un *fait,* comme un phénomène caractéristique du monde moderne, la socialisation a reçu un traitement à part, pour la première fois, dans l'encyclique *Mater et magistra* de Jean XXIII en 1961. En quelques paragraphes, le pape en décrit le fait, en énumère les avantages et les inconvénients, puis en indique comment en tirer parti [1]. Aucune condamnation ni aucun pessimisme. Le pape reconnaît franchement que, sous l'effet du progrès scientifique et technique, de l'accroissement de la productivité, du progrès de la civilisation, les liens sociaux et les interdépendances n'ont cessé de se multiplier et les interventions de l'État de croître dans à peu près tous les domaines, en particulier dans les matières touchant à la vie intime de la personne, comme la protection de la santé, la formation et l'éducation de la jeunesse, l'orientation professionnelle, etc.

Ce phénomène nouveau comporte à la fois des avantages et des inconvénients. Des avantages d'abord, en ce sens que le progrès de la socialisation permet de satisfaire, surtout dans le domaine économique et social, un grand nombre de droits de la personne humaine, « entre autres ceux qui concernent les moyens d'existence, les soins médicaux, la diffusion et le progrès d'une culture de base, la formation professionnelle, le logement, le travail, un repos convenable et de sains loisirs » [2]. Des inconvénients aussi, car ce développement des liens sociaux entraîne, dans presque tous les domaines, « une multiplication des lois et règlements régissant et déterminant les relations humaines » et ainsi, du même coup, « un rétrécissement du champ de liberté des individus », par suite de l'emploi de techniques, de méthodes, de conditionnements rendant difficile à chacun « de juger indépendamment de toute influence extérieure, d'agir de sa propre initiative, d'exercer, comme il convient, ses droits et ses devoirs, d'épanouir vraiment et de mettre en valeur les facultés de son esprit » [3].

---

1. JEAN XXIII, *Lettre encyclique « Mater et magistra » sur l'évolution contemporaine de la vie sociale à la lumière des principes chrétiens,* le 15 mai 1961, nos 59-67. — Déjà, cependant, les évêques catholiques d'Australie avaient publié une déclaration intitulée précisément *Socialisation* (Social Justice Statement, Melbourne, 1948).
2. *Ibid.,* no 61.
3. *Ibid.,* no 62.

Bien que réels, ces inconvénients, avertit Jean XXIII, ne doivent pas nous inciter à croire qu'avec les progrès de la socialisation « l'homme est destiné à s'abrutir et à se muer en automate ». Non, car la socialisation demeure l'œuvre de l'homme, être libre et responsable ; en cette qualité, elle « peut et doit s'effectuer selon des modalités qui sont de nature à en promouvoir au maximum les avantages et à en conjurer, tout au moins à en atténuer, les inconvénients ». Comment y parvenir ? L'Encyclique formule deux conditions : une claire notion du bien commun de la part des responsables politiques et une réelle autonomie des individus ou des groupes qui collaborent à un même objectif, des corps intermédiaires et des diverses organisations « par où se réalise surtout la socialisation ».

Et le pape de conclure sur une note à la fois optimiste et prudente : « Si la socialisation se réalise conformément à ces règles et à la loi morale, elle ne comportera aucun risque grave ou charge excessive pour les citoyens. On peut espérer, au contraire, qu'elle permettra l'épanouissement des qualités naturelles de l'homme et contribuera à créer une harmonieuse communauté humaine, indispensable, comme le rappelait Pie XI dans l'encyclique *Quadragesimo anno,* pour satisfaire pleinement aux droits et devoirs de la vie sociale » [4].

L'année suivante, les évêques du Canada choisissent précisément ce thème de la « socialisation » pour leur message de la Fête du Travail, le 3 septembre 1962. Eux aussi reconnaissent l'ampleur et la portée du phénomène. Le particulier, observent-ils, est en train de devenir le général dans la structure sociale de notre civilisation. Le développement social pénètre dans nos vies par de nouveaux moyens, faisant partout surgir groupements, sociétés et institutions : « Cette tendance à s'organiser dans des groupements pour différents objectifs communs, même pour le progrès, s'appelle tout simplement la socialisation. C'est l'expression de la nature sociale de l'homme. » Mais ce phénomène, ajoutent-ils, n'est pas à confondre avec « le socialisme totalitaire

---

4. *Ibid.,* nos 64-67. — On pourra lire avec profit, dans l'ouvrage collectif *La pensée sociale de Jean XXIII d'après l'encyclique « Mater et magistra »* (Montréal, Fides, 1962), les commentaires de Fernand DUMONT sur « Le phénomène de la « socialisation », pp. 30-43.

et matérialiste » ; il n'y conduit pas plus que « le désir naturel de liberté conduit nécessairement à l'autre extrême, l'individualisme ». Bien plus, « c'est la socialisation qui, avec toute l'activité créatrice qu'elle implique, est la réponse toute naturelle aux dangers de ces deux extrémismes de notre société » [5].

Vatican II allait à son tour se pencher sur ce phénomène de la socialisation. D'abord pour en reconnaître l'existence, la puissance et les risques : les relations de l'homme avec ses semblables se multiplient de plus en plus, mais cette « socialisation » entraîne de nouveaux liens, qui ne favorisent pas toujours pour autant, « comme il faudrait, le plein développement de la personne et des relations vraiment personnelles, c'est-à-dire la « personnalisation » [6]. Malgré tout, le Concile demeure optimiste et reconnaît que, même si le fait de la socialisation n'est pas sans danger, des avantages en découlent « qui permettent d'affermir et d'accroître les qualités de la personne et de garantir ses droits » [7] ; de plus, grâce à ce phénomène, se découvrent les richesses des diverses cultures et se prépare un type de civilisation plus universel qui fait avancer l'unité du genre humain [8]. En somme, positive à cet égard est l'attitude du Concile : « L'Église, dira-t-il, reconnaît tout ce qui est bon dans le dynamisme social d'aujourd'hui, en parti-

---

5. *Message des archevêques et évêques du Canada sur « La socialisation », à l'occasion de la Fête du Travail,* le 3 septembre 1962. Texte dans *Documentation sociale,* no 64:5.

6. VATICAN II, *Constitution pastorale « Gaudium et spes »,* sur *L'Église dans le monde de ce temps,* 1965, no 6, paragr. 5. — Dans son ouvrage *Pour une théologie de l'âge industriel,* Paris, 1971, J.-M. AUBERT indique et commente ces trois risques de la socialisation : le risque d'étatisation, celui de dépersonnalisation et celui d'affrontement, pp. 222-225. À propos du second risque, il écrit : « Au niveau de l'individu c'est le plus grand risque de la socialisation : la dépersonnalisation, *la démission de la personne dans la foule anonyme* ou dans une société exerçant une domination sur l'individu, le dispensant d'affirmer sa personalité (conditionnement psychologique par la publicité, la propagande, les moyens de masse, le style même de la vie collective...) ». Il y aussi danger de *matérialisme,* de tout évaluer en termes de rendement et d'efficacité, d'aboutir à une *uniformisation* qui serait la négation du vrai sens de l'unité.

7. *Ibid.,* no 25, par. 2.

8. « L'accroissement des échanges entre les différentes nations et les groupes sociaux découvre plus largement à tous et à chacun les richesses des diverses cultures, et ainsi se prépare peu à peu un type de civilisation plus universel qui fait avancer l'unité du genre humain et l'exprime, dans la mesure même où il respecte les particularités de chaque culture » (*Ibid.,* no 54).

culier le mouvement vers l'unité, les progrès d'une saine socialisation et de la solidarité au plan civique et économique » [9].

Tous ces textes laissent entrevoir l'attitude que l'Église au Québec adoptera à l'égard de la socialisation considérée comme *phénomène sociologique.* Aucune hostilité de principe, mais reconnaissance à la fois des avantages et des inconvénients, tant pour l'homme québécois que pour la communauté francophone, et surtout engagement en faveur de la personne pour éviter que ce mouvement croissant de socialisation finisse par l'écraser ou l'empêche de s'épanouir et de mettre en valeur les facultés de son esprit. En d'autres termes, l'Église au Québec va à la fois dire oui au phénomène de la socialisation et s'efforcer d'en atténuer les inconvénients en favorisant le développement d'un mouvement parallèle de personnalisation dans la société québécoise, tout particulièrement au sein de la communauté francophone.

2. La socialisation n'est pas simplement un phénomène sociologique que l'homme devrait se contenter de subir, elle est aussi un *objectif* poursuivi volontairement pour remédier aux inégalités sociales les plus criantes et instaurer un peu plus d'égalité, donc de justice, entre les différentes couches de la population d'un pays. Elle devient ainsi, dans une société déterminée, un *instrument d'égalisation,* suscitant à la fois de l'espoir chez les uns et de l'inquiétude chez les autres.

L'expérience ayant démontré, en effet, que beaucoup des inégalités et des injustices du monde moderne avaient leur origine dans les excès de l'individualisme libéral, il s'est produit chez les premières victimes de ces inégalités et injustices, c'est-à-dire chez les plus faibles et les plus pauvres, en particulier dans la classe

9. *Ibid.,* no 42, par. 3. — Commentaire d'un théologien : « En même temps que la conscience des valeurs personnelles de liberté, de décision, etc., est consolidée, la pastorale prophétique découvre plus profondément le dynamisme de l'histoire, dans laquelle on peut distinguer un processus de personnalisation, dont l'axe est la liberté personnelle et un processus collectif, de socialisation : l'histoire est une tâche commune. Personnalisation et socialisation s'harmonisent dans cette vision théologique ; c'est certainement l'une des originalités du christianisme » (Gustavo GUTIERREZ, *Réinventer le visage de l'Église,* Paris, 1971, pp. 78-79).

ouvrière, une double réaction : d'abord celle de s'associer entre elles pour défendre leurs droits et promouvoir leurs intérêts, puis celle de faire intervenir l'État en leur faveur. Dans les deux cas, la voie était ouverte à ce qu'on appelle aujourd'hui la socialisation : dans le premier, par la multiplication des groupes sociaux et la recrudescence de leurs revendications égalitaires, dans le second, par une action croissante de l'État visant à atténuer les inégalités et à faire prendre en charge par la société la satisfaction des besoins les plus urgents des individus, en particulier des plus pauvres et des plus faibles. Sur chacun l'Église a déjà pris position.

Sur la légitimité, l'utilité, voire la nécessité des associations et groupements d'individus d'un même métier, d'une même profession, d'une même communauté de travail ou d'intérêt, il y a longtemps que l'Église s'est prononcée et qu'elle en a fait un point central de ce qu'on a appelé sa « doctrine sociale ». Elle s'est rendue compte d'expérience, non seulement qu'il n'était pas bon que les individus demeurent seuls et isolés face à l'État, mais encore qu'il leur était grandement utile de faire leur apprentissage de la liberté et des responsabilités dans des associations et groupements plus restreints, plus près d'eux et dont ils se sentiraient immédiatement solidaires.

Aussi, à ses yeux, la socialisation, pour être bénéfique et même pour jouer son rôle de remède aux inégalités et aux injustices sociales, doit-elle se réaliser de façon *organique,* c'est-à-dire d'une façon qui, non seulement fasse place aux groupements et associations nés de l'initiative des particuliers, mais encore leur reconnaisse la liberté d'accomplir leurs fonctions dans la société globale. C'est en ce sens qu'il faut comprendre la déclaration de Jean XXIII : « Nous estimons nécessaire que les corps intermédiaires et les diverses organisations par où se réalise surtout la socialisation, jouissent d'une réelle autonomie et poursuivent leurs objectifs dans la concorde et au bénéfice du bien commun »[10].

---

10. JEAN XXIII, *Lettre encyclique « Mater et magistra »,* 1961, no 65. — Voir aussi la déclaration (citée à la note 5 du présent chapitre) de l'épiscopat canadien sur « La socialisation », considérée comme « la reviviscence de cette vie organique que l'on avait perdue ».

Déclaration que le Concile se chargera d'entériner [11] et que Paul VI reprendra sous une autre forme en mettant l'accent sur l'utilité et la valeur des *solidarités sociales.* À l'idéologie libérale, en effet, il reprochera de considérer « les solidarités sociales comme des conséquences plus ou moins automatiques des initiatives individuelles et non pas comme un but et un critère majeur de la valeur de l'organisation sociale ». D'un autre côté, pour faire contrepoids à une technocratie grandissante, il demandera qu'on invente « des formes de démocratie moderne, non seulement en donnant à chaque homme la possibilité de s'informer et de s'exprimer, mais en l'engageant dans une responsabilité commune », ce qui, précisera-t-il, aura pour résultat de transformer les groupes humains en communautés de partage et de vie, de donner à la liberté l'occasion de s'épanouir dans sa réalité humaine la plus profonde, c'est-à-dire de « s'engager et se dépenser pour construire des solidarités actives et vécues » [12].

À cette socialisation organique, qui construit et organise des solidarités actives et vécues, invente des formes de démocratie moderne, l'Église ne saurait, en principe, qu'être sympathique. Elle y voit même « un critère majeur de la valeur de l'organisation sociale » et demande aux chrétiens de travailler à la faire réussir ; elle prétend même que c'est là le correctif naturel et nécessaire aux inconvénients que ne peuvent manquer d'engendrer des interventions trop massives de l'État dans la vie sociale et économique [13].

À l'État, en effet, les hommes d'aujourd'hui qui se sentent

---

11. VATICAN II, *Constitution pastorale « Gaudium et spes »*, 1965, no 75, par. 2 : « Les gouvernants se garderont de faire obstacle aux associations familiales, sociales et culturelles, aux corps et institutions intermédiaires, ou d'empêcher leurs activités légitimes et efficaces ; qu'ils aiment plutôt les favoriser dans l'ordre. »

12. PAUL VI, *Lettre apostolique « Octogesima adveniens » au cardinal Maurice Roy,* le 14 mai 1971, nos 26 et 47.

13. Voir à ce sujet le compte rendu de la Semaine sociale de Québec, 1964, sur *L'État et les corps intermédiaires,* en particulier les cours de R. ARÈS, Gérard DION, Claude RYAN et Jean RIVERO, celui de ce dernier ayant pour titre : « La démocratie organique ». — Voir aussi le premier colloque des Semaines sociales du Canada : *Planification économique et organisation professionnelle,* Montréal, 1962, en particulier la quatrième partie sur « L'Église et la planification économique ».

victimes d'inégalités et d'injustices demandent de plus en plus d'intervenir pour rétablir l'équilibre et réaliser l'égalité ; ils veulent, en somme, que l'État socialise davantage l'avoir, le savoir et le pouvoir. Cette revendication, l'Église en reconnaît la légitimité et elle lui accorde son appui. À une condition, cependant : que le moyen employé pour y donner suite : l'intervention de l'État, vise et aboutisse à réaliser une véritable socialisation, c'est-à-dire la diffusion de l'avoir, du savoir et du pouvoir dans toute la société, et non pas une étatisation, c'est-à-dire la concentration de ces facteurs dans les seuls organismes de l'État. J'ajouterai simplement qu'une socialisation de ce genre, qui, démocratiquement, diffuserait l'avoir, le savoir et le pouvoir dans toutes les classes de la société québécoise et les appellerait à y participer davantage, contribuerait certainement à combler les inégalités et à atténuer les injustices dont souffre et se plaint la communauté francophone, pourtant majoritaire au Québec.

L'Église et le socialisme

Dotée d'une idéologie, érigée en système, la socialisation, considérée comme le moyen par excellence d'instaurer l'égalité et la justice dans la société, en vient à se transformer en socialisme. Dans tous les systèmes socialistes, en effet, on retrouve une pièce maîtresse : la socialisation de l'économie, qui va de celle des grands moyens de production à celle des moyens de distribution et d'échange. L'Église, dans son enseignement, n'a jamais confondu les deux et sa position sur le socialisme se distingue de celle qu'elle a récemment adoptée sur la socialisation.

Entre elle et le socialisme, il faut bien le reconnaître, les rapports, au XIXe siècle, ont été orageux et ont comporté tout un lot de dénonciations et de condamnations mutuelles. Encore en 1931, Pie XI, dans son encyclique sur la restauration de l'ordre social, n'hésitait pas à déclarer que le socialisme, « qu'on le considère soit comme doctrine, soit comme fait historique, soit comme « action », s'il demeure vraiment socialisme », ne saurait se concilier avec les principes de l'Église, de sorte que « personne ne peut être en même temps bon catholique et vrai socialiste »[14].

14. PIE XI, *Lettre encyclique « Quadragesimo anno »*, 1931, nos 127-130.

S'appuyant sur cet enseignement, Mgr Georges Gauthier, archevêque coadjuteur de Montréal, mettait en garde les fidèles de son diocèse, en 1934, contre le programme de la *Cooperative Commonwealth Federation* (la C.C.F.), en déclarant que ce programme « s'appuie sur une philosophie sociale que nous ne pouvons approuver », c'est-à-dire sur une philosophie, en somme, socialiste [15].

Même dans les années 60, Jean XXIII rappelle l'enseignement de son prédécesseur, Pie XI, sur le socialisme ainsi que les reproches fondamentaux adressés à ce dernier, sans dire, cependant, si de tels reproches s'appliquent encore aux divers socialismes alors en existence [16]. En faisant, toutefois, une distinction capitale entre doctrine et action, théorie et mouvement, il prépare la voie à une certaine collaboration avec les socialistes et à une reconnaissance de la légitimité de certains de leurs objectifs. En voici le texte :

> On ne peut identifier de fausses théories philosophiques sur la nature, l'origine et la finalité du monde et de l'homme, avec des mouvements historiques fondés sur un but économique, social, culturel ou politique, même si ces derniers ont dû leur origine et puisent encore leur inspiration dans ces théories. Une doctrine, une fois fixée et formulée, ne change plus, tandis que des mouvements ayant pour objet des conditions concrètes et changeantes de la vie ne peuvent pas ne pas être largement influencés par cette évolution. Du reste dans la mesure où ces mouvements sont d'accord avec les sains principes de la raison et répondent aux justes aspira-

15. Mgr Georges GAUTHIER, *La doctrine sociale de l'Église et la C.C.F.*, Lettre pastorale aux fidèles de son diocèse. Cf. collection « École Sociale Populaire », mars 1934, no 242, p. 9. Mise en garde qui a été levée, quelque dix ans plus tard, par la déclaration de l'épiscopat canadien du 13 octobre 1943. Cf. *Relations*, novembre 1943, pp. 294-295 et 281.

16. Parlant de Pie XI, Jean XXIII écrit : « Le Souverain Pontife rappelle qu'entre le *communisme* et le christianisme l'opposition est fondamentale. Il ajoute que les catholiques ne peuvent en aucune façon adhérer aux théories des *socialistes*, malgré l'apparence de leur position plus modérée. Car, en enfermant l'ordre social dans les horizons temporels, ils ne lui assignent d'autre objectif que le bien-être terrestre ; de plus, faisant de la production des biens matériels la fin de la société, ils limitent indûment la liberté humaine ; il leur manque enfin une vraie conception de l'autorité dans la société » (*Lettre encyclique « Mater et magistra »*, 1961, no 34).

> tions de la personne humaine, qui refuserait d'y reconnaître des éléments positifs et dignes d'approbation ? [17]

Jean XXIII vise certainement ici les théories et les mouvements tant communistes que socialistes. Tout en rejetant les « fausses théories philosophiques » à la base de certains socialismes, il n'en laisse pas moins clairement entendre que d'autres mouvements socialistes ne s'identifient plus avec ces fausses théories et qu'en conséquence il y a maintenant possibilité de collaborer avec eux.

Paul VI va faire un pas de plus dans la voie de la conciliation avec sa Lettre au cardinal Roy en 1971. Après avoir rappelé la distinction faite par Jean XXIII entre les idéologies et les mouvements historiques concrets, il aborde aussitôt le problème que le socialisme pose aux chrétiens, problème dont les deux données concrètes sont les suivantes : d'une part, des chrétiens sont aujourd'hui attirés par les courants socialistes, en lesquels ils cherchent à reconnaître un certain nombre d'aspirations qu'ils portent en eux-mêmes au nom de leur foi et sont prêts à s'insérer pour y mener une action collective ; d'autre part, « selon les continents et les cultures, ce courant historique prend des formes différentes sous un même vocable, même s'il a été et demeure, en bien des cas, inspiré par des idéologies incompatibles avec la foi ».

Que faire alors ? Quelle directive le Pape va-t-il donner aux catholiques ? D'abord, celle-ci : user de discernement, ne pas se contenter d'un socialisme idéal, équivalant à la volonté de justice, de solidarité et d'égalité, mais accepter aussi « de reconnaître les contraintes des mouvements historiques socialistes, qui restent conditionnés par leurs idéologies d'origine ». Armés d'un pareil discernement, les catholiques distingueront entre trois choses se retrouvant aux divers niveaux d'expression du socialisme : a) « une aspiration généreuse et une recherche d'une société plus juste » ; b) « des mouvements historiques ayant une organisation et un but politiques » ; c) « une idéologie prétendant donner une vision totale et autonome de l'homme ». Distinction nécessaire, certes, mais qui pourrait se révéler dommageable si on allait

---

17. JEAN XXIII, *Lettre encyclique « Pacem in terris »*, 1963, no 159.

considérer ces trois niveaux comme complètement séparés et indépendants : entre eux, en effet, existe un lien concret qui doit aussi être lucidement répéré : « Cette lucidité, ajoute Paul VI, permettra aux chrétiens d'envisager le degré d'engagement possible dans cette voie, étant sauves les valeurs, notablement de liberté, de responsabilité et d'ouverture au spirituel, qui garantissent l'épanouissement intégral de l'homme » [18].

De ce passage trois conclusions importantes sont à tirer en ce qui concerne le socialisme : 1° le Pape reconnaît l'existence de plusieurs socialismes revêtant des formes concrètes différentes ; 2° dans chaque courant ou forme de socialisme, il demande de distinguer entre l'idéal poursuivi d'une société juste et égalitaire, les mouvements historiques qui s'efforcent d'incarner cet idéal et l'idéologie dont chaque mouvement s'inspire à l'égard de l'homme et de la vie en société ; 3° avant de s'engager dans l'un quelconque de ces courants socialistes, les chrétiens doivent user de discernement et de prudence, se demander quel lien existe entre l'idéal d'égalité, le mouvement historique et l'idéologie en cause, bien examiner, en particulier, si cette idéologie est compatible avec leur foi et leur conception de l'homme, si elle sauvegarde aussi, en pratique, les valeurs de liberté, de responsabilité et d'ouverture au spirituel [18a].

Il y a là, ce me semble, des règles que, dans la détermination de leur attitude à l'égard des divers courants socialistes qui ont surgi dans leur milieu, les chrétiens du Québec ont tout intérêt à suivre. En bref, ni idéalisation naïve, ni acceptation *a priori,* ni condamnation globale, mais examen prudent des mouvements et des systèmes, des valeurs qu'ils proposent, des moyens pratiques qu'ils mettent de l'avant pour réaliser leur programme et surtout des idéologies qui les inspirent. Règles qui, d'ailleurs, ne s'appli-

---

18. PAUL VI, *Lettre apostolique « Octogesima adveniens » à M. le cardinal Roy,* à l'occasion du 80e anniversaire de « Rerum novarum », le 14 mai 1971, no 31. — Dès le début de cette même *Lettre,* le pape avait rappelé le danger d'utiliser l'Évangile « au profit d'options temporelles particulières, en oubliant son message universel et éternel » (no 4).

18a. Sur cette question de l'attitude de l'Église à l'égard du socialisme, voir l'article de Philippe LAURENT, S.J., « Église et marxisme », dans *Croire aujourd'hui,* janvier 1974, pp. 3-16.

quent pas seulement au socialisme mais à tous les systèmes qui se proposent d'organiser, au triple plan économique, social et politique, la vie des hommes entre eux [19].

Passant du socialisme en général au marxisme en particulier, Paul VI adopte la même attitude. Des chrétiens, constate-t-il, sont aujourd'hui tentés de se rapprocher du marxisme et, dans ce but, ils en distinguent divers niveaux d'expression. Les uns y voient essentiellement une pratique active de la lutte des classes ; d'autres en font « d'abord l'exercice collectif d'un pouvoir politique et économique sous la direction d'un parti unique » ; d'autres le considèrent comme « une idéologie socialiste à base de matérialisme historique et de négation de tout transcendant » ; ailleurs, enfin, le marxisme se présente « comme une activité scientifique, comme une méthode rigoureuse d'examen de la réalité sociale et politique, comme le lien rationnel et expérimenté par l'histoire entre la connaissance théorique et la pratique de la transformation révolutionnaire » [20].

Ces distinctions, Paul VI admet qu'on peut les faire ; il reconnaît aussi que ces divers aspects du marxisme, tel qu'il est concrètement vécu, posent des questions aux chrétiens pour la réflexion et l'action. Mais, confirmant sa réprobation antérieure

---

19. Dans cette même Lettre au cardinal Roy, le pape Paul VI applique lui-même au *libéralisme* les règles qu'il vient de proclamer à l'égard du socialisme. Certes, dit-il, « l'initiative personnelle est à maintenir et à développer. Mais les chrétiens qui s'engagent dans cette voie n'ont-ils pas tendance à idéaliser, à leur tour, le libéralisme qui devient alors une proclamation en faveur de la liberté ? Ils voudraient un modèle nouveau, plus adapté aux conditions actuelles, en oubliant facilement que, dans sa racine même, le libéralisme philosophique est une affirmation erronée de l'autonomie de l'individu, dans son activité, ses motivations, l'exercice de sa liberté. C'est dire que l'idéologie libérale requiert, également, de leur part, un discernement attentif » (*Ibid.*, no 35).

Un peu auparavant, Paul VI avait mis en garde « le chrétien qui veut vivre sa foi », contre « l'idéologie libérale, qui croit exalter la liberté individuelle en la soustrayant à toute limitation, en la stimulant par la recherche exclusive de l'intérêt et de la puissance, et en considérant les solidarités sociales comme des conséquences plus ou moins automatiques des initiatives individuelles et non pas comme un but et un critère majeur de la valeur de l'organisation sociale » (*Ibid.*, no 26).

20. *Ibid.*, nos 32-33. — Sur ce passage, voir la longue note explicative, intitulée « L'évolution du marxisme », dans l'édition annotée de la Lettre de Paul VI, sous le titre *La responsabilité politique des chrétiens*, Les Éditions ouvrières, 1971, pp. 96-106.

de l'idéologie marxiste [21] et reprenant des remarques déjà faites à propos du socialisme, le Pape demande aux chrétiens de ne pas oublier le lien intime qui unit ces divers aspects du marxisme : « Il serait illusoire et dangereux, rappelle-t-il, d'accepter les éléments de l'analyse marxiste sans reconnaître leurs rapports avec l'idéologie, d'entrer dans la pratique de la lutte des classes et de son interprétation marxiste en négligeant de percevoir le type de société totalitaire et violente à laquelle conduit ce processus » [22].

Que la chose plaise ou non, que ce soit comme pratique active de la lutte des classes [23] ou idéologie socialiste prédominante [24] ou activité scientifique et méthode d'examen de la réalité sociale, il n'en faut pas moins reconnaître que le marxisme a désormais pris pied au Québec et qu'il exerce une influence considérable

---

21. « Aussi le chrétien qui veut vivre sa foi dans une action politique conçue comme un service ne peut-il, sans se contredire, adhérer à des systèmes idéologiques qui s'opposent radicalement ou sur des points substantiels à sa foi et à sa conception de l'homme ; ni à l'idéologie marxiste, à son matérialisme athée, à sa dialectique de violence et à la manière dont elle résorbe la liberté individuelle dans la collectivité, en niant en même temps toute transcendance à l'homme et à son histoire, personnelle et collective ; ni à l'idéologie libérale... » (*Ibid.*, no 26).

22. *Ibid.*, no 34. — « C'est en restant fidèle aux requêtes de la raison, pas seulement philosophique mais aussi scientifique, que le chrétien interrogera certain marxisme sur sa prétention à être une activité scientifique, une méthode rigoureuse d'examen de la réalité politique, économique et sociale ». « La dialectique que K. Marx privilégie perd sa simplicité quand l'analyse minutieuse des contradictions s'y applique : la direction du mouvement qui en est déduit cesse d'être inéluctable, quasi naturelle, lorsqu'un tri arbitraire n'est pas opéré entre les contradictions réelles », écrit un économiste aussi averti des réalités de notre temps que François Perroux » (*Note explicative* sur « L'évolution du marxisme », p. 105. Cf. précédemment note 20).

23. Sur cette difficile question de la lutte des classes, lire les considérations éclairantes de Marc MICHEL, de la faculté de théologie catholique de Strasbourg, dans *Prêtres diocésains,* « La lutte des classes est-elle inévitable ? » mai 1973, pp. 223-230. Selon lui, dans les pays tant capitalistes que socialistes, la question-clef est devenue celle-ci : *qui a vraiment le pouvoir de décision ?* Quant à la lutte des classes, « elle est un fait qu'il importe de constater, ensuite de comprendre et enfin de maîtriser ».

24. « Socialism is the ownership and control of the means of production, and, through that the control of all areas of life, by the majority of people who work. So socialism is another way of saying « power to the people » : power to control all the basic institutions that affect our lives. Socialism is radical democracy, democracy extended to every area of our collective lives... » (Michael P. LERNER, *The New Socialist Revolution. An Introduction to its Theory and Strategy,* New York, 1973, p. 287).

en certains milieux, intellectuels et ouvriers en particulier, comme en témoignent une foule d'événements récents : manifestes, messages, prises de position, programmes d'études, etc. Cette influence ne pouvant manquer de s'exercer sur les projets d'avenir du peuple canadien-français, du projet de société tout particulièrement, il est du devoir des chrétiens du Québec, non seulement d'être présents à ces projets, mais encore de tenir compte des règles de discernement et de prudence énoncées par le pape Paul VI face aux mouvements socialistes et aux systèmes marxistes.

Fort instructive sur ce point apparaît la position prise, en 1972, à l'égard du socialisme, par la Commission épiscopale française du Monde ouvrier. En France, peut-être plus qu'en d'autres pays, le socialisme attire les catholiques. L'Action Catholique Ouvrière s'y montre sympathique et la Confédération française démocratique du Travail (la CFDT), issue de l'ancienne Confédération française des Travailleurs chrétiens (la CFTC), a fini par s'y rallier, en adoptant, lors de son congrès de mai 1970, un manifeste intitulé « Pour un socialisme démocratique » [25]. Désireux de se rendre compte par eux-mêmes des désirs des travailleurs chrétiens « ayant fait l'option socialiste », quelques évêques, membres de cette Commission, les ont rencontrés et écoutés, puis ils ont adressé à leurs collègues de l'épiscopat un document dans lequel ils exposent le fruit de leurs réflexions [26].

---

25. Voir à ce sujet l'ouvrage publié par le secrétaire général de la CFDT, Edmond MAIRE, *Pour un socialisme démocratique* : *contribution de la CFDT,* Paris, 1971. Lui-même, après avoir affirmé que la CFDT souhaite un socialisme démocratique, ajoute : « Ce socialisme n'est pas d'abord une structure économique, c'est avant tout un mode de vie en société, un mode de rapports sociaux, de rapports interpersonnels, de rapports qui soient égalitaires, désaliénés, sans domination des uns sur les autres ; où à la fois les discriminations dues à l'exploitation capitaliste, mais aussi à la domination des hommes sur les femmes, des races, d'un groupe social sur l'autre auraient disparu. Cette possibilité donnée à chacun de construire et sa personnalité et la société tout entière, cette qualité des rapports entre les individus, entre les groupes, c'est ce à quoi on jauge le socialisme » (pp. 17-18). — A compléter par la contribution d'Edmond MAIRE et d'Alfred KRUMNOW, « Le socialisme autogestionnaire à l'ordre du jour », dans l'ouvrage collectif *La C.F.D.T. et l'autogestion,* Paris, 1973.

26. On trouvera le texte de cette communication dans l'ouvrage *Les évêques français prennent position,* Paris, 1972, pp. 102-116. — Entre autres commentaires, voir celui d'Irénée DESROCHERS, dans la revue *Relations,* « Le socialisme et les chrétiens de France », février 1973, et celui du Centre d'Études de la Doctrine sociale de l'Église, dans l'ouvrage en collaboration, *L'Église et le Socialisme,* Paris, 1972, pp. 137-140.

En bref, ils constatent que les socialismes ont beaucoup évolué, qu'il y en a qui « n'imposent pas à leurs membres une pensée philosophique déterminée » et que même « d'autres s'appuient sur une idéologie humaniste ouverte au spirituel ». Les militants ouvriers et les travailleurs qu'ils ont rencontrés rejettent le capitalisme et s'orientent vers le socialisme, rejet et orientation qui leur posent comme pasteurs une série de questions, tant sur les aspirations et les idéologies socialistes que sur les projets économiques et politiques concrets. Leur conclusion sur les rapports entre l'Église et le socialisme est la suivante :

> Actuellement, ce qui subsiste, c'est l'incompatibilité entre la philosophie matérialiste et athée du marxisme et la foi chrétienne ; ce qui subsiste aussi, c'est la contradiction entre certaines formes d'action révolutionnaire et les exigences évangéliques de l'amour. Mais on commence à se rendre compte aujourd'hui qu'il n'y a pas d'incompatibilité entre l'Évangile et un système économique et politique de type socialiste, pourvu que soient observés les droits fondamentaux de la personne et les exigences d'une véritable promotion collective de toute l'humanité, pourvu donc aussi que puisse s'exprimer la vocation surnaturelle de l'homme [27].

Au Canada, l'épiscopat ne s'est pas prononcé aussi explicitement sur cette question du socialisme, mais il n'en a pas moins fortement pris position pour, d'une part, dénoncer les inégalités sociales et, d'autre part, promouvoir la cause de la justice, tant dans ses Messages à l'occasion de la Fête du Travail que dans les interventions de ses délégués au Synode de 1971 à Rome [28]. Plusieurs groupes et individus, par contre, ont donné leur adhésion au socialisme. J'ai déjà mentionné l'équipe de la revue *Maintenant* et Fernand Dumont ; je me contente d'ajouter ici l'équipe de *Prêtres et laïcs,* revue de pastorale pour le monde ouvrier, et le

---

27. *Ibid.,* p. 106. — L'épiscopat du Venezuela, dans son document intitulé « Église et politique » de 1973, adopte une position différente, qui va jusqu'à condamner radicalement le « socialisme marxiste », l'un des évêques confirmant que l'Église « avait proclamé l'obligation de se mettre à l'écart des groupes illégaux et violents et de ceux d'inspiration marxiste qui sont en contradiction avec la foi » (Cf. *Doc. cath.,* 4 novembre 1973, p. 941).

28. Cf. R. ARÈS, « Le souci de la justice chez l'épiscopat canadien », dans ACADÉMIE DES SCIENCES MORALES ET POLITIQUES, *Travaux et communications,* I, Montréal, 1973, pp. 30-53.

Mouvement des Travailleurs chrétiens. La première a publié un dossier sur « La socialisation et le socialisme », précédé d'un éditorial dans lequel on peut lire : « Dans plusieurs pays du monde, en France et au Chili notamment, des militants ouvriers chrétiens ont fait option pour le socialisme... Rien ne s'y oppose au nom de leur foi au Christ et à l'Église ; au contraire, l'Évangile les provoque dans cet engagement »[29]. Dans ce même numéro de la revue, paraît le texte des réflexions des délégués canadiens du M.T.C. à Lima, au Pérou, lors des Conversations internationales du Mouvement Mondial des Travailleurs chrétiens à l'automne de 1972. Les militants chrétiens, y lit-on, veulent une société nouvelle, ils refusent la société capitaliste de consommation et certains de leurs mouvements ont déjà publiquement opté pour le socialisme[30].

Il n'est pas besoin d'être grand exégète pour percevoir dans toutes ces déclarations récentes au Québec en faveur du socialisme l'influence de l'idéologie de la libération élaborée en Amérique latine, idéologie dont l'aboutissement normal est la construction d'une société socialiste.

L'Église et l'idéologie de la libération

Je voudrais me borner ici à l'essentiel ; cette idéologie, en effet, met en cause tellement de questions qu'il y a grand risque

29. « La socialisation et le socialisme », dossier dans *Prêtres et laïcs,* février 1973. Voir en particulier l'éditorial, « Le socialisme, un épouvantail » et l'article de Louis O'NEILL, « Le socialisme, c'est quoi ? ».

30. « Homme nouveau, société neuve », *ibid.,* pp. 79-84. — Déjà cette même revue avait publié un dossier intitulé *Nos syndicats ouvriers et le socialisme,* mars 1972, dans lequel Lorenzo LORTIE, au début de son article « Les chrétiens et le socialisme », posait deux questions : l'Église va-t-elle entrer dans le jeu d'une société socialiste ? De quel socialisme peut-elle s'accommoder ? questions auxquelles il répondait ainsi : « Il faut rejeter la première question parce que l'Église ne se situe pas face au monde, mais *dans* le monde. C'est dire que l'Église est déjà impliquée dans le socialisme parce que le monde y est déjà impliqué. La deuxième question nous paraît fausse. En effet, l'Église a une fonction critique au niveau socio-politique. S'accommoder d'une situation, c'est soit renoncer à cette fonction critique, soit prétendre que cette fonction ne serait plus nécessaire parce qu'il existerait une société parfaite » (*Ibid.,* pp. 175-176).

Voir aussi le dossier « Marxiste et chrétien ? » que vient de publier cette revue dans son numéro de novembre 1973.

de se perdre à vouloir les considérer toutes. On l'a dit et répété : c'est la conférence épiscopale de 1968 à Medellin, en Amérique latine, qui a donné essor au thème de *libération* en remplacement de celui de *développement* qu'avait pourtant proposé Paul VI dans son encyclique *Populorum progressio* de 1967 [31]. L'Église, nous dit-on, doit se donner pour tâche de libérer les hommes, sous tous les aspects et dans tous les domaines, tâche qu'un théologien formule en ces termes :

> Libérer du péché qui est l'esclavage qui a pour auteur l'homme lui-même, libérer de l'esclavage psychologique de la peur, de l'angoisse, de la routine, de la paresse, des passions, des préjugés, libérer des contraintes sociales, libérer du système de domination qui règne sur la majorité des hommes d'aujourd'hui et opprime les dominateurs eux-mêmes, libérer du système économique qui est la cause du système de domination du monde actuel.

Dans ce concept de libération, explique-t-il, on retrouve la théologie biblique de la liberté, à laquelle on restitue l'importance qu'elle a dans le message du Nouveau Testament. Pour les Latino-Américains, cette libération constitue actuellement la tâche la plus urgente de la charité et la seule façon correcte de poser le problème de la charité, de cette charité qui est le tout du christianisme.

Cette question de la libération, ajoute ce même théologien, « ne se situe pas au niveau de l'éthique sociale, mais au niveau de l'essence du christianisme et de la raison d'être de l'Église chrétienne » [32] ; telle qu'elle se pose aujourd'hui, c'est une ques-

---

31. Lors de son passage à Florence, en novembre 1972, Mgr Helder Camara déclarait : « Comme signe de notre décision d'exiger la cohérence de la part des religions et spécialement du christianisme, comme signe de notre décision de rejeter les fausses solutions, nous abandonnons toujours davantage le mot *développement* qui nous fut si cher et souleva tant d'espérance mais qui aboutit, en fait, à rendre les riches plus riches et les pauvres plus pauvres. Ce mot prête à des équivoques inacceptables... C'est pourquoi nous adoptons toujours davantage le mot *libération.* Nous brandissons l'étendard de la libération : libération de l'égoïsme, des structures d'esclavage, de la misère, du réformisme, du paternalisme » (Cf. *Informations catholiques internationales,* 1er décembre 1972, p. 34).

32. Joseph COMBLIN, « Le thème de la libération dans la pensée chrétienne latino-américaine », dans le numéro spécial de *La Revue Nouvelle,* « Libération, nouveau nom du salut », mai-juin 1972, pp. 560-574.

tion théologique, une question qui donne naissance à une nouvelle théologie : *la théologie de la libération* [33].

Cette théologie s'est rapidement répandue en Amérique latine, où elle n'a pas tardé à opérer sa jonction avec le socialisme. Deux exemples seulement. En avril 1972, se tient à Santiago du Chili la « première rencontre latino-américaine des chrétiens pour le socialisme », laquelle émettra une longue déclaration invitant les chrétiens à s'engager pour libérer les hommes de l'oppression capitaliste en travaillant à construire une société socialiste, le socialisme étant considéré comme le « moyen unique jusqu'à maintenant d'atteindre à une libération totale » [34].

S'inspirant, en bonne partie, de cette déclaration de Santiago, les évêques et les supérieurs religieux du Nord-Est brésilien dé-

---

33. Entre autres ouvrages, il faut signaler ici celui de Gustavo GUTIERREZ, *A Theology of Liberation,* New York, 1973. On trouvera une abondante bibliographie dans l'important article de Philip E. BERRYMAN, « Latin American Liberation Theology », dans *Theological Studies,* September 1973, pp. 357-395. Dans la revue *Études,* le P. Paul VALADIER a publié un article à lire, intitulé « Libération et Évangile », mars 1973, pp. 435-453. De son côté, R. VANCOURT a critiqué cette théologie en de nombreux articles parus dans *Esprit et vie* (l'ancien *Ami du clergé*), 13 juillet 1972, pp. 433-440 ; 23 novembre 1972, pp. 657-662 ; 19 juillet 1973, 458-464. Enfin, sur l'ouvrage de GUTIERREZ, *A theology of Liberation,* lire la critique fort élaborée qu'a publiée Richard J. NEUHAUS, sous le titre « Liberation Theology and the Captivities of Jesus », dans *Worldview,* June 1973, pp. 41-48.

34. Le texte de cette déclaration a paru, en particulier, dans *Relations,* juin 1972, et dans les *Informations catholiques internationales,* 1er juin 1972, qui ont alors publié un dossier ayant pour titre « Après la conférence de Santiago du Chili, des chrétiens qui se veulent socialistes. »

Commentant cette déclaration, le directeur de la revue *Esprit,* Jean-Marie Domenach, met les chrétiens en garde contre la tentation d'assimiler l'analyse scientifique de la réalité sociale au marxisme. Il écrit : « On éprouve de la joie à voir des chrétiens entrer sans réserves dans la lutte aux côtés des pauvres et des opprimés, et à déclarer que « la vitalité de la foi au cœur même de la praxis révolutionnaire fait naître une interaction féconde ». Mais on éprouve aussi de la déception en constatant que des chrétiens, une fois encore, se rallient au marxisme comme s'il s'agissait d'une vérité scientifique, donnant à celui qui l'adopte la lucidité nécessaire à l'engagement, vingt ans après que tant de chrétiens européens, mûs par la même générosité, apportèrent leur aveugle soutien au stalinisme. Les fautes commises jadis ne devraient pas empêcher les chrétiens qui se veulent socialistes de chercher à comprendre le monde globalement et librement au lieu de se rallier à un dogme. Les chrétiens se sont lourdement trompés, c'est vrai, mais les marxistes aussi » (J.-M. D., « Chrétiens et marxisme », *Esprit,* juillet-août 1972, p. 87).

nonçaient, l'année suivante, les structures économiques et sociales « édifiées sur l'oppression et l'injustice » prévalant dans leur région ; ils voyaient dans le capitalisme, en particulier dans le capitalisme international, le principal responsable de cette situation et ils en venaient à conclure que la libération des classes opprimées passe par « la propriété sociale des moyens de production » [35].

Cette théologie de la libération a déjà suscité de nombreuses controverses, dans lesquelles il m'est impossible de m'engager ici. Je signale simplement qu'elle a le mérite de renouveler la théologie, de mettre l'accent sur la valeur primordiale de la charité, sur le « faire » plus que sur le « dire », et d'entrer singulièrement en concordance avec les espoirs des hommes et des peuples du temps présent. D'un autre côté, à certains de ses protagonistes tout au moins, on adresse un triple reproche : 1° celui de vouloir en faire une théorie universelle, applicable à tous les pays et valable pour toutes les sociétés, indépendamment des conditions économiques, sociales et politiques qui y prévalent [36] ; 2° celui de confondre trop souvent libération humaine et salut chrétien ; 3° celui de lier cette libération à l'avènement du socialisme, quand ce n'est pas à l'emploi de la violence.

Trois exemples, venant de haut, aideront à mieux définir l'attitude de l'Église à l'égard de cette nouvelle idéologie : ceux des évêques canadiens, du Synode de 1971 et du pape Paul VI.

---

35. Cf. *Relations,* octobre 1973 et *Études,* juillet 1973. De ce texte j'extrais le passage suivant : « La classe dominée n'a pas d'autre issue, pour se libérer, que celle du long et difficile chemin, déjà commencé, qui mène à la propriété sociale des moyens de production. C'est là le fondement principal d'un gigantesque projet historique de transformation globale de la société actuelle en une société nouvelle, dans laquelle il sera possible de créer les conditions objectives permettant aux opprimés de récupérer l'humanité dont ils ont été dépouillés, de faire tomber les chaînes de leurs souffrances et de vaincre l'antagonisme des classes et enfin de conquérir la liberté. »

36. À ce reproche Joseph COMBLIN a répondu dans son article de *La Revue Nouvelle* : « Les théologiens de la libération ne prétendent pas que la Bible enseigne à tous les hommes de tous les âges, de tous les temps et de toutes les nations une doctrine de la libération... Ils prétendent donc que leur interprétation de la Bible n'est nullement valable pour toujours. Elle s'impose maintenant dans la société où nous sommes et cela suffit » (« Le thème de la libération dans la pensée chrétienne latino-américaine », mai-juin 1972, p. 568).

On sait que les évêques du Canada ont fait de la *Libération* le thème principal de leur Message de la Fête du Travail de 1970. Après avoir reconnu que, « sur tous les continents et dans la plupart des pays, des voix angoissées réclament à grands cris la libération des esclavages modernes », les évêques affirment que l'Église se doit d'écouter ces voix, de prendre part à cette œuvre de libération exigeant à la fois une reconstruction de la société et un changement des mentalités. Cette notion de libération, ajoutent-ils, « remet en cause les mythes confortables des privilégiés ; elle fait saisir l'urgence et l'impatience qui caractérisent les attentes des démunis, eux qui se sentent comme pris au piège et veulent une libération immédiate ». En conséquence, « aux pouvoirs publics incombe une importante responsabilité : celle de mettre en place, et le plus tôt possible, des mécanismes qui assureront un partage plus équitable des richesses entre les citoyens et une plus saine redistribution du pouvoir au sein de la population ». Comme mot d'ordre final, les évêques formulent le vœu que les chrétiens soient « aux premières lignes de ce front de libération qui ambitionne de bâtir une société authentiquement humaine »[37].

Cette société authentiquement humaine sera-t-elle une société *socialiste ?* Les évêques canadiens ne le disent pas, pas plus qu'ils ne le diront dans leurs messages subséquents de 1971 sur « La violence et les chrétiens », de 1972 sur « Le partage » ou la redistribution du revenu et du pouvoir, de 1973 sur les injustices et les inégalités dans notre civilisation[37a]. Ils réclament une société qui aidera l'homme à se libérer des formes d'esclavage qui l'oppriment, mettra en place des mécanismes sociaux aptes à assurer un partage plus équitable des richesses entre les citoyens et une plus saine distribution du pouvoir au sein de la population, une société qui ne sera pas fondée sur l'exploitation comme son rouage

37. Cf. *L'Église canadienne,* septembre 1970, pp. 255-257. — Pour un commentaire de ce Message, voir Louis O'NEILL dans *Prêtres et laïcs,* décembre 1970, pp. 565-582.

37a. Dans le message de 1972, les évêques déclarent : « C'est tout le système économique et politique qui est remis en cause. Cette accusation porte sur la disproportion flagrante entre le revenu de trop de travailleurs et celui des corporations... Elle (l'Église) réclame aussi des structures sociales permettant à chaque citoyen d'être l'agent responsable de sa destinée. » Dans celui de 1973, ils demandent aux chrétiens d' « unir leurs efforts à ceux des autres confessions religieuses — à ceux de tous les citoyens — pour que le système politique et les structures socio-économiques respectent l'égalité fondamentale des hommes ».

normal. Est-ce là du socialisme ? Certains diront oui [38] ; mais, d'autres, avant de se prononcer, demanderont des précisions sur les moyens à prendre pour parvenir à une pareille société ainsi que sur les idéologies qui vont inspirer les militants de la « libération » [39].

Si l'on se reporte maintenant au document sur *La justice dans le monde* élaboré par le Synode de 1971, on découvre vite que ce dernier y a utilisé plusieurs fois le mot « libération », mot qui a d'abord un sens biblique et chrétien. On y lit, en effet, des phrases telles que celles-ci : l'Évangile, « par la puissance de l'Esprit Saint, libère les hommes de leur péché personnel et de ses conséquences dans la vie sociale... Dieu s'est révélé à nous, en nous manifestant, dans sa réalisation progressive, son dessein de libération et de salut accompli, une fois pour toutes, dans la Pâque du Christ... Le combat pour la justice et la participation à la transformation du monde nous apparaissent pleinement comme une dimension constitutive de la prédication de l'Évangile qui est la mission de l'Église pour la rédemption de l'humanité et sa libéra-

---

38. Dans son rapport d'introduction à la déclaration de l'épiscopat français « Pour une pratique chrétienne de la politique », en 1972, Mgr Gabriel MATAGRIN note que les partisans du socialisme le conçoivent « comme le modèle d'une société juste et fraternelle où l'économie serait au service des besoins de tous grâce à l'appropriation collective des principaux instruments de production, à une gestion démocratique des entreprises et à une planification démocratique » (Cf. *Politique, Église et Foi,* Lourdes, 1972, p. 24).

De même, Edgar MORIN écrit : « La voie du socialisme démocratique peut être définie comme la recherche de la voie mutilant le moins gravement l'homme, lui infligeant le moins de servitudes inutiles, lui infligeant le moins de duperie et cherchant à l'orienter vers son plein développement » (*Introduction à une politique de l'homme,* Paris, 1965, p. 89).

39. «Rien n'est plus équivoque, après tout, que la notion de libération quand elle est incluse dans un slogan quelconque. Et ces slogans sont à l'ordre du jour. La Révolution doit libérer l'homme... Le perfectionnement de la technique doit libérer l'homme... Une organisation économique et sociale rationnelle doit libérer l'homme... Le christianisme doit libérer l'homme... Le « maoïsme » également, si tant est qu'il représente un corps de doctrine cohérent... Mais la *libération,* qu'est-ce à dire ?

...S'en prendre à l'organisation capitaliste comme telle, qui caractérise le monde occidental moderne, ne serait-ce point poser le problème au niveau des apparences et non de l'essentiel ?... Ce qui est en cause dans les temps que nous vivons, bien plus profondément que les structures économiques et sociales, c'est le sens même de la civilisation occidentale où nous sommes dramatiquement impliqués » (Marc ORAISON, *Le temps des alibis,* Paris, 1973, pp. 15 à 19).

tion de toute situation oppressive... Le chrétien vit selon la loi de la liberté intérieure, dans l'appel permanent à la conversion radicale de son auto-suffisance à la confiance en Dieu et de son égoïsme à l'amour désintéressé du prochain. Là est sa véritable libération et son engagement pour la libération des autres hommes... La mission de prêcher l'Évangile exige, aujourd'hui, l'engagement radical pour la libération intégrale de l'homme, dès maintenant, dans la réalité même de son existence en ce monde »[40].

Comme on le voit, la libération que le Synode reconnaît comme conforme à l'Évangile et objet de la mission de l'Église est une libération intégrale de l'homme : une libération d'abord du péché et de ses conséquences dans la vie sociale, une libération qui suppose et exige de chacun une conversion radicale de son auto-suffisance à la confiance en Dieu et de son égoïsme personnel à l'amour désintéressé du prochain, une libération enfin qui se traduit par le combat pour la justice et la participation à la transformation du monde. Il faut tenir à cette double exigence, c'est-à-dire la conversion personnelle et le combat pour la justice[41],

40. SYNODE DES ÉVÊQUES, 1971, *La justice dans le monde,* Fides, Montréal, 1971, pp. 5, 6 et 14. — Sur cette question, voir le texte de la conférence de Mgr ANCEL, évêque auxiliaire de Lyon, « Libération de l'homme et salut par la foi en Jésus-Christ », dans *La Documentation catholique,* 3 juin 1973, pp. 532-536. Dans l'Ancien Testament, « la libération est toujours le résultat d'une initiative divine... », mais l'homme y est associé de deux façons : « Il doit l'accueillir comme un don de Dieu en s'engageant à être fidèle ; il doit aussi se donner de toutes ses forces à l'action qui le sauve... » Dans le Nouveau Testament, la libération « est d'abord d'ordre spirituel : elle exige de l'homme une conversion personnelle et collective vis-à-vis du péché et de toutes les forces qui entraînent au péché et elle ouvre à l'homme converti une vie nouvelle qui se réalisera dans l'amour de Dieu et dans un engagement d'amour au service de ses frères les hommes... Affirmer que la mission de Jésus est orientée, avant tout, au service d'une libération purement humaine constituerait une grave erreur au plan de l'interprétation évangélique. Jésus dit au contraire : « Cherchez d'abord le Royaume de Dieu et sa justice et le reste vous sera donné par surcroît » (Mt 6,33). »

41. « C'est seulement dans la mesure où nous aurons prononcé le *Oui* biblique à l'effort humain de libération que nous pourrons prononcer avec force un *Mais* ou un *Non* de contestation... Les chrétiens manqueraient à leur mission s'ils sacrifiaient, soit la participation effective à l'effort historique de libération de l'homme, soit leur idéal traditionnel de liberté spirituelle. Ils sont appelés à vivre les deux, à la lumière et par la puissance de Jésus-Christ, modèle divin de l'homme, à la fois parfait adorateur du Père et « homme pour les autres ». C'est *en lui* qu'ils sont *appelés* à la liberté ! » (Yves CONGAR, O.P., « Christianisme et libération de l'homme », dans *Masses ouvrières,* décembre 1969, pp. 9 et 12).

autrement, on risque pour soi-même et pour les autres la confusion et l'égarement, même si, pour se justifier, on invoque l'exemple de la libération du peuple juif de la terre d'Égypte [42].

À son tour le pape Paul VI a, en quelques occasions, exprimé sa pensée sur cette « théologie de la libération de l'homme », dont, dira-t-il, il est beaucoup question aujourd'hui. « Libération de quoi ? » demandera-t-il, et il répondra :

> De tous ses maux, en ayant toujours présent à l'esprit le plus grave et le plus fatal : le péché, avec toute la discipline religieuse et morale qui se rattache à cette libération. Et puis la libération de nombreux maux, souffrances et besoins immenses qui affligent une grande partie de l'humanité pour tant de causes, spécialement la pauvreté, la misère et les plus déplorables conditions sociales. Nous sommes d'accord.

Le Pape est d'autant plus d'accord que, selon lui, l'Église a beaucoup fait pour appliquer, en son domaine, cette théologie, laquelle n'est que la théologie toujours nouvelle et toujours vivante de la charité. Mais, ajoutera-t-il, « parfois cette théologie devient discutable, dans ses analyses des causes et dans les accusations catégoriques qu'elle porte à leur sujet, ou dans les remèdes qu'elle propose d'une façon impulsive et qui pourraient s'avérer inadéquats, voire même nocifs » [43].

---

42. « Que de fois n'avons-nous pas entendu des chrétiens ou des prêtres bien intentionnés faire de la lutte du peuple hébreu pour sa libération la préfiguration de la lutte du monde ouvrier contre le capitalisme ou du tiers-monde contre l'impérialisme. Et nous ne dirons pas que ce rapprochement ne se justifie pas. Mais quel risque aussi de donner le sceau divin et de sacraliser une entreprise humaine et de faire de la guerre juste une guerre sainte. N'oublie-t-on pas que l'unique correspondance au peuple hébreu aujourd'hui est l'Église ? Et pourquoi se garde-t-on de pousser la comparaison jusqu'au bout pour montrer l'infidélité et l'idolâtrie de ce peuple qui lui attirent les châtiments les plus exemplaires ? On oublie précisément l'essentiel : à savoir que l'expérience historique de ce peuple l'a conduit progressivement à dissocier sa vocation spirituelle de sa réussite temporelle à travers ses propres échecs jusqu'à ce que le Christ sépare foncièrement par sa vie et sa mort sur la croix son destin politique de sa destinée spirituelle » (François FRANCOU, *La foi d'un prêtre,* Paris, 1971, p. 111). De même, Paul VALADIER pose la question : « Comment, sans tomber dans un concordisme niais, évoquer dans un même souffle la libération envers Pharaon et l'émancipation envers les sociétés répressives capitalistes ? » (« Libération et Évangile », dans *Études,* mars 1973, p. 436).

43. PAUL VI, Audience générale du 16 août 1972. Cf. *Doc. cath.,* 3 septembre 1972, p. 757.

Recevant, par la suite, un groupe de personnes chargées de la pastorale dans le monde ouvrier, le même Paul VI leur donnait ces directives : vous avez à affronter un espoir de « libération », faisant souvent appel à la « révolution », parfois à la « violence », du moins aux « moyens forts », qui paraissent seuls efficaces pour obtenir cette libération. Vous devez faire œuvre de discernement, demeurer des hommes libres, qui ne soient esclaves d'aucun mythe, fût-il marqué d'une grande charge affective :

> Nous ne nions pas la nécessité d'une libération, mais elle doit être celle de toutes les souffrances et de tous les maux, y compris le péché, la haine, l'égoïsme... Il y a des changements, et parfois assez radicaux, à apporter aux structures ; mais il est des moyens que les chrétiens ne sauraient faire leurs. La fin ne justifie pas les moyens ; certains d'entre eux portent en eux-mêmes — nous en avons des exemples récents — une inhumanité qui ne peut que retarder l'avènement de la société juste que l'on voudrait construire ; de tels moyens sont, en tous cas, contraires à l'apostolat et au ministère catholiques [44].

Le Pape, en somme, se dit d'accord avec ceux qui préconisent la libération de l'homme, mais il veut que cette libération soit aussi celle du péché, de la haine, de l'égoïsme [44a] ; il reconnaît que des changements radicaux de structures s'imposent, mais il avertit les chrétiens qu'ils ne peuvent utiliser n'importe quel moyen pour atteindre leur fin et qu'une certaine théologie de la libération se

44. PAUL VI, Allocution du 12 octobre 1972. Cf. *Doc. cath.*, 5 novembre 1972, p. 957. — Parlant du jeune travailleur qui prend conscience de l'ampleur de l'injustice dans son milieu, un prêtre-ouvrier écrit : « Rien n'est plus dangereux pour sa maturation chrétienne que de l'habituer à ne voir le mal qu'en dehors de lui et davantage dans les structures et dans les choses que dans le cœur de l'homme. Rien de plus équivoque que de réduire le mal à une ignorance ou à une erreur et de l'identifier complètement avec un groupe social. Ce n'est pas seulement la réalité qui est faussée par ce regard déformant mais la conscience même. Une telle manière de voir et de juger prépare beaucoup plus une conscience marxiste qu'une conscience chrétienne » (François FRANCOU, *op. cit.*, p. 103).

44a. Ce besoin d'une libération entendue en ce sens se fait sentir partout où il y a de l'homme, c'est-à-dire dans tous les milieux sociaux, y compris le milieu ouvrier. Voilà pourquoi le Pape, dans cette même allocution, après avoir recommandé la solidarité avec le milieu ouvrier, ajoute : « La conformité à un milieu de vie pour un chrétien ne saurait être inconditionnelle, pas plus dans le milieu dit indépendant que dans le milieu ouvrier. Elle ne l'était pas aux débuts de l'Église . . . »

révèle « discutable » à la fois dans ses analyses, ses accusations et ses remèdes [45].

* * *

En résumé, qu'il s'agisse de la socialisation, du socialisme ou de la libération, les positions de l'Église sont toujours les mêmes et découlent de la question préalable : jusqu'à quel point ce phénomène, ce système et cette idéologie tournent-ils, en définitive, au bien de l'homme et de tous les hommes, à leur développement intégral, y compris la dimension spirituelle et religieuse ? Elle reconnaît que le monde se socialise de plus en plus et que le phénomène comporte des avantages et des inconvénients ; pour atténuer les effets de ces derniers, elle recommande de favoriser le plus possible la personnalisation, c'est-à-dire l'initiative, la créativité et la responsabilité des personnes dans la société.

Elle reconnaît aussi que beaucoup de chrétiens sont aujourd'hui attirés par le socialisme, en qui ils discernent une parenté avec leurs espoirs de justice, d'égalité, de solidarité et de promotion humaine [46]. À ceux-là elle demande d'user de discernement, de distinguer entre les divers socialismes, entre les mouvements qui les portent et les idéologies qui les inspirent, afin de déterminer ce qui en chacun est compatible ou non avec la conception chrétienne de l'homme et les exigences de l'Évangile et de la

45. Il est opportun de rappeler ici que cette idéologie de la libération n'est pas le seul fait des chrétiens et qu'il existe aussi une conception marxiste de la libération. Cf. Ajit ROY, « A Marxist View of Liberation », dans *The Ecumenical Review,* April 1973, pp. 202-213. L'auteur est le directeur de *The Marxist Review,* Calcutta, India. — Tout en reconnaissant l'importance aujourd'hui de la théologie de la libération, un théologien de chez nous se demande si c'est bien là le rôle de l'Église de pousser cette théologie dans le sens d'un humanisme révolutionnaire, et il répond : « Ce faisant, et à n'y pas faire attention, l'Église devient monde, elle cesse d'être absolument elle-même, elle se substitue à l'effort séculier autonome » (Bernard LAMBERT, O.P., « L'Église saura-t-elle faire des choix qu'attendent les hommes d'aujourd'hui ? », *Le Devoir,* 20 septembre 1971).

46. Cf. Georges HOURDIN, *Catholiques et socialistes,* Paris, 1973. Ce livre a pour sous-titre « Un rapprochement capital pour les chrétiens et pour la vie politique française. »

foi [47]. En d'autres termes, elle avertit que, s'il y a maintenant des socialismes acceptables, il y en a encore d'autres auxquels un chrétien ne peut adhérer.

Elle reconnaît enfin que la « libération de l'homme » exprime un objectif de sa propre mission [48], mais elle se refuse à l'identifier au salut qu'elle apporte de la part du Christ [49]. La libération qu'elle veut et pour laquelle elle se dit prête à travailler est une libération intégrale, c'est-à-dire qui ne se borne pas à l'aspect matériel mais atteint le cœur et la conscience de l'homme, comporte aussi la libération du péché, tant individuel que social, en particulier de l'égoïsme, de l'appétit de jouissance et de la volonté de domination, et se complète par la participation à la vie divine. Voilà pourquoi elle ne peut partager l'assurance des mouvements et des systèmes qui prétendent transformer la société en se bor-

47. « Il n'y a pas de système-miracle... Il nous faut toujours dans nos jugements rapporter les systèmes aux valeurs et non le contraire. Nous dirons donc si nous en venons à une position socialiste que nous la prenons parce qu'elle nous paraît plus juste et de ce fait nous mettrons la justice au-dessus d'elle, comme le vrai point de référence. Mais nous refuserons d'établir l'équation absolue que la conscience marxiste établit entre justice et socialisme au point de penser que dans tous les cas toute solution socialiste ou présentée comme telle est automatiquement et nécessairement plus juste » (François FRANCOU, *op. cit.*, p. 126).

48. Rappelons ce texte capital, précédemment cité, du Synode de 1971 : « Le combat pour la justice et la participation à la transformation du monde nous apparaissent pleinement comme une dimension constitutive de la prédication de l'Évangile qui est la mission de l'Église pour la rédemption de l'humanité et sa libération de toute situation oppressive. »

49. Sur cette difficile question des rapports entre la libération humaine et le salut chrétien, il existe déjà une abondante littérature. Je signale ici quelques ouvrages et articles à connaître : Gustavo GUTIERREZ, *A Theology of Liberation*, New York, 1973, chapitre IX, « Liberation and Salvation », pp. 145-187. — René COSTE, *Les dimensions politiques de la foi*, Paris, 1972, pp. 254-255. — François REFOULÉ, *Marx et saint Paul : Libérer l'homme*, Paris, 1973. — Alain BIROU, O.P., *Combat politique et foi en Jésus-Christ*, Paris 1973. — En collaboration, *De la libération au salut*, Strasbourg, 1973. — Paul VALADIER, S.J., « Libération et Évangile », dans *Études*, mars 1973, pp. 435, 453. — Mgr ANCEL, « Libération des hommes et Salut en Jésus-Christ », dans *L'Osservatore Romano*, édition hebdomadaire en langue française, 28 septembre 1973. — Louis ALLEGRÉ, O.P., « Réflexions d'un chrétien sur l'article de M. Jean Guichard », dans *Chronique sociale de France*, juin 1973, pp. 63-69. — « Réponse du Conseil permanent de l'épiscopat français à l'assemblée des chrétiens critiques », le 14 novembre 1973, cf. *Doc. cath.*, 2 décembre 1973, pp. 1023-1026. — Philippe ROQUEPLO, O.P., « Salut et libération », chapitre 5 du volume *L'énergie de la foi*, Paris, 1973.

nant à changer les structures économiques, sociales et politiques et en ne se préoccupant peu ou pas de transformer l'homme lui-même [50]. Pour elle, réforme des structures et réforme des mœurs et des mentalités sont solidaires et complémentaires : s'il existe présentement, dans les pays capitalistes comme dans les pays socialistes, des structures qui oppriment l'homme, n'est-ce pas l'homme lui-même qui est le premier et principal responsable de cette situation, n'est-ce pas lui qu'il faut d'abord changer en le libérant de sa propre servitude intérieure afin de l'inciter à se mettre davantage au service des autres et de Dieu ? [51]

---

50. Deux textes du théologien Roger MEHL, bien qu'ils reflètent un esprit protestant, sont quand même ici à considérer : « Il nous faut redire qu'un monde juste, fraternel, solidaire pourrait tout aussi bien qu'un monde déchiré par l'injustice, la misère et la guerre, se dresser contre Dieu et refuser sa grâce. La vie éthique du chrétien est un fruit de la foi, elle est une obéissance gratuite. Elle n'est pas la condition de l'accès à la foi. Elle peut même, par sa suffisance, nous fermer l'accès à la foi et les réussites éthiques de l'homme peuvent être un obstacle à la repentance. Il nous faut savoir à la fois que nous devons aux autres la justice, la prospérité et la paix, et qu'en les leur donnant nous ne leur ouvrons pas les portes du Royaume. Nous devons pourchasser la pauvreté et la misère, le Dieu de l'Évangile nous le commande d'une façon expresse et en même temps le même Dieu nous dit : « Heureux les pauvres » (*Éthique catholique et éthique protestante,* Neuchâtel, 1970, p. 160).

De même, parlant du rôle du Conseil œcuménique des Églises, Roger MEHL dit : « Il doit réaffirmer très clairement qu'un homme libéré de toutes les aliénations économiques et idéologiques reste un homme pour qui le problème du salut est entier, que si la foi au Christ souvent a pour conséquence obligatoire une action vigoureuse en faveur de tous les opprimés, cette action n'est ni l'équivalent ni le substitut de la foi » (Cf. *Le Devoir,* 10 septembre 1973).

51. Selon le théologien catholique J.-M. AUBERT, marxisme et libéralisme supposent que l'homme est bon, mais, demande-t-il, « comment le marxisme croirait-il en cette bonté ? Car, si le capitalisme aliène et pervertit l'homme, n'est-ce pas l'homme qui en est l'auteur ? Et alors qui garantira que d'autres hommes parvenus à un stade ultérieur de l'évolution (avènement du prolétariat) ne pervertiront pas à leur tour les nouvelles structures, et qu'un monde meilleur sortira néanmoins du processus ? N'est-ce pas supposer gratuitement qu'à l'aliénation capitaliste ne succédera pas une autre aliénation ? Qui garantira que les dirigeants de la classe prolétarienne ne feront pas prédominer à leur tour leur égoïsme sur leur tâche d'être la conscience vivante de la collectivité ? Si l'évolution historique a montré que l'homme avait toujours tendu à dominer l'homme, n'est-il pas contradictoire de lui faire confiance pour le futur, en en restant à la même conception de l'homme, homogène à la matière ? » (*Pour une théologie de l'âge industriel,* Paris, 1971, pp. 113-114).

Voir dans le même sens François REFOULÉ, *Marx et saint Paul : Libérer l'homme,* Paris, 1973, pp. 98-99 et Martin HENGEL, *Jésus et la violence révolutionnaire,* Paris, 1973, p. 99.

En pratique, pour le Québec, cela signifie que l'Église considérera avec sympathie et pourra même, à l'occasion, appuyer de son autorité et de sa participation tous les projets de société remplissant les conditions que je viens d'indiquer à propos de la socialisation, du socialisme et de la libération, peu importent les noms dont s'affublent ces projets. Si, par exemple, sous le nom de socialisme, on prône un système dont les structures seront vraiment au service de l'homme québécois et favoriseront une distribution plus équitable de l'avoir, du savoir et du pouvoir entre tous les citoyens du Québec ; un système dont le fonctionnement fera appel à l'initiative et à la responsabilité du plus grand nombre possible, tant des individus que des groupes [52] ; un système dont l'idéologie, non seulement ne s'opposera pas à la foi chrétienne, mais demeurera ouverte au spirituel et contribuera au développement intégral et à une véritable libération de l'homme, je ne vois pas quelles raisons l'Église aurait de s'opposer à un pareil système, fût-il encore présenté sous l'étiquette socialiste. N'est-ce pas au fond ce qu'elle enseigne et n'est-ce pas ce qu'elle demande elle-même à tous les systèmes économiques et sociaux ?

Le temps n'est plus où l'Église pouvait au Québec, avec quelque chance d'être entendue, proposer son propre type de société, voire son propre programme de réforme des structures économiques et sociales. Il n'en reste pas moins de son devoir de rappeler à temps et à contretemps à la fois que des réformes urgentes s'imposent et que, si révolutionnaires qu'elles soient, elles se révéleront insuffisantes et illusoires, tant qu'elles ne s'accompagneront pas d'une autre réforme : celle des mœurs, des cœurs et des mentalités. Et là l'Église est sur son terrain, là elle a pleinement

52. La notion de socialisme semble vouloir suivre une évolution semblable à celle de la démocratie, laquelle, après avoir paru longtemps suspecte à l'Église, a fini par être acceptée par elle. De plus, socialisme et démocratie ont fait leur jonction et, maintenant, on parle partout de *socialisme démocratique.* Au Québec cette notion est en train de ramasser tout ce qui n'est pas directement « capitaliste », au point d'inclure et de juger à la fois nos coopératives. Ainsi, par exemple, le Conseil du Travail de Montréal, lors de son congrès de mai 1973, a adopté la déclaration suivante : « Dans la lutte quotidienne pour instaurer le socialisme, le CTM accorde au coopératisme une importance privilégiée » (cf. *Le Devoir,* 14 mai 1973). De même, *Québec-Presse* écrit : « Dans notre esprit, le coopératisme s'inscrit naturellement dans la construction du socialisme au Québec » (Éditorial du 13 mai 1973).

le droit et le devoir de travailler au salut et à la libération de l'homme, et du même coup à l'assainissement de la vie en société. À condition, évidemment, qu'on lui laisse la liberté et que la sécularisation montante au Québec ne lui enlève pas les moyens, tant en hommes qu'en institutions, d'exercer ce droit et d'accomplir ce devoir.

CHAPITRE XIV

L'objectif "sécularisation" ou l'avènement de la société séculière

1. — Le phénomène au Québec

À la suite des progrès rapides et déterminants de la science et de la technique, la rationalité est devenue l'une des grandes caractéristiques du monde moderne. Dans les sociétés où elle a triomphé, elle n'a pas tardé à engendrer l'ambition de se suffire, la volonté de s'organiser autant que possible d'après les seules lumières de la raison, faisant du même coup subir aux religions et aux Églises une perte considérable d'influence. À ce phénomène, d'une part, de tentative de suffisance des sociétés et, d'autre part, de diminution des institutions religieuses, on a donné le nom de sécularisation [1].

---

1. Je ne peux indiquer ici que quelques ouvrages et articles sur la sécularisation du monde moderne. Certains, comme celui de Christian DUQUOC, *Ambiguïtés des théologies de la sécularisation,* Gembloux, 1972, contiennent toute une bibliographie qu'on pourra consulter avec profit. Voici d'autres titres : Harvey G. COX, *The Secular City,* New York, 1966, trad. franc. *La Cité séculière,* Tournai, 1968. — E. SCHILLEBEECKX, O.P., *God, the Future of Man,* New York, 1968, et *La mission de l'Église,* Bruxelles, 1969 (chap. III, « La vie religieuse... dans un monde sécularisé »). — Karl RAHNER, *Écrits théologiques,* no 10, *Monde moderne et théologie,* chap. I, « Le problème de la sécularisation ». — Marcel XHAUFFLAIRE, *Feuerbach et la théologie de la sécularisation,* Paris, 1970. — René MARLÉ, *La singularité chrétienne,* Tournai, 1970, chap. IV, « Sécularisation totale ? ». — Larry SHINER, « The meanings of Secularization », dans l'ouvrage collectif *Secularization and the Protestant Prospect,* Philadelphia, 1970. — *La sécularisation, fin ou chance du christianisme ?* Ouvrage collectif publié par IDOC, Gembloux, 1970. — J.M. GONZALEZ-RUIZ, *Dieu est gratuit,* Paris, 1971, 3e partie, chap. I, « Religion et sécularisation ». — Peter HEBBLETHWAITE, S.J., « What comes after Secularization ? » dans *The Month,* june 1973. — Jacques ELLUL, *Les nouveaux possédés,* Paris, 1973, chap. I, « La chrétienté », chap. 2, « Post-chrétienté-sécularisation : I. La post-chrétienté, II, La société sécularisée ». — Alain DURAND, *Sécularisation et présence de Dieu,* Paris, 1973.

Le mot est nouveau et a déjà suscité toute une forêt d'analyses, de descriptions, de définitions et de controverses. Forêt dans laquelle il serait pour le moins téméraire de m'engager ici. Je retiens simplement cette définition d'un théologien québécois : « C'est le processus par lequel une société s'affranchit des notions, des croyances et des institutions religieuses qui commandaient son existence pour se constituer en société autonome et trouver dans son immanence le principe de son organisation » [2].

Il s'agit, en réalité, d'un phénomène beaucoup plus que d'une doctrine ; d'un phénomène par lequel une société dite sacrale ou religieuse passe de cet état à un état profane ou séculier [3]. Ainsi, par exemple, dans une société dite chrétienne, appelée habituellement une chrétienté, on trouvait d'ordinaire trois choses : 1) une union de l'Église et de l'État ; 2) un entremêlement des institutions religieuses et des institutions civiles, accompagné d'un rôle prédominant des clercs ; 3) un rayonnement des convictions religieuses des individus sur le plan social et dans la vie publique.

Dans une société séculière ou sécularisée, donc soumise aux

2. Bernard LAMBERT, O.P., « Le chrétien dans un monde en marche vers l'unité », cf. *Doc. cath.*, 6-20 août 1967, col. 1410. — Selon le P. Marlé (*op. cit.*, pp. 69-70), « de manière très générale, la sécularisation peut se définir comme le phénomène selon lequel les réalités du monde et de la vie humaine tendent à s'établir dans une autonomie toujours plus grande par rapport à tout ordre sacré, religieux, ecclésial. » — Un autre auteur la définit comme « l'affranchissement des diverses formes de la vie et de la pensée vis-à-vis de toute autorité religieuse et même métaphysique, et comme une volonté de comprendre et de vivre par les seules forces de la pensée et de la vie elles-mêmes » (Cf. *La sécularisation, fin ou chance du christianisme ?*, *op. cit.*, p. 157).

3. Selon M. Xhaufflaire, l'évolution historique du mot a été la suivante : « On sait que le terme « sécularisation » a longtemps eu une signification juridique et neutre. Il désignait l'opération juridique par laquelle s'effectuait un transfert de propriété et d'usage de certains biens de l'Église à des instances de l'État. Lorsque ces opérations se firent sans le consentement de l'Église et dans un climat de polémique et de revendication, ce qui fut le cas surtout au XIXe siècle, le mot sécularisation commença à désigner de manière plus générale un processus d'émancipation de la tutelle exercée par l'Église que celle-ci jugeait illégitime. C'est dans ce contexte de polémique que le terme de « sécularisation » perdit son caractère neutre de concept juridique pour devenir très vite le vocable désignant une volonté d'émancipation culturelle de la tutelle que l'Église exerçait ou prétendait exercer dans tous les secteurs de la vie » (*Op. cit.*, pp. 342-343).

exigences de la rationalité, le tableau devient le suivant : l'État prend ses distances et affirme son indépendance vis-à-vis des Églises, qu'il considère comme de simples associations privées ; les institutions civiles se dégagent des institutions religieuses et se laïcisent, tant dans leurs dirigeants que dans la technique de leur fonctionnement ; les individus, enfin, relèguent leur religion ou leur croyance dans leur conscience intime et ne la considèrent plus que comme une affaire privée.

Si, de ces considérations très générales, on passe à la situation qui existe présentement au Québec, on se rend vite compte que ce dernier, comme la plupart des chrétientés d'autrefois, est entré résolument et définitivement dans la voie de la sécularisation et que l'idéal d'une société chrétienne y cède maintenant la place à l'objectif d'une société séculière. Pour beaucoup, il faut en venir là : c'est l'étape nécessaire dans la construction de cette société nouvelle, à la fois plus moderne et plus humaine, à laquelle ils aspirent. Le phénomène est d'importance : il détermine un bouleversement en profondeur qui affecte à la fois le peuple canadien-français dans sa culture, sa mentalité, son esprit et l'Église quant à la place et au rôle qu'elle tiendra demain dans la société québécoise.

Le rapport Dumont sur l'Église au Québec a déjà abordé cette question, mais d'abord et directement du point de vue de l'Église elle-même. Comme il s'agit plutôt ici des projets d'avenir du peuple canadien-français, en particulier du projet de donner à la société québécoise un caractère séculier, l'accent doit être mis sur cette société elle-même, sur les transformations qu'elle a subies en ces dernières années, surtout du point de vue religieux.

Le phénomène s'est manifesté de bien des manières. J'en signale trois, qui me paraissent les plus évidentes et les plus dignes d'intérêt : la décléricalisation, la déconfessionnalisation et la déchristianisation. Mots lourds et barbares, certes, mais qui décrivent bien le phénomène en cours : la société québécoise devient de moins en moins cléricale, de moins en moins confessionnelle et de moins en moins chrétienne [4].

La décléricalisation

Que les clercs — au sens large du mot, et donc comprenant non seulement les évêques et les prêtres, mais aussi les religieux et les religieuses — aient, dans la société québécoise d'autrefois, occupé une place et joué un rôle de premier plan, le fait est évident et n'est nié par personne, pas même par ceux qui ne sont pas prêts à admettre que le Québec ait été, selon l'expression bien connue, *a priest-ridden province.* Les vocations religieuses et sacerdotales y étaient alors fort nombreuses, et les clercs, considérés comme faisant partie de l'élite professionnelle à l'égal des médecins, des avocats et des notaires, détenaient des postes de direction et d'administration dans plusieurs domaines, notamment dans les maisons d'éducation, dans les hôpitaux et dans les œuvres de bienfaisance et d'assistance sociale. L'Église hiérarchique y constituait une puissance avec laquelle l'État devait compter, d'autant plus qu'elle n'hésitait pas à se prononcer publiquement dès que se posait une question d'importance intéressant la vie des fidèles, que ce fût sur l'éducation, la tempérance, la colonisation, la restauration sociale ou le problème ouvrier.

Avec la « révolution tranquille » commence la décléricalisation de la société québécoise. Des événements d'une importance capitale se produisent, et l'Église hiérarchique ou se contente d'une intervention discrète ou garde un silence prudent. L'État, d'ailleurs, la tient à distance : quand il crée un ministère et un conseil supérieur de l'Éducation, il se garde bien d'y accorder une place officielle à l'épiscopat et, si un archevêque émet une opinion

4. Je reprends ici le contenu d'un article publié en octobre 1970 dans la revue *Relations* sous le titre « La sécularisation de la société québécoise ».

Sur le même sujet, on peut lire aussi Gérard DION, « La sécularisation dans la société québécoise », dans *Perspectives sociales,* janvier-février 1967, pp. 2-13 ; et Claude RYAN, « Le mouvement de sécularisation au Québec », dans *L'Entr'aide,* février 1967, pp. 19-22. Selon ce dernier, « le mouvement de sécularisation s'est polarisé autour de trois thèmes principaux de type idéologique : 1. la liberté et l'autonomie des valeurs de culture, la science en particulier ; 2. l'affirmation plus prononcée de l'autorité suprême de l'État en face des besoins fonctionnels ; 3. l'affirmation des libertés individuelles. Cela prend parfois la forme d'un nouveau type religieux, le nationalisme » (p. 20).

sur un projet de loi concernant l'éducation, le ministre l'invite à se présenter comme les autres devant la commission parlementaire et à faire valoir cette opinion comme celle d'une communauté confessionnelle parmi bien d'autres.

Dans le même temps, par suite de la prise en charge par l'État des domaines de l'éducation, de la santé et du bien-être, les clercs perdent peu à peu les postes de direction et d'influence qu'ils y occupaient et, le Concile ayant aidé à tout remettre en question, ils en viennent à s'interroger sur leur place, leur fonction et leur statut dans la société. D'autant plus qu'ils prennent conscience que la population s'adresse maintenant à d'autres pour résoudre ses principaux problèmes et se faire conseiller : aux psychologues, aux sociologues, aux économistes et aux orienteurs, quand ce n'est pas aux astrologues. Les uns réagissent en se lançant dans des professions séculières, d'autres en se faisant tout simplement « séculariser », c'est-à-dire en abandonnant leur statut de clerc, de prêtre ou de religieux. Un bon nombre, maintenant, ne tiennent plus à un statut distinctif ; ils cherchent à se fondre dans la masse, à s'habiller, à se présenter et à vivre en citoyens comme les autres.

Tous ces événements ont eu pour résultat de mettre fin en quelque sorte tant au cléricalisme qu'à l'anticléricalisme au Québec. Pour qu'il y ait cléricalisme, il faut qu'il y ait non seulement des clercs mais qu'ils occupent des positions d'influence et de commandement ; or les vocations sacerdotales et religieuses n'ont cessé de diminuer depuis dix ans, et l'influence proprement cléricale n'a jamais été à un plus bas niveau au Québec. Du coup, l'anticléricalisme a perdu sa raison d'être ; la sécularisation, d'ailleurs, est en train de lui faire gagner à peu près tout ce pour quoi il combattait autrefois ; il n'a qu'à la laisser faire, quitte à lui donner un coup de pouce pour en accélérer le mouvement [5].

---

5. Le rapport Dumont observe à ce sujet : « Le vieux problème des relations entre prêtres et laïcs, du cléricalisme et de l'anticléricalisme est largement périmé. Ce ne sont pas les « réformes de structures », la « participation » et autres choses à la mode qui l'ont fait disparaître. Beaucoup plus simplement, la rencontre des malaises des fidèles et des malaises de leurs prêtres a relégué au second plan la vieille querelle des pouvoirs. Une émouvante communauté s'est faite par en-dessous, sans comité ni commission : dans les inquiétudes partagées » (*L'Église du Québec : un héritage, un projet,* Montréal, 1971, p. 22).

La déconfessionnalisation

Le fait que la société québécoise soit en voie de décléricalisation ne suffirait pas, à lui seul, à lui mériter le titre de cité séculière, car, théoriquement tout au moins, des laïcs auraient pu prendre la relève des clercs et garder à cette société ses caractères confessionnel et chrétien. La réalité, on le sait, est tout autre : la déconfessionnalisation des institutions se révèle au Québec tout aussi sinon plus avancée que la décléricalisation des personnes, et là vraiment on peut parler de sécularisation.

Par suite de circonstances qu'il serait trop long de rappeler ici, les Canadiens français catholiques — et, à un moindre degré, les membres des autres groupes ethniques et confessionnels aussi — avaient été amenés à confessionnaliser la plupart de leurs groupements, associations et institutions. Ainsi réunis entre eux, ils sauvegardaient d'un même coup leur langue et leur foi. En général, ces associations et institutions revêtaient trois caractères distinctifs : elles ne réunissaient que des fidèles de foi catholique, elles faisaient référence dans leur charte ou constitution à la doctrine de l'Église et acceptaient de l'épiscopat un aumônier chargé de veiller à la sauvegarde et à l'application de cette doctrine, et elles s'efforçaient de mettre d'accord leurs structures de direction et d'administration avec les convictions religieuses de leurs membres.

Sous l'effet de circonstances différentes : urbanisation, exigences de la technique et de la science, libéralisation, socialisation, pluralisme des idéologies religieuses, réformes en éducation, progrès de l'idée œcuménique, les Canadiens français catholiques ont révisé peu à peu leur position en matière de confessionnalité. Cette révision a commencé dans les années 40 à propos des coopératives et s'est poursuivie dans les années 50 à propos des syndicats, alors que la Confédération des travailleurs catholiques du Canada (la CTCC) s'est transformée en la Confédération des syndicats nationaux (la CSN) d'aujourd'hui.

A partir de 1960 et avec la « révolution tranquille », la déconfessionnalisation a pris un pas de course : La Corporation des instituteurs catholiques change son nom en Corporation des enseignants, l'Association des hôpitaux catholiques devient l'Association des hôpitaux du Québec, les clubs sociaux abandonnent un à un leurs exigences confessionnelles, l'Union catholique des cultivateurs cède à son tour et devient l'Union des producteurs agricoles, le Service de préparation au mariage (le SPM) du diocèse de Montréal voit surgir un autre service, non confessionnel, F.A.V.I.C. (Favoriser l'apprentissage à la vie du couple), la plupart des Sociétés Saint-Jean-Baptiste abandonnent leur nom original pour devenir de simples Sociétés nationales et leur Fédération se transforme en Mouvement national des Québécois, etc.

Même le domaine de l'éducation, le plus confessionnalisé de tous les domaines au Canada français, est largement atteint. Un ministère de l'Éducation a remplacé l'ancien Conseil de l'Instruction publique avec ses Comités catholique et protestant ; les universités se sont déconfessionnalisées à tour de rôle ; la plupart des anciens collèges dirigés par des clercs ont été vendus à l'État ou aux commissions scolaires et transformés en des institutions non confessionnelles, tels les CEGEP actuels ou collèges d'enseignement général et professionnel.

Seuls demeurent, pour le moment, les niveaux élémentaire et secondaire, mais pour combien de temps ? Le sort des commissions scolaires confessionnelles de l'Île-de-Montréal se joue actuellement, même si l'on parle de conserver l'enseignement confessionnel dans les écoles. Sur ce point comme sur bien d'autres, la division règne chez les catholiques : les uns estiment que structures et enseignement doivent aller de pair et donc être tous les deux confessionnels, d'autres affirment qu'on peut les séparer sans danger et qu'un enseignement confessionnel est possible sous l'égide de commissions scolaires neutres. Quelques-uns même vont encore plus loin et soutiennent que l'enseignement n'a plus à être confessionnel et que l'Église devrait se contenter de maintenir un service de pastorale dans des écoles publiques désormais toutes non confessionnelles et neutres. A la question : qui devrait financer le coût de ce service de pastorale ?, ils répondent : ce n'est pas une affaire qui regarde l'État, mais l'Église, donc à elle de s'en charger. Réponse qui menace de s'étendre aussi aux facultés de théologie comme aux aumôneries d'hôpitaux.

« Ils ne mouraient pas tous, mais tous étaient frappés » : ces paroles du Fabuliste, à propos des animaux malades de la peste, décrivent bien la situation des institutions confessionnelles au Québec. Toutes ne sont pas encore mortes ou disparues, mais toutes ont été ou sont aujourd'hui mises en question et s'interrogent sur leur avenir [6].

La déchristianisation

Peut-être ne faudrait-il pas trop s'inquiéter de ces deux premiers courants de décléricalisation et de déconfessionnalisation, s'ils ne s'accompagnaient d'un troisième, beaucoup plus profond et grave, dont ils sont en grande partie le reflet : celui d'une déchristianisation progressive de la population québécoise, de celle en particulier de langue et de culture françaises. On peut être plus ou moins d'accord sur la qualité du christianisme pratiqué par ceux qui nous ont précédés au Québec, mais, quelles qu'aient été leurs faiblesses et leurs fautes, il semble bien qu'ils reconnaissaient, au moins en leur for intérieur, que l'idéal évangélique devait inspirer leur vie et se refléter dans leurs institutions sociales. Aujourd'hui, chez une bonne partie de la population franco-québécoise, c'est beaucoup moins sûr. Comme l'a écrit le P. Lambert, nous avons connu autrefois plusieurs formes d'utopie chrétienne, entre autres celle de construire « une société totalement régie par la doctrine sociale de l'Église » ; maintenant, nous sommes devenus captifs d'autres désirs, d'autres choix collectifs et nous avons formé de nouveaux rêves : « Nos utopies sont désormais profanes, séculières » [7].

Trois indices, choisis parmi des dizaines d'autres, suffiront à montrer l'ampleur et la gravité de ce courant : l'évolution du

6. « la *sécularisation* montante a peu à peu fait disparaître — souvent par opération de sabordage — les diverses institutions politiques ou syndicales qui s'efforçaient d'appliquer la doctrine sociale de l'Église sous la forme de groupes confessionnels ; et le mouvement s'est avéré irrésistible, quels que soient les freinages... C'est, après l'Église intolérante, l'Église tolérante, alors que nous arrivons à l'ère de l'Église tolérée » (André MANARANCHE, S.J., *Y a-t-il une éthique sociale chrétienne ?,* Paris, 1968, p. 206).

7. Bernard LAMBERT, O.P., « Quand l'homme du développement interroge l'Église », dans *Le Devoir,* 13 décembre 1969.

mouvement nationaliste, l'attitude de la jeunesse et la montée de l'incroyance.

Le mouvement nationaliste au Québec, du moins au XXe siècle, a presque toujours eu partie liée avec le catholicisme et la pensée chrétienne ; ses principaux porte-parole n'hésitaient pas à se déclarer ouvertement catholiques et à affirmer que le catholicisme était l'un des éléments constitutifs de la culture nationale canadienne-française. Qu'on songe, par exemple, à ces figures de proue que furent Henri Bourassa et Lionel Groulx : chez le premier, c'était un principe que « nos devoirs de catholiques priment nos devoirs nationaux » [8] ; quant au second, non seulement il partageait cette opinion, mais il voyait dans le catholicisme un gage de notre survivance et il allait jusqu'à prophétiser : « Nous serons catholiques ou nous ne serons rien » [9].

Aujourd'hui, chez les leaders de la pensée et de l'action nationalistes, un tel langage se fait de plus en plus rare. Un bon nombre ne demandent plus au christianisme leur inspiration et leur idéal, mais au socialisme, au marxisme ou même à un vague humanisme sans dimension religieuse apparente. Ce n'est pas qu'ils soient anticléricaux ou anticonfessionnels, mais le catholicisme ne leur dit plus rien et ils s'en débarrassent comme d'un

8. « M. Laurier, qui nous connaissait bien, disait un jour que les Canadiens français se battraient plus volontiers pour leur langue que pour leur religion. Souhaitons que ce jugement soit injuste ; s'il était vrai, il en faudrait conclure que nous avons subi un terrible fléchissement moral... Poursuivons nos luttes pour la langue et pour la foi, soutenons tous les combats pour le bon droit ; mais n'oublions jamais que nos devoirs de catholiques priment nos droits nationaux, que la conservation de la foi, l'unité de l'Église, l'autorité de sa hiérarchie importent plus que la conservation de n'importe quelle langue, que le triomphe de toute cause humaine » (Henri BOURASSA, « Mon nationalisme », cf. *Hommage à Henri Bourassa,* Montréal, 1952, p. 183).

9. « Nous serons catholiques ou nous ne serons rien. Nous pouvons, hélas, tourner le dos à la vieille foi, ouvrir nos portes et nos poitrines à tous les poisons, à tous les souffles malsains en train de démolir notre pauvre humanité ; nous pouvons donner le scandale d'un peuple favori de l'Église qui, pour de l'or et de la jouissance, aura renié sa mission et son Dieu, et alors, soyons-en sûrs, ce sera le naufrage dans les remous de la barbarie technique où nous ne serons plus que l'épave pourrie que les gens de la côte ne se donnent même pas la peine de recueillir. Ou nous choisirons envers l'Église le parti de la fidélité. Et alors..., tout petit peuple que nous soyons, nous atteindrons à une destinée unique et splendide » (Lionel GROULX, *Pour bâtir,* Montréal, 1953, pp. 100-101).

vieux vêtement passé de mode ou qui ne fait plus l'affaire, et cela avec d'autant plus de « radicalité » qu'ils sont plus jeunes [10].

C'est là, en effet, une attitude qu'on retrouve aujourd'hui chez un grand nombre de jeunes. Presque toutes les enquêtes — qu'on a multipliées en ces derniers temps — aboutissent à la même constatation : que ce soit à l'école, à leur travail ou dans leur vie de tous les jours, ces jeunes ne sont plus intéressés à la religion chrétienne, ils ne la pratiquent plus, ils ne la choisissent plus comme carrière, ils ne lui demandent plus d'inspirer et d'orienter leur conduite, et surtout ils refusent de se donner une culture chrétienne à la mesure de leur culture profane [11]. La religion, disent-ils, est une affaire personnelle et privée ; à chacun de pratiquer sa religion comme il l'entend, la religion qui lui plaira le plus ou, si aucune ne l'attire, qu'il n'en pratique aucune [11a]. Chez eux surtout s'est opéré et continue à s'opérer ce qu'on a appelé « la désacralisation du nationalisme » [12]. Je ne dis pas

---

10. Un seul témoignage. Interviewé à Toronto, un jeune politicien nationaliste québécois répond ainsi aux questions de son interlocuteur : « Q. : You were brought up in a Catholic school. Would you describe yourself as a Roman Catholic now ? — *A.* : I was born in a Catholic family. I'm not Catholic any more. — *Q.* : What about your contemporaries ? Among your friends, for instance, are there many who take Roman Catholicism seriously ? — *A.* : Oh no. I think it's completely dead. I think completely » (Cf. *Saturday Night,* July 1970, p. 23).

11. Voir à ce sujet l'article de Jean-M. BÉGIN. C.SS.R., « L'Église a-t-elle un avenir parmi les jeunes ? » dans *L'Église de Québec,* 10 septembre 1970, pp. 729-734. L'auteur écrit, par exemple, ceci : « Tant du point de vue de la pratique et de la croyance que du comportement chrétien, le *recul* du christianisme chez les jeunes est indéniable. Pas facile de dire au premier regard, si l'Église peut vraiment compter sur la jeunesse pour l'avenir !... L'influence de l'Église sur la génération de demain n'est pas de soi assurée... ». — Voir aussi les articles de Gérard MARIER et de Jean-Guy SAINT-ARNAUD dans l'ouvrage collectif *L'incroyance au Québec,* Montréal, 1973, ainsi que les considérations du rapport Dumont à la question : « Y a-t-il une place pour les jeunes dans l'Église ? » (pp. 174-176).

11a. La même situation se retrouve dans les autres confessions religieuses, mais, paraît-il, c'est actuellement l'Église catholique qui est la plus atteinte : « Disenchantment with church institutions appears to be most acute among Catholics, although a survey of the city's major religions shows that all have experienced a decided decline in interest, especially among persons aged 35 and under. » (Irwin BLOCK, « Dilemma of the vacated pew, one that bows to no religion », dans *The Gazette, February* 23, 1974). Même son de cloche dans l'article de Joseph MACSWEEN, *The Gazette,* March 1, 1974.

qu'ils ne sont plus « religieux », mais que leur « religion » revêt maintenant un caractère profane et séculier, qu'elle ne prend plus sa source dans la foi chrétienne [13].

Troisième indice venant confirmer la tendance révélée par les deux premiers : la montée de l'indifférence et de l'incroyance religieuse au Québec. Ainsi, par exemple, lors du recensement de 1961, à la question : « Quelle est votre religion ? », 6,351 Québécois seulement avaient donné l'une ou l'autre des réponses suivantes : « Aucune », « Sans religion », « Athée », etc. A la même question en 1971, il y en eut 76,685, soit douze fois plus, à répondre « Aucune religion », dont 58,625 dans la zone métropolitaine de Montréal, 49,910 dans l'Île-de-Montréal et l'Île-Jésus et 27,635 dans la ville de Montréal proprement dite. Et ce n'est là que le nombre de ceux qui ont eu la franchise et le courage de se déclarer « sans religion », alors qu'un nombre beaucoup plus grand ont déjà abandonné toute pratique demandée par la foi chrétienne.

---

12. Cf. Jacques LAZURE, *La jeunesse du Québec en révolution,* Montréal 1970. L'auteur écrit : « Le changement majeur de type révolutionnaire, qui s'est opéré dans le passage du sur-moi nationaliste au sur-moi indépendantiste, fut la désacralisation du nationalisme. Je crois profondément que l'aspect le plus important de la révolution socio-politique en cours chez les jeunes Québécois, celui qui donne la clef de leur sur-moi indépendantiste, c'est précisément le fait que, chez eux, le nationalisme se soit vidé, au moins sur le plan de l'idéologie, de sa substance religieuse catholique. Leur nationalisme s'est laïcisé, il s'est débarrassé de sa gangue catholique ; il n'a plus accepté le processus de symbiose par lequel nationalisme et catholicisme s'alimentaient mutuellement... Le sur-moi indépendantiste des jeunes procède en grande partie de la sécularisation du nationalisme religieux » (pp. 26-28). — Voir aussi du même auteur : *L'asociété des Jeunes Québécois,* Montréal, 1972.

13. Cette « révolution de la jeunesse québécoise » est-elle areligieuse ? A cette question, Gabriel DUSSAULT répond en posant un triple point d'interrogation à propos de la « sécularisation », de la « désacralisation » et de la « déchristianisation » de la jeunesse québécoise. Cf. *Relations,* mars 1971. — Dans le même numéro, Pierre LUCIER énumère certains phénomènes de caractère religieux qui se produisent dans notre société et il écrit : « Cela veut plutôt dire que la foi et l'espérance chrétiennes sont peut-être davantage confrontées à d'autres fois et à d'autres espérances qu'à une « sécularisation » totale de l'univers des consciences... Quand je réfléchis en croyant sur ces phénomènes, je me dis qu'il est étrange que toutes ces espérances et toutes ces attentes ne semblent pas s'alimenter et s'exprimer dans la mouvance de l'espérance chrétienne. » Pour une étude plus générale de ces phénomènes, voir Jacques ELLUL, *Les nouveaux possédés,* Paris, 1973.

A ce phénomène on a donné bien des explications, on en a recherché les causes, analysé les caractéristiques, décrit les tendances, mais personne jusqu'ici n'en a nié l'ampleur [14]. Lors d'une bénédiction d'église dans son diocèse, l'archevêque de Montréal, Mgr Paul Grégoire, l'a reconnu en termes non équivoques. L'unanimité d'autrefois, a-t-il déclaré, qui existait dans le milieu canadien-français et se manifestait par « son appartenance massive à l'Église..., s'est disloquée en faveur d'une pluralité de tendances ». Aujourd'hui, Canadien français et catholique ne vont plus désormais de pair ; une partie de l'Église quitte maintenant l'Église, une autre glisse vers une foi sans Église se réduisant peu à peu à une réflexion sur l'homme et sur les problèmes qui se posent à la conscience humaine aujourd'hui : « Aux yeux de certains, l'Église devient une pièce inutile dans l'univers de leur foi » [15].

Analysant plus tard, en une autre occasion, les changements qui se produisaient dans la société québécoise, il avouait qu' « une des conséquences de ces changements est que notre milieu semble vouloir évoluer sans référence aux valeurs chrétiennes » et que le processus de sécularisation, « débordant le niveau des institutions sociales, atteint maintenant celui de la conscience individuelle ». Le fait est, ajoutait-il, que « de plus en plus d'individus réfléchissent sur leur vie et sur le monde en faisant appel à une échelle de valeurs dans laquelle non seulement la foi chrétienne mais toute référence religieuse disparaît » [16].

Les autres provinces canadiennes, anglophones et protestantes, s'étonnent de ce qui se passe au Québec, notamment dans le domaine religieux. J'ai déjà signalé au passage (cf. le chapitre sur l'objectif « rationalisation ») le jugement sévère de l'historien W.L. Morton sur la « révolution tranquille ». J'en reprends ici quelques traits. Ce qui l'a surtout frappé, écrit-il, c'est le « ton entièrement séculier et matérialiste des exigences révolutionnaires », le fait que, dans cette aventure, l'Église ait été complète-

14. Cf. l'ouvrage collectif *L'incroyance au Québec,* Montréal, 1973.

15. Allocution du 29 septembre 1969, cf. *L'Église canadienne,* novembre 1969, p. 328.

16. Cf. « Bâtir des communautés vivantes », *L'Église canadienne,* novembre 1973, p. 272.

ment mise de côté et « ignorée », le fait aussi que le Québec se soit transformé en « un État séculier, matérialiste, neutre et amoral, tout comme s'il était un pays protestant » [16].

Quoi qu'il en soit de la justesse de ce diagnostic, une évidence s'impose : le Québec est entré définitivement dans la voie de la sécularisation, de la sécularisation des institutions comme des secteurs de la pensée et de l'action. Pareil phénomène interpelle l'Église québécoise comme jamais elle ne l'a été jusqu'à maintenant dans sa courte histoire.

---

16. W.L. MORTON, *The Canadian Identity,* Toronto, 1972, pp. 117-118. En voici le texte original : "In nothing was the truth of this more apparent than in the wholly secular and materialistic tone of the revolutionary demands. The Roman Catholic Church was, it is true, not attacked ; much worse, it was ignored. To everything the revolutionaries sought, the Church was irrelevant, no longer even a hindrance. No possible change in Quebec could have been more absolute, because Quebec society, in mind, aspiration, and behaviour, was almost, wholly the creation of the Church. But in the years following 1900, the growth of modern industry and of Montreal had undone the work of two centuries of jealous, tender fosterage by the Church. The Church had become a private association, much as a church in Protestant society ; Quebec had become a secular, materialistic state, neuter and amoral, much as if it were a Protestant country. This was the groundwork and the major fact of the revolution. The remainder was the working out of that parting from the intellectual and spiritual tutelage of the Church. »

CHAPITRE XV

L'objectif "sécularisation" ou l'avènement de la société séculière

(Suite)

2. — L'Église face à la sécularisation de la société québécoise

A la vague de sécularisation en train de submerger l'ancienne chrétienté québécoise, l'Église, c'est évident, ne saurait demeurer indifférente : c'est d'elle qu'il s'agit, c'est elle qui est directement mise en cause par ce phénomène d'affirmation massive d'autonomie du profane à l'égard du religieux. Sa place, son rôle, son avenir dans la nouvelle société québécoise à caractère séculier se jouent en ce moment. Aussi, cruciale est la question qui se pose à elle : jusqu'à quel point peut-elle soit adhérer soit s'opposer à la poursuite d'un pareil objectif ? Des deux côtés considérable est l'enjeu : si elle y adhère sans restriction, elle risque de confondre sa propre mission avec un simple projet humain, un objectif profane, de perdre ainsi son caractère distinctif, de se saborder elle-même en devenant, comme on l'a dit, entièrement pâte au lieu de tenir son rôle de *levain dans la pâte.* Si elle s'y oppose globalement, le risque est non moins grand : il est de se couper de la nouvelle société en voie de formation, de lui devenir en quelque sorte étrangère et de l'abandonner aux seules forces « mondanisantes », la privant ainsi d'une influence morale et spirituelle qui lui serait grandement utile pour réussir son projet de sécularité [1].

La réponse à une telle question est loin d'être simple. Elle suppose et exige, d'une part, la connaissance d'un phénomène encore en devenir, difficile à saisir, charriant du bon et du mauvais, et, d'autre part, une prise de position préalable sur quelques-uns des problèmes les plus discutés de l'heure actuelle : les problèmes, par exemple, des rapports entre la foi et la raison, entre le christianisme et le monde, entre l'Église et la société. Heureusement, surtout depuis Vatican II, en particulier avec la Constitution pastorale *Gaudium et spes,* l'Église a abordé directement ces problèmes et en a parlé avec assez de clarté pour qu'il soit possible de déterminer l'attitude à prendre, tant à l'égard de la sécularisation en général qu'à l'égard de ses trois manifestations particulières au Québec, soit la décléricalisation, la déconfessionnalisation et la déchristianisation [2].

À l'égard de la sécularisation en général

Devant le phénomène d'une société québécoise qui se sécularise, c'est-à-dire qui se libère graduellement des influences religieuses, tient davantage à l'écart les Églises, reprend en mains la maîtrise et le fonctionnement de ses propres institutions et cherche à se construire de plus en plus d'après les données de la raison et en vue de l'efficacité technique, quelle attitude convient-il de prendre au chrétien qui se veut à la fois solidaire de sa société et fidèle à l'enseignement de son Église ? Je répondrais ici : une attitude à la fois ouverte et critique.

1. On distingue habituellement aujourd'hui entre sécularité, sécularisation et sécularisme. En voici un exemple et une explication : « La *sécularité* n'est autre que la reconnaissance de la valeur propre de la terre et de l'activité terrestre de l'homme, activité humaine dont la science, la technique et l'organisation de la société constituent de nos jours la partie la plus importante. La *sécularisation* est le processus historique et sociologique qui se caractérise par un affranchissement progressif dans l'activité scientifique et politique de l'homme, de toute influence de la religion et de la théologie... Phénomène de dépérissement progressif de la religion comme événement culturel visible... Le *sécularisme* signifie toute attitude ou toute doctrine exaltant exclusivement les valeurs de la vie terrestre au détriment de toute préoccupation religieuse ou métaphysique » (Maurice CORVEZ, *Dieu est-il mort ?,* Paris, 1970, p. 66).

2. Je reprends ici le contenu d'un article déjà publié dans *Relations,* novembre 1970, sous le titre : « Le chrétien face à la sécularisation de la société québécoise. »

Une attitude *ouverte* d'abord. Jean XXIII et le Concile nous en fournissent un double exemple. Ayant, dans son encyclique *Mater et magistra,* en 1961, à parler de la socialisation, Jean XXIII se garde bien de la condamner en bloc ; il en décrit les manifestations, en signale les avantages et les inconvénients, et conclut en indiquant comment l'homme pourra en tirer parti. De même, le Concile, lorsqu'il traite des rapports entre l'Église et le monde, commence par déclarer la communauté des chrétiens « solidaire du genre humain et de son histoire », désireuse de partager « les joies et les espoirs, les tristesses et les angoisses des hommes de ce temps ». Il ajoute que le monde de la famille humaine ne doit pas être un objet de condamnation, mais de dilection, car « pour la foi des chrétiens, ce monde a été fondé et demeure conservé par l'amour du Créateur ». Il reconnaît aussi que « les conditions nouvelles affectent la vie religieuse elle-même », mais il se refuse à n'y voir que des inconvénients [3].

L'exemple est à suivre par qui cherche quelle attitude prendre à l'égard de la sécularisation. Il ne serait ni sage ni chrétien d'opposer à cette dernière un refus global et une condamnation sans appel. Elle est un fait, un signe des temps, celui qui actuellement s'impose le plus à notre attention ; le Concile nous demande d'interpréter ces signes, donc de les observer, de les connaître, de les analyser et d'en rechercher la véritable signification. Cela suppose une attitude non seulement ouverte mais *critique* [4].

---

3. VATICAN II, *Constitution pastorale « Gaudium et spes » sur l'Église dans le monde de ce temps,* 1965, nos 1, 2 et 7.

4. C'est l'attitude adoptée par le pape Paul VI, par exemple, dans son allocution du 18 mars 1971 au secrétariat pour les Non-croyants, allocution dont voici un passage : « Le processus de sécularisation qui affecte nos sociétés de façon radicale peut sembler irréversible. Ce n'est pas seulement le fait que des institutions, des biens, des personnes soient soustraits au pouvoir ou au contrôle de la hiérarchie de l'Église ; quoi de plus normal, en effet, si l'on pense aux tâches humaines de suppléance que l'Église a été amenée à assumer dans le passé ? Mais le phénomène va beaucoup plus loin, aux plans culturel et sociologique. Non seulement les sciences, y compris les sciences humaines, les arts, mais l'histoire, la philosophie et la morale ont tendance à prendre comme unique source de référence l'homme, sa raison, sa liberté, ses projets terrestres, en deçà d'une perspective religieuse qui n'est plus partagée par tous. Et la société elle-même, désirant rester neutre face au pluralisme idéologique, s'organise indépendamment de toute religion, reléguant le sacré dans la subjectivité des consciences individuelles » (cf. *Doc. cath.,* 4 avril 1971, pp. 302-303).

L'acceptation globale n'est ici ni plus intelligente ni plus chrétienne que le refus global. La société québécoise en mal de sécularisation ressemble à ce champ du père de famille dont parle l'Évangile et où croissent à la fois du bon grain et de l'ivraie. Les deux sont intimement mêlés et, si le chrétien n'a pas présentement à les séparer, il doit, cependant, apprendre à les distinguer, à distinguer ce qui, pour l'accomplissement de la vocation plénière de l'homme, est bon de ce qui est nuisible. Il lui faut développer en lui le *discernement des vraies valeurs et centrer sa critique sur l'essentiel.*

Encore ici, l'Église a donné l'exemple. Vatican II a reconnu la valeur propre de l'activité humaine et déclaré que « ce gigantesque effort par lequel les hommes, tout au long des siècles, s'acharnent à améliorer leurs conditions de vie, correspond au dessein de Dieu » [5]. À ceux qui craignent que la religion soit un obstacle à l'autonomie des hommes, des sociétés et des sciences, donc au processus de sécularisation, il a répondu en faisant la distinction nécessaire entre une autonomie tout à fait légitime et une autre qui voudrait se passer de Dieu. En voici le texte :

> Si, par autonomie des réalités terrestres, on veut dire que les choses créées et les sociétés elles-mêmes ont leurs lois et leurs valeurs propres, que l'homme doit peu à peu apprendre à connaître, à utiliser et à organiser, une telle exigence d'autonomie est pleinement légitime : non seulement elle est revendiquée par les hommes de notre temps, mais elle correspond à la volonté du Créateur. C'est en vertu de la création même que toutes choses sont établies selon leur consistance, leur vérité et leur excellence propres, avec leur ordonnance et leurs lois spécifiques. L'homme doit respecter tout cela et reconnaître les méthodes particulières à chacune des sciences et techniques.

Cette autonomie des réalités terrestres reconnue et admise, le Concile ajoute :

> Mais si, par « autonomie du temporel », on veut dire que les choses créées ne dépendent pas de Dieu, et que l'homme

5. *Constitution pastorale « Gaudium et spes »,* 1965, no 34.

peut en disposer sans référence au Créateur, la fausseté de tels propos ne peut échapper à quiconque reconnaît Dieu. En effet, la créature sans Créateur s'évanouit [6].

Le Concile nous enseigne ici qu'il est possible de donner au phénomène de la sécularisation au moins une double interprétation : l'une chrétienne, l'autre, athée ; si la première est acceptable, la seconde ne l'est pas.

Commentant cette prise de position du Concile, un théologien comme le P. Schillebeekx a bien montré pourquoi il est important de distinguer le phénomène de sécularisation et son interprétation. Celle-ci, écrit-il, peut se faire sous forme athée ou agnostique, mais le phénomène lui-même est indépendant de cette option : il n'est pas impossible de parler de sécularisation chrétienne et même de la contribution de l'Église au processus de la sécularisation. L'interprétation athée méconnaît un aspect essentiel de la vie profane elle-même, alors que l'interprétation chrétienne en tient compte : elle tient compte en particulier du mystère, de la valeur ultime et de la bonté de la vie profane [7].

---

6. *Ibid.*, no 36. — De même, le pape Paul VI, dans l'allocution déjà citée à la note 4, déclare : « Cette sécularisation, qui comporte une autonomie croissante du profane, est un fait marquant de nos civilisations occidentales. C'est dans cette situation qu'est apparu le sécularisme, comme système idéologique : non seulement il justifie ce fait, mais il le prend comme objectif, comme source et comme norme de progrès humain, et il va jusqu'à revendiquer une autonomie absolue de l'homme devant son propre destin. Il s'agit alors, pourrait-on dire, d'« une idéologie, une nouvelle conception du monde, sans ouverture et qui fonctionne tout comme une nouvelle religion » (Harvey Cox, *La cité séculière*). Cette forme de naturalisme est une vision des choses qui exclut toute référence à Dieu et à la transcendance et tend dès lors à s'identifier avec l'athéisme et à apparaître comme un ennemi mortel du christianisme, qu'une conscience chrétienne ne saurait accepter sans se renier. »

7. Cf. *Sept problèmes capitaux de l'Église,* Paris, 1969, « Entretien avec le Père Schillebeeckx », pp. 96-135. « Théologiquement parlant, la sécularisation apparaît comme le passage d'une interprétation verticale à une interprétation horizontale du monde... En parlant de sécularité et de monde sécularisé, j'entends alors finalement la perspective qui considère l'existence entière dans le cadre de la raison... L'interprétation athée de la sécularisation est idéologique. Elle méconnaît un aspect essentiel de la vie profane elle-même. Loin d'ajouter quelque chose à la réalité, l'interprétation fondée sur la foi ne fait qu'expliciter cet élément, négligé ou confondu par d'autres. Si l'existence profane ne comportait aucun signe intrinsèque du mystère, le christianisme ainsi que toute interprétation chrétienne ne seraient que superstructures et idéologies. Mais il n'en est rien, et l'on peut montrer que, dans la vie profane elle-même, il existe des éléments significatifs, notamment sa valeur ultime et sa bonté. Il revient seulement à la religion ou à la foi de les dégager » (pp. 98-101).

Si donc, lorsqu'on parle de la sécularisation de la société québécoise, on veut simplement dire que cette société affirme de plus en plus son autonomie vis-à-vis des Églises et des religions dans les choses et les institutions qui lui sont propres, il n'y a rien là qui ne soit légitime et acceptable ; si, par contre, on prétend interpréter ce phénomène comme devant nécessairement signifier une séparation radicale entre la vie et la religion, la disparition de toute influence religieuse sur les hommes et la société au Québec, alors le chrétien ne peut accepter pareille interprétation. Il a pour le guider en la matière l'enseignement sans équivoque de Vatican II sur ce point : « De même, a dit ce dernier, qu'il faut reconnaître que la cité terrestre, vouée à juste titre aux soins de ce monde, est régie par les principes qui lui sont propres, de même aussi on rejette à bon droit la funeste doctrine qui prétend construire la cité sans tenir aucun compte de la religion » [8].

Voilà pour ce qui concerne l'attitude à prendre à l'égard du phénomène de la sécularisation en général [9]. Qu'en est-il maintenant de ses principales manifestations au Québec ?

À l'égard de la décléricalisation

En même temps et par le fait même qu'elle se sécularise, la société québécoise se décléricalise. Elle retire peu à peu aux clercs pour les confier aux laïcs les postes d'influence sociale qu'ils avaient assumés par suite de circonstances favorables, geste qui a pour effet de contribuer à diminuer l'importance et le nombre de ces mêmes clercs. Elle en engendre de moins en moins et se révèle de plus en plus impuissante à occuper et à conserver ceux mêmes qu'elle a engendrés.

Devant ce phénomène nouveau, beaucoup s'inquiètent, et non sans raison, semble-t-il. Encore faut-il que ce soit pour les vrais motifs. Décléricalisation en l'occurrence est synonyme de laïcisation. Or, on sait que ce mot est susceptible d'un double sens : il

---

8. *Constitution dogmatique « Lumen Gentium » sur l'Église,* 1964, no 36.

9. Pour de plus longs développements sur ce sujet, voir Christian DUQUOC, O.P., *Ambiguïtés des théologies de la sécularisation,* Gembloux, 1972 et les cinq thèses de Karl RAHNER, S. J. concernant « le problème de la sécularisation » *op. cit.,* pp. 20-46, ainsi que Bernard HARING, *Faith and Morality in the Secular Age,* New York, 1973.

peut vouloir dire, soit la prise en charge par des laïcs de fonctions exercées jusque-là par des clercs dans certaines institutions, par exemple dans les écoles et les hôpitaux, soit l'élimination complète des clercs et de toute valeur religieuse dans la société. Si le premier sens est acceptable, le second l'est beaucoup moins.

Tout dépend donc de l'interprétation que l'on donne en pratique au phénomène de décléricalisation de la société québécoise. Si l'on veut signifier que, désormais, les laïcs doivent occuper les postes et exercer les fonctions qui leur reviennent dans toute société normalement constituée, il n'y a pas là de quoi s'inquiéter, surtout si ces laïcs se révèlent capables de penser et d'agir chrétiennement : « Quoi de plus normal, nous dit Paul VI, si l'on pense aux tâches humaines de suppléance que l'Église a été amenée à assumer dans le passé ? » [10]. Mais si l'on veut dire que les clercs ainsi que les valeurs religieuses qu'ils représentent doivent être désormais complètement mis à l'écart et privés de toute influence sur la société, alors vraiment il y a de quoi s'inquiéter. Non pas tant pour les clercs que pour la société québécoise elle-même, dont le bien commun comporte nécessairement un élément spirituel et religieux. À la réalisation de cet aspect du bien commun, prêtres, religieux et religieuses contribuent pour une grande part et, à ce titre, ils ont droit à ce que la société leur assure à la fois la liberté d'action et une place dans ses rangs.

Abordant la question du sécularisme, de ce sécularisme qui veut bannir le « religieux » en tant qu'élément constitutif de la culture et de la société, le P. Daniélou, aujourd'hui cardinal, en profitait pour dire un mot de la place et du rôle du prêtre dans la vie sociale. Il y a un cas, écrivait-il, où le sécularisme présente une particulière gravité : c'est celui du sacerdoce. On ne voit guère, en effet, quelle peut être sa place dans une société d'où le sacré est éliminé. Et d'ajouter :

> Si la religion n'est que le sens donné à des activités par ailleurs profanes et ne représente pas un domaine spécifique, le prêtre se trouve en porte à faux. Il me paraît évident qu'un prêtre qui accepte une vision sécularisme de la société ne peut qu'être mal à l'aise dans son sacerdoce. Mais cette conception

10. Cf. précédemment note 4.

> sécularisté est fausse. En réalité, il fait partie de toute civilisation digne de ce nom d'avoir une dimension religieuse. Le problème aujourd'hui n'est pas de savoir comment le sacerdoce peut survivre au sacré, mais quelle forme le sacré et donc le sacerdoce doivent prendre dans la civilisation technique et urbaine d'aujourd'hui. Ce dont la société de demain risque de manquer, ce n'est pas d'organisation ou recherche, mais de sacré. Un grand courant de vocations sacerdotales ne sera possible que si, dissipant les erreurs sécularistes, la conviction renaît dans le peuple chrétien, que ce dont la civilisation de demain a le plus besoin, c'est que Dieu soit rendu visiblement présent au milieu d'elle. Et c'est la vocation admirable du prêtre [11].

Est-ce naïveté de penser que ces paroles trouvent leur application aussi au Québec ? Dans la société québécoise de demain, société rationalisée, libéralisée, démocratisée, socialisée et sécularisée, ce qui risque de manquer, ce n'est ni l'organisation, ni la recherche scientifique, ni la compétence technocratique, ni le savoir économique, mais le sacré, la religion, la foi en Dieu et au Christ. Et les spécialistes en ce dernier domaine, ce sont normalement ceux qu'en termes populaires on appelle les clercs, qu'ils soient prêtres, religieux ou religieuses. Si donc la société québécoise entend se développer en toutes ses dimensions, y compris la dimension religieuse, elle ne peut leur refuser une place, bien plus il est de son intérêt d'en promouvoir la présence et d'en faciliter l'apostolat.

À l'égard de la déconfessionnalisation

C'est un peu la même attitude, à la fois ouverte à la compréhension et centrée sur l'essentiel, qu'il convient d'adopter à l'égard de cet autre phénomène qu'on désigne sous le nom de déconfessionnalisation. Dans le passé, le Québec français et catholique avait cru bon de confessionnaliser la plupart de ses institutions sociales ; depuis quelques années, ces mêmes institutions ont tendance à abandonner leur lien confessionnel, à s'ouvrir à tous et à se placer, tant au niveau de leur personnel qu'à celui de leurs structures, sur un plan purement civil et séculier. Faut-il

---

11. Jean DANIÉLOU, S.J., *L'avenir de la religion,* Paris, 1968, pp. 110-111.

déplorer pareille tendance ? Pas nécessairement : autre temps, autres mœurs.

Parlant en général, il importe d'abord de rappeler que, depuis Vatican II, l'Église cherche moins à s'enfermer sur elle-même et plus à s'ouvrir au monde, à collaborer avec tous les hommes de bonne volonté en vue de sauvegarder les vraies valeurs humaines. Elle admet ainsi qu'il est moins opportun, voire moins recommandable, aujourd'hui qu'autrefois, que les catholiques se groupent exclusivement entre eux.

Il convient, en outre, de distinguer entre la fin et le moyen : la fin, en l'occurence, est la sauvegarde et la promotion de la foi chrétienne chez les personnes groupées en associations ou relevant de telle institution ; le moyen, c'est de confessionnaliser ces associations et ces institutions. Encore faut-il que le moyen s'accorde avec la fin poursuivie : une association à objectifs purement économiques, par exemple, a beaucoup moins de raisons de se confessionnaliser qu'une institution qui poursuit l'éducation humaine et chrétienne de ses adhérents, surtout s'ils sont encore en pleine formation.

Ainsi, au Québec, il y a longtemps que l'État n'est plus confessionnel et personne ne s'en plaint ni ne demande qu'il le soit [12]. Le nouveau ministère de l'Éducation ne l'est pas, non plus, bien qu'il comporte encore des éléments rattachés aux confessions religieuses [13]. On a d'abord toléré et, maintenant, l'on accepte de plus en plus que se déconfessionnalisent les coopératives, les syndicats, les associations professionnelles, les clubs sociaux, voire les universités [14].

---

12. J'ai déjà traité ce sujet, en trois articles, dans la revue *Relations,* en mai, août et octobre 1963, sous le titre général *L'Église et l'État au Québec* : 1. « L'héritage du passé » ; 2. « Situation juridique de l'Église au Québec » ; 3. « Le statut religieux de l'État québécois ».

13. Cf. R. ARÈS, *« Faut-il garder au Québec l'école confessionnelle ?,* Montréal, 1970, en particulier l'appendice « Neutralité de l'État et confessionnalité scolaire », pp. 61-67.

14. La question demeure encore posée de savoir jusqu'où ira l'université dans la voie de la sécularisation, de savoir, par exemple, si elle se fermera à toute influence religieuse et refusera son appui financier aux groupements et facultés qui tiendraient à conserver leur caractère confessionnel.

Reste l'école, aux niveaux élémentaire et secondaire. Doit-elle demeurer confessionnelle ? Non seulement dans son enseignement, sa clientèle et son personnel, mais encore dans ses structures ? Les projets de loi visant à restructurer les commissions scolaires sur L'Île-de-Montréal ont posé la question dans son ampleur, et les réponses se sont révélées divergentes chez les catholiques. Pourtant, à la suite de Vatican II, qui avait rappelé aux parents catholiques leur devoir de confier, autant que possible, leurs enfants à des écoles catholiques, leur devoir aussi de soutenir celles-ci [15], les évêques du Québec ont maintes fois déclaré qu'il fallait conserver et promouvoir l'école confessionnelle, comme « moyen normal pour les catholiques d'éduquer leurs enfants selon leur foi », et qu'en conséquence il fallait aussi assurer à cette école les soutiens juridiques et les cadres institutionnels indispensables [16].

J'estime, pour ma part, que c'est là une position à maintenir, non seulement parce que les chefs de l'Église le demandent, mais encore parce qu'il y va du bien moral et spirituel du peuple canadien-français, à condition, évidemment, que l'école confessionnelle qu'on mettra sur pied et fera fonctionner le soit non seulement de façade, de décor, mais aussi et surtout d'esprit et de cœur, tant chez les élèves que chez les maîtres [17].

À l'égard de la déchristianisation

Le grand et plus grave problème, cependant, provient moins

---

15. VATICAN II, *Déclaration « Gravissimum educationis » sur l'éducation chrétienne,* 1965, no 8.

16. « Aujourd'hui comme hier, nous affirmons la nécessité d'une telle école (catholique) dans notre milieu. L'école catholique constitue un lieu privilégié de formation où un jeune intègre les valeurs de son temps dans une vision de foi. Plus que jamais même une telle institution constitue un riche apport à notre société par le rappel et la promotion qu'elle fait des valeurs spirituelles... L'école confessionnelle n'en demeure pas moins pour les catholiques un moyen normal d'éduquer leurs enfants selon leur foi... Les soutiens juridiques et les cadres institutionnels sont toujours indispensables pour assurer à des projets collectifs une stabilité et une continuité que les efforts individuels, si intenses soient-ils, ne sauraient obtenir » (Mgr Paul GRÉGOIRE, Avis du 23 février 1970, cf. *L'Église canadienne,* avril 1970, p. 112). — Voir aussi sa récente prise de position dans le même sens : « L'école chrétienne, une valeur à promouvoir », *L'Église de Montréal,* 31 janvier 1974, pp. 74-77.

17. Cf. R. ARÈS, *Faut-il garder au Québec l'école confessionnelle ?,* Montréal, 1970.

du fait que la société québécoise se décléricalise et se déconfessionnalise que du phénomène de plus en plus perceptible de déchristianisation chez le peuple canadien-français. S'il ne s'agissait que d'une perte extérieure de ses apparences de chrétienté, par le fait, par exemple, qu'on donne moins de noms de saints aux nouvelles municipalités et aux nouvelles rues, ou qu'on porte moins de médailles et de scapulaires, qu'on vend moins de statues et de chapelets, ou encore qu'on tend à supprimer les crucifix dans les cours de justice et dans les classes d'écoles, comme à ne plus faire de processions religieuses dans les rues, etc., bref si, pour la société québécoise, la déchristianisation voulait simplement dire qu'à l'avenir elle ne tient plus à se présenter sous les traits d'une société « décorativement chrétienne », il n'y aurait pas de quoi vraiment s'alarmer. Le mal, cependant, est plus profond, il atteint les esprits, les cœurs et les consciences. La question, en conséquence, qu'il faut poser est devenue celle-ci : la société québécoise entend-elle vivre et fonctionner comme une société « spirituellement chrétienne » ? Devenue séculière, où puisera-t-elle son inspiration, où prendra-t-elle son esprit : dans le christianisme ou dans un sécularisme a-religieux sinon anti-religieux ? [18]

Nous touchons ici aux *motifs* qui font agir les hommes, aux *valeurs* qui leur donnent des raisons de vivre, de travailler, de se dévouer et de s'aimer, aux *projets* qu'ils forment et qui les rassemblent, aux *utopies* qui les mettent en branle en vue de construire une société plus juste et plus humaine et de parvenir à pouvoir enfin mener, selon l'expression de Jean Fourastié, « la vraie vie » [19]. Il est clair que l'Église ne peut accepter que, chez les chrétiens, l'inspiration évangélique soit absente de ces motifs, de

18. Le rapport Dumont a noté avec justesse : « La sécularisation a inversé le mouvement qui allait de l'Église à la société ; elle a favorisé le reflux des idéologies profanes dans l'univers religieux... Combien de croyants définissent leur foi par référence directe aux valeurs et aux expériences du monde profane ? « Un chrétien doit être un homme libre, fraternel, responsable, solidaire » ; mais on ne dit pas ce que ces valeurs deviennent en régime chrétien » (p. 51). — Voir aussi les pages 79 à 81 sur « Une sécularisation à multiples visages ».

19. Jean FOURASTIÉ, *Lettre ouverte à quatre milliards d'hommes,* Paris, 1970. Les hommes, à la recherche de « la vraie vie », ont voulu chasser Dieu et détruire les religions, mais leurs efforts n'ont engendré que déceptions et le règne de la raison s'accompagne aujourd'hui des « crimes de la raison » (pp. 13, 105 et 121).

ces valeurs, de ces projets, voire de ces utopies, à moins qu'elle ne soit devenue, selon l'expression très dure de J. Ratzinger, « une Église de païens qui se nomment encore chrétiens » [20].

En d'autres termes, la sécularisation qu'elle admet ne peut s'étendre ni au christianisme lui-même ni aux chrétiens. Paul VI a rejeté comme « désastreuse » cette conception d'un christianisme séculier, réduit à un simple humanisme et vidé « de toute sa portée théocentrique » [21]. De même, il a pris à son compte, en les citant, les paroles qu'avait prononcées le cardinal François Marty, lors de la rencontre européenne du secrétariat pour les Non-croyants, le 8 septembre 1968 :

> Si le monde se sécularise, il ne faut pas que les chrétiens se sécularisent... Sécularisation ne veut pas dire qu'on va vers une vie chrétienne sans éléments religieux... La contestation des idoles et de tout faux sacré ne peut se faire qu'au nom de Jésus-Christ... Les chrétiens ne peuvent se configurer au Christ sans structures et sans les actes propres de la « religion ». Le catholicisme, en raison même de son institution hiérarchique et sacramentelle, ne peut admettre n'importe qu'elle sécularisation. L'Église n'a pas à s'effacer devant le monde, mais seulement à être toujours plus véritablement elle-même [22].

---

20. « L'image de l'Église, à l'époque moderne, est essentiellement déterminée par le fait qu'elle est devenue d'une manière toute nouvelle Église des païens et le devient chaque jour davantage. Non plus comme autrefois une Église issue de païens qui sont devenus chrétiens, mais une Église de païens qui se nomment encore chrétiens, bien qu'en vérité ils soient redevenus païens. Le paganisme siège aujourd'hui dans l'Église elle-même, et ce qui caractérise aussi bien l'Église de nos jours que le nouveau paganisme, c'est justement qu'il s'agit d'un paganisme dans l'Église, et d'une Église dans le cœur de laquelle vit le paganisme » (J. RATZINGER, *Le nouveau peuple de Dieu,* Paris, 1971, p. 130).

21. Allocution du 18 mars 1971, cf. note 4 du présent chapitre. Voir aussi les sévères remontrances de Jean FOURASTIÉ, *Lettre ouverte aux théologiens,* dans *Le Figaro,* édition hebdomadaire du 11 juillet 1973 et du R. P. BRUCK-BERGER, *Lettre ouverte à Jésus-Christ,* Paris, 1973 ; de Jacques ELLUL, *Les nouveaux possédés,* Paris, 1973, en particulier, à la fin, « Cauda pour les chrétiens », pp. 263-286.

22. *Ibid.* Paul VI ajoute : « Devant une certaine sécularisation de fait de ce monde, les croyants ont une mission prophétique à exercer : celle de contester la tendance de l'homme sécularisé à se fermer sur lui-même, à trouver dans ses propres forces le salut et la libération de tous ses maux, y compris ceux du péché et de la mort. »

C'est donc en étant toujours plus véritablement elle-même que l'Église pourra s'acquitter le plus efficacement de la mission qu'elle s'est reconnue au Concile, c'est-à-dire d'être « comme le ferment et, pour ainsi dire, l'âme de la société humaine » [23], d'apporter, certes, aux hommes le message du Christ et sa grâce, « mais aussi de pénétrer et de parfaire par l'esprit évangélique l'ordre temporel », « de rendre les hommes capables de bien construire l'ordre temporel et de l'orienter vers Dieu par le Christ », et cela en le renouvelant « de telle manière que, dans le respect de ses lois propres et en conformité avec elles, il devienne plus conforme aux principes supérieurs de la vie chrétienne » [24].

Cette mission est aussi celle que l'Église du Québec doit assumer pleinement et travailler à remplir dans l'avenir. Si elle peut s'accommoder de la décléricalisation et de la déconfessionnalisation de la société québécoise, elle ne saurait consentir à une totale sécularisation, à une déchristianisation allant jusqu'à l'abandon de l'esprit chrétien et au rejet des valeurs religieuses dans la vie sociale, et cela pour le bien même de l'homme québécois, de l'homme canadien-français [25]. Il ne s'agit pas pour elle — le rapport Dumont l'a bien montré — d'exercer une nouvelle forme d'impérialisme sur la société québécoise ; il s'agit plutôt de la

23. VATICAN II, *Constitution pastorale « Gaudium et spes »,* 1965, no 40, par. 2. Commentant cet enseignement, le P. CONGAR, O.P., écrit : « La tâche de l'Église concerne tout l'humain dont elle révèle et procure la troisième dimension, le sens selon Dieu. On ne peut donc pas la cantonner dans un domaine « religieux » pratiquement identifié au cultuel : telle est bien la tendance de tous les régimes politiques plus ou moins totalitaires qui veulent s'attacher et se subordonner la totalié de la vie active ou efficiente des hommes ... » (Cf. *L'Église dans le monde de ce temps,* coll. « Unam Sanctam », 65b, t. II, p. 316).

24. VATICAN II, *Décret « Apostolicam actuositatem » sur l'apostolat des laïcs,* 1965, nos 5 et 7.

25. « Bien que la sécularisation offre des avantages réels, il faudrait être naïf pour croire qu'elle assurera par elle-même un superchristianisme, ou que même elle y invitera, ou encore qu'elle le rendra désuet. Plus on creuse l'idée d'une société séculière, plus on se rend compte qu'elle ne peut être élaborée et maintenue en sa vérité que par des hommes dans lesquels le christianisme demeure une réalité vivante et personnelle. Nous avons un besoin permanent du christianisme comme mythe définitif de la condition humaine pour décoder les mythes que nous nous donnons, que nous nous donnerons comme tous les hommes à mesure que nous détruirons les mythes anciens » (Bernard LAMBERT, O.P., « Une Église inquiète dans un Québec tourmenté », dans *Le Devoir,* 15 avril 1969).

servir, de l'aider à se construire dans sa sécularité même [26], tout en demeurant ouverte aux valeurs religieuses ainsi qu'à l'animation chrétienne, pour que l'homme québécois n'en vienne pas à s'identifier à « l'homme unidimensionnel » de Marcuse, mais puisse y réaliser la plénitude de sa vocation, tant personnelle que communautaire et religieuse [27].

---

26. « L'Église du Québec avance pas à pas, au jour le jour, dans le brouillard. Aucun de ses chemins ne la ramène à un ordre sacré, clérical, théocratique. Elle ne songe ni à confisquer le profane, ni à établir un projet parallèle à celui du Québec. Le difficile dessein nouveau, ouvert à quiconque veut se porter partie prenante, s'appelle une sécularité sanctifiée. Rien de plus. Rien de moins » (IDEM, « Projet évangélique et projet du Québec », dans *Le Devoir,* 24 janvier 1970).

27. « L'Église du Québec est passée très rapidement d'un régime de tutelle des institutions sociales, hospitalières et éducationnelles à un régime d'intégration au service du projet humain du Québec... Le nouveau terrain de rencontre s'appelle l'homme du Québec à faire réussir et par l'État et par l'Église. Cela a été possible parce qu'est apparu un projet collectif de sécularité cohérente dont l'État a pris l'initiative. Le Québec en tant que profane se dégage de la tutelle traditionnelle de l'Église et veut se poser en société responsable de son destin...

Que demandera-t-on au chrétien dans la construction de cette société nouvelle ? Tout d'abord, la solidarité dans cette crise de l'image du monde. Un effort aussi de cheminement pour accompagner l'homme jusqu'au bout de ses questions ; l'animation du projet humain global par les valeurs chrétiennes, car il y a des valeurs proprement chrétiennes : valeurs de révélation qui sont l'Église, la grâce, les vertus surnaturelles et les dons de l'Esprit, valeurs qui réconfortent, guérissent, animent, toutes choses que nous exprimons par la formule suivante : l'orientation chrétienne de la sécularité » (Bernard LAMBERT, O.P., « Le chrétien et la construction de la cité de demain », dans *Le Devoir,* 13 décembre 1968).

CHAPITRE XVI

L'Église et l'avenir de la société québécoise

Si tel doit être l'avenir de la société québécoise — je dis bien de la *société* québécoise et non pas seulement de la *communauté* francophone au Québec, sujet que j'ai déjà traité antérieurement au chapitre VII —, l'Église aura-t-elle quelque part à la réussite d'un pareil avenir ? Accompagnera-t-elle cette société dans ses efforts pour se moderniser et s'humaniser, l'aidera-t-elle à atteindre ces grands objectifs qui constituent concrètement les lignes principales de son projet actuel de société et qui ont nom : rationalisation, libéralisation, démocratisation, socialisation et sécularisation ? Et si oui, jusqu'à quel point et sous quelle forme ?

J'ai déjà répondu en partie à de telles questions quand, après avoir présenté ces objectifs, j'ai tenu à indiquer aussitôt quelles avaient été déjà les prises de position de l'Église à l'égard de chacun d'eux. Je voudrais reprendre ici ces éléments épars, en faire en quelque sorte la synthèse, afin de parvenir à montrer en quoi pourrait consister la contribution de l'Église à la réussite de ce projet d'avenir qu'entretient, plus ou moins consciemment et confusément encore, la société québécoise.

Ma réponse se fera en trois étapes : je rappellerai d'abord quelques principes directeurs de l'action de l'Église, j'indiquerai ensuite les conditions déterminantes de son attitude dans le cas particulier qui nous intéresse ici et j'essaierai enfin de préciser la nature et la qualité de son apport à l'édification d'une société nouvelle au Québec.

Les principes directeurs de l'action de l'Église

Parmi les grands principes qui dirigent l'action de l'Église dans le monde, je voudrais en rappeler ici quatre qui me paraissent particulièrement importants et comporter des applications pratiques en ce qui regarde la participation de l'Église au projet de société que le Québec est en train d'élaborer.

1. Le premier, je l'appelerais le *principe de transcendance.* Je veux dire par là que la mission première et principale de l'Église est d'annoncer, de prêcher, de préparer le Royaume de Dieu, lequel transcende tous les royaumes terrestres et dépasse toutes les sociétés humaines. Elle est, cette mission, comme le dit *Lumen Gentium,* de « travailler à la pleine réalisation du dessein de Dieu, qui a établi le Christ comme principe de salut pour le monde entier » [1]. Elle est, en conséquence, de prêcher d'abord le retour à Dieu, de lui rendre gloire dans le Christ, de proclamer que l'espérance qu'elle annonce est une espérance dans le Royaume de Dieu comme avenir du monde et que le service même de l'homme passe par la défense des droits de Dieu.

L'Église, en conséquence, s'opposera toujours à ce que l'on réduise ce Royaume à un royaume purement temporel et politique, à ce que l'on pose un absolu autre que Dieu lui-même, que ce soit un système comme le capitalisme ou le socialisme, une collectivité comme la race, la classe, le parti, la nation, la société ou l'État, voire l'humanité, déjà trop portée « à s'ériger en l'absolu d'elle-même » [2]. C'est en étant le plus fidèle à ce principe de transcen-

---

1. VATICAN II, *Constitution dogmatique « De Ecclesia »,* 1964, no 17. — « La Bonne Nouvelle n'est ni la promesse de la prospérité économique ni l'annonce d'une société sans classes. Jésus se tient à l'écart des résistants juifs comme des technocrates romains. La Bonne Nouvelle n'est pas non plus la promesse d'un monde irréel d'où la charité fraternelle aura fait disparaître la pauvreté. La Bonne Nouvelle, c'est Dieu parmi nous » (Gérard ZIEGEL, *Heureux les riches ?,* Paris, 1973, p. 68).

2. Voir à ce sujet Alain BIROU, *Combat politique et foi en Jésus-Christ,* Paris, 1973, pp. 48-51 et 159. Tenir compte aussi de cette directive de l'évêque de Carcassonne, Mgr Pierre PUECH : « Quelles que soient nos préférences idéologiques, n'en faisons jamais un absolu et ne devenons pas partisans. La foi chrétienne ne doit pas être « bloquée » avec une option capitaliste ou socialiste : elle est « d'un autre ordre », dirait Pascal, et c'est à elle qu'il appartient de les juger au lieu de se laisser annexer » (Cf. *Doc. cath.,* 4 novembre 1973, p. 945).

dance que l'Église rend le plus service à l'homme : elle le protège alors contre l'emprise de ces « totalités totalisantes » qui cherchent à l'asservir et elle l'invite à se grandir comme homme même, en s'ouvrant à plus grand que lui [3].

2. De ce premier principe en découle un second, qui est le principe *catholique* ou *d'universalité.* Dans son action, l'Église doit toujours, en effet, se rappeler qu'elle a été envoyée à toutes les nations et à toutes les sociétés, tant à celles d'Orient et d'Occident qu'à celles du Nord et du Sud. Elle ne saurait, par conséquent, s'incorporer tellement à une société ou à une nation, ou même à un bloc de nations, que les autres sociétés et nations en viennent à la considérer comme une étrangère n'ayant aucune sympathie pour leur culture, aucun souci pour leurs besoins, aucun intérêt pour leurs aspirations et ne méritant, en conséquence, aucune place chez elles.

En vertu de ce principe, l'Église non seulement s'efforce de s'ouvrir à tous les hommes, à tous les groupes et à tous les peuples, mais encore travaille à établir chez eux et entre eux l'unité, la solidarité, la paix et la fraternité [4]. Vatican II, après avoir proclamé « la très noble vocation de l'homme », a offert « au genre humain la collaboration sincère de l'Église pour l'instauration d'une fraternité universelle qui réponde à cette vocation », et il a affirmé que « l'union de la famille humaine trouve une grande vigueur et son achèvement dans l'unité de la famille des fils de Dieu, fondée dans le Christ » [5].

3. Ces deux premiers principes ont besoin d'être complétés

---

3. Cf. F. BIOT, *Théologie du politique,* Paris, 1972, p. 234. La foi doit « être porteuse d'une exigence critique contre toute tentative de défigurer en absolu, en instance ultime et suffisante, la société que bâtissent les hommes, et qu'ils sont eux-mêmes. Car elle est passion pour l'homme et sa liberté, affirmation de sa primauté sur toute structure, et exigence d'ouverture à plus que lui-même ».

4. Ce sont précisément ces termes, en particulier ceux de « paix et fraternité », que les évêques canadiens ont développés dans leur lettre collective à l'occasion du centenaire de la Confédération canadienne en 1967.

5. *Constitution pastorale « Gaudium et spes »,* 1965, nos 3 et 42. — « L'aide que l'Église apporte à la société humaine comme telle se place toute sous le signe de l'unité... L'Église, se situant par ses principes d'existence au-delà des réalités qui divisent les hommes, est par elle-même un élément d'union » (Yves CONGAR, O.P., commentaire sur « Gaudium et spes », dans la collection « Unam Sanctam », 65b, T. II, pp. 322-323).

par un troisième, appelé *principe d'incarnation.* À l'exemple de son divin Fondateur qui a pris chair et corps dans un milieu particulier et chez un peuple bien déterminé, dont il a emprunté la langue et partagé le mode de vie, l'Église, si elle veut se faire accepter et exercer une action efficace, doit s'efforcer de s'incarner le plus possible dans chacune des communautés et des nations qu'elle entreprend d'évangéliser. Cela veut dire : en parler la langue, en vivre la culture [6], en partager les joies et les peines, les travaux et les loisirs, se déclarer solidaire de ses besoins et de ses aspirations, sans jamais oublier que sa première tâche est d'annoncer le Royaume de Dieu à toutes les nations et de travailler à son avènement dans tous les pays.

De la nécessité et de l'actualité de ce principe d'incarnation, deux documents témoignent d'une façon particulière : la Constitution pastorale *Gaudium et spes* sur l'Église dans le monde de ce temps et le rapport de la Commission d'étude sur les laïcs et l'Église au Québec, connu sous le nom de rapport Dumont. Le premier document insiste sur la nécessaire solidarité entre l'Église et le genre humain et affirme que, tel le levain dans la pâte, l'Église doit s'insérer dans l'histoire et « travailler, avec tous les hommes, à la construction d'un monde plus humain » [7] ; le second ne cesse de presser l'Église de s'engager toujours davantage au service de l'homme québécois et d'intégrer dans sa prédication « à la vision du projet de Dieu les projets humains, individuels et collectifs, qu'élaborent, parfois de peine et de misère, les hommes d'ici ». Et à cette Église, il rappelle que « la qualité de la vie ecclésiale dépend, dans une large mesure, de la qualité de la mission des chrétiens au cœur des enjeux les plus vitaux du monde et des sociétés particulières », et qu'« une Église vivante, engagée

6. « Le christianisme n'est pas une culture... Mais on ne peut le concevoir se développant autrement que dans une culture. Le christianisme... est une vérité de vie, et la culture n'est pas autre chose que la pensée informant la vie humaine tout entière, ou cette vie devenant consciente d'elle-même, par tous les moyens de méditation ou de réflexion qui sont à la portée de l'homme. Un christianisme qui ne se pense pas, ou qui voudrait se penser en dehors de la vie, de la vie tout entière, n'est pas viable » (Louis BOUYER, *La décomposition du catholicisme,* Paris, 1968, p. 140). — Ce sujet est longuement développé dans le volume que vient de publier François FAUCHER, *Acculturer l'Évangile* : *mission prophétique de l'Église,* Montréal, Fides, 1973.

7. *Op. cit.,* no 57, 1.

profondément dans le projet de la société québécoise, saurait alors manifester à tous son irréductible volonté de survie et d'espérance » [8].

4. L'action de l'Église dans l'histoire relève encore d'un autre principe directeur, qu'on pourrait appeler le *principe évangélique de la priorité aux pauvres.* Principe qui découle directement de l'enseignement et de l'exemple du Christ dans l'Évangile. Dans le monde d'aujourd'hui, les pauvres, ce ne sont pas seulement ceux qui manquent d'argent, mais aussi ceux qui manquent de savoir, de pouvoir, de santé, de sécurité et d'avenir, ce sont encore ceux qui souffrent d'injustices et n'ont pas par eux-mêmes les moyens de remédier à leur sort. C'est à eux que l'Église doit d'abord s'intéresser et s'efforcer de rendre service. La fécondité de la foi des chrétiens, a déclaré le Concile, doit se manifester, non seulement en pénétrant toute leur vie, mais encore « en les entraînant à la justice et à l'amour, surtout au bénéfice des déshérités » [9].

Constatant le déséquilibre croissant entre le niveau de vie des peuples riches et celui des peuples pauvres, Paul VI, après avoir affirmé que « les peuples de la faim interpellent aujourd'hui de façon dramatique les peuples de l'opulence », prenait résolument la défense des premiers et élaborait tout un programme intitulé : *L'assistance aux faibles* [10]. De même, le Synode de 1971, face aux « graves injustices qui tissent autour de la terre des hommes un réseau de dominations, d'oppressions, d'exploitations... », et, en réponse au « cri de ceux qui souffrent violence et sont écrasés par les systèmes et les mécanismes injustes », a voulu proclamer que la vocation de l'Église était d'« être présente au coeur du monde pour annoncer aux pauvres la Bonne Nouvelle, aux opprimés la délivrance, aux affligés la joie » [11].

---

8. *Op. cit.,* pp. 155, 293 et 137.

9. *Constitution pastorale « Gaudium et spes »,* 1965, no 21, 5. — De même, Paul VI déclare que « la sensibilité propre de l'Église (est) marquée par une volonté désintéressée de service et une attention aux plus pauvres » (*Lettre au cardinal Maurice Roy,* 1971, no 42).

10. *Lettre encyclique « Populorum progressio »,* 1967, nos 8, 3, 45 à 55.

11. *La justice dans le monde,* éd. Fides, p. 5.

De ce principe de la priorité aux pauvres, je signale ici une double conséquence : le Royaume de Dieu se construit sur terre d'abord et surtout par le service des faibles, des opprimés et des démunis [12] ; ce n'est pas n'importe quel système économique et social, ni n'importe quel régime politique, qui peuvent répondre aux exigences de la Bible et concorder avec l'enseignement social de l'Église [13].

Les conditions déterminantes de son attitude

Ces principes ont une valeur générale et permanente, mais leur application concrète varie en intensité selon les milieux où s'exerce l'action de l'Église. Ainsi, par exemple, au Québec une double condition au moins détermine cette action : l'état présent de la société québécoise et celui de l'Église dans cette dernière.

1. Que *l'état présent de la société québécoise* pose des défis particuliers à l'action de l'Église, il suffit pour s'en rendre compte

---

12. « L'annonce du Règne signifie essentiellement une intervention divine pour libérer les opprimés, les écrasés. Le Règne de Dieu, au sens biblique, c'est l'avenir de ceux qui sont sans avenir, c'est la manifestation d'une dignité insoupçonnée chez ceux qui n'ont joué aucun rôle appréciable dans les progrès de l'espèce humaine, c'est l'exaltation des petits qui n'ont pas eu leur part dans le déploiement du sens visible de l'histoire » (Christiane HOURTICQ, « Utopie chrétienne », dans *Christus*, avril 1973, p. 253).

Point de vue à compléter et à préciser par les considérations que fait Gérard ZIEGEL dans son ouvrage *Heureux les riches ?*

13. « C'est en Église que l'on reconnaîtra qu'il est impossible d'entériner et de prôner purement et simplement, sans restriction aucune, n'importe quelle option politique. Il est clair, en effet, que la Bible manifeste un certain nombre d'exigences éthiques qui sont tracées de façon tout à fait nette : le respect des pauvres, la défense des faibles, la protection des étrangers, la suspicion de la richesse, la condamnation de la domination exercée par l'argent, l'impératif primordial de la responsabilité personnelle, le renversement des pouvoirs totalitaires... Aucun chrétien n'a le droit, sous peine de trahir sa foi, de soutenir des options qui acceptent, prônent, engendrent ou consolident ce que la Révélation, tout comme la conscience humaine, réprouve » (Déclaration du 28 octobre 1972 de l'épiscopat français : « Pour une pratique chrétienne de la politique », cf. *Doc. cath.*, 19 novembre 1972, p. 1013).

De même, parlant de l'Évangile, le P. CONGAR écrit : « Celui-ci est transcendant par rapport aux divers programmes économico-politiques, il est compatible avec plusieurs, mais il n'est pas indifférent : on ne peut accepter n'importe quoi, il est des solutions plus conformes ou moins éloignées. Il en est d'inacceptables » (Lettre-préface à l'ouvrage de Gérard ZIEGEL, *Heureux les riches ?*, *op. cit.*, p. 12.

de mentionner ici quelques faits qui, les uns d'une façon permanente, les autres tout spécialement aujourd'hui, caractérisent cette société. Je me borne à en signaler quatre.

Premier fait : ni du point de vue religieux ni du point de vue linguistique, la société québécoise n'est entièrement *homogène.* Elle se compose, sans doute, surtout de catholiques, mais aussi de protestants, de juifs, d'indifférents et d'incroyants (le recensement de 1971 y dénombre plus d'une vingtaine de confessions religieuses). Les catholiques, d'un autre côté, même s'ils sont en majorité de langue française, se réclament aussi d'au moins une vingtaine d'autres langues : l'anglais, l'italien, l'allemand, le polonais, etc. Le principe d'incarnation commande à l'Église de s'efforcer de se faire toute à tous, en même temps que le principe d'universalité lui défend de se laisser accaparer exclusivement par un seul groupe, par une seule langue : elle doit être au service de l'homme québécois dans sa totalité et respecter, même dans l'unité qu'elle cherche à faire triompher, la diversité des éléments composants de la société québécoise.

Deuxième fait : ni sur le plan juridique ni sur le plan politique, cette société ne peut être qualifiée de *complète.* Elle fait partie d'une fédération de provinces et son État est un État bicéphale, à deux têtes : l'une à Québec et l'autre à Ottawa. Ainsi en est-il, jusqu'à un certain point, de l'Église : elle s'incarne au Québec dans une société particulière et se couronne d'une assemblée spéciale : celle des évêques du Québec ; mais, en même temps, elle ne peut oublier qu'il existe aussi, dans le reste de la Fédération, d'autres Églises provinciales, et qu'elle-même, tout comme ces dernières, fait partie d'un organisme central qui a nom : la Conférence Catholique Canadienne.

Troisième fait : tant sur le plan politique que sur le plan social, la société québécoise *se divise* dans ses options. Les uns défendent un fédéralisme canadien, alors que d'autres luttent pour l'indépendance du Québec ; les uns s'en tiennent à l'entreprise privée, tandis que d'autres travaillent à l'avènement d'un socialisme québécois. Il en résulte des conflits qui affectent l'Église et lui rendent singulièrement difficile l'application concrète de ses grands principes d'action, de ceux, par exemple, d'universalité et de priorité aux pauvres, face à des groupes qui s'affrontent, comme les fédéralistes et les indépendantistes, les anglophones et les francophones, les patrons et les ouvriers, le gouvernement et ses fonctionnaires, les capitalistes et les socialistes, etc. [13a].

Quatrième fait : la société québécoise francophone traverse actuellement une *crise* qui remet en question sa *culture* traditionnelle. Sa culture, c'est-à-dire son mode de vivre, de penser, de sentir, sa mentalité, sa hiérarchie des valeurs, sa moralité, ses règles de conduite, etc. Les sociologues ont décrit longuement cette crise culturelle [14], laquelle d'ailleurs saute aux yeux de tous les observateurs. Je rappelle simplement ce que disait André Siegfried dans les années 30 : la vitalité de la société canadienne-française tient à une conception catholique, s'exprimant dans une discipline morale et familiale et comportant le respect de certaines valeurs : l'acceptation de l'effort pénible, l'éloge de l'épargne et de la restriction, c'est-à-dire d'une sorte d'ascétisme, la doctrine de la famille nombreuse, le sens de la mesure dans l'ambition. Et l'auteur terminait son analyse par une mise en garde contre le danger d'assimilation aux mœurs américaines [15]. Aujourd'hui, un autre observateur écrit que le Québec a rejeté ses croyances et ses institutions du passé et qu'il est devenu une

---

13a. Dans la conclusion à son ouvrage, *Une économie à libérer,* Maurice SAINT-GERMAIN présente « une synthèse des caractéristiques structurelles du Québec », synthèse qui comporte deux volets : 1. une double *dépendance,* l'une à l'égard des États-Unis et l'autre à l'égard du Canada anglais ; 2. un quadruple *dualisme* : territorial, économique, politique et social (*Op. cit.,* pp. 412-417).

14. Cf. par exemple, Guy ROCHER, *Le Québec en mutation,* Montréal, 1973, en particulier les pages 15-32, et le chapitre IV, « La crise culturelle au Canada français et au Canada anglais ». Selon lui, c'est sur le plan de la culture que les changements majeurs et les plus radicaux se sont produits au cours des dernières années. La mentalité pré-industrielle a éclaté et une nouvelle mentalité a émergé, « celle qu'on lie d'ordinaire à la civilisation post-industrielle ». La révolution tranquille a été une révolution surtout culturelle ; elle a provoqué des changements d'esprit, mais peu de transformations structurelles. « La mutation culturelle s'est effectuée concurremment au plan des idéologies collectives et à celui de la morale des conduites individuelles et sociales. »

15. *Le Canada, puissance internationale,* 4e édition, Paris, 1947, p. 64.

société séculière et matérialiste, neutre et amorale, qui se modèle sur les États-Unis et l'Ontario [16].

Rien d'étonnant alors que cette crise culturelle affecte durement l'Église et l'oblige à des révisions déchirantes, lesquelles, cependant, ne peuvent aller jusqu'à lui faire abandonner son premier principe d'action : celui de transcendance, celui du Royaume de Dieu à annoncer d'abord et à servir avant et malgré tout.

2. Toutes ces transformations dans la société québécoise influent sur l'Église d'ici et conditionnent à la fois son existence et son attitude. Mais ce n'est pas tout : il faut aussi tenir compte que cette Église est elle-même *en crise* et que sa *situation actuelle* au Québec n'est guère des plus favorables à une action énergique, commune et efficace. Comme le rapport Dumont a longuement traité de cette question, quelques lignes suffiront ici à esquisser cette situation.

Situation externe tout d'abord, c'est-à-dire de l'Église dans la société québécoise. Si autrefois cette Église a pu passer pour une puissance à la fois religieuse, morale et sociale, voire, comme certains aiment à le dire, pour une puissance économique et politique, aujourd'hui il en est de moins en moins ainsi, et demain cette image ne sera plus qu'un souvenir d'histoire, si se réalise le projet d'une société québécoise à la fois rationalisée, libéralisée, démocratisée, socialisée et sécularisée. Après avoir été longtemps principe d'unité et d'inspiration pour le peuple canadien-français, à qui elle a fourni des cadres sociaux, des institutions d'enseignement et de bienfaisance, des raisons de vivre et en quelque sorte

16. W.L. MORTON, *The Canadian Identity,* second edition, Toronto, 1972, pp. 117-118. On trouvera le texte original anglais de ces observations, d'abord à la note 22 du chapitre IX, puis à la note 16 du chapitre XIV.

Un autre observateur étranger estime « paradoxal que le retour aux sources s'accompagne, chez la plupart des indépendantistes, d'un refus des sources chrétiennes sans lesquelles, certainement, la minorité française du Canada n'aurait pas survécu ». Sa conclusion devrait faire réfléchir tous ceux qu'intéresse la survivance d'un Québec français : « On voit mal ce que serait la permanence et la résurrection d'un Québec reniant la foi de ses ancêtres, sur quelle autre tradition il pourrait prendre ressource. On ne peut à la fois revendiquer le patrimoine et l'amputer d'une partie essentielle » (Jean-Marie DOMENACH, « Le Canada français. Controverse sur un nationalisme », dans *Esprit,* février 1965, pp. 324-325).

une conscience, elle doit maintenant céder de plus en plus la place à d'autres qui assument ces fonctions et, en conséquence, se chercher un nouveau rôle dans la collectivité.

Face à un phénomène historique caractérisé par « le brusque passage d'un monde divinisé à un monde hominisé » [17], face aussi à une société qui semble vouloir se passer d'elle, la mettre en marge de sa conscience et de son avenir, elle est devenue, selon l'expression d'un théologien de chez nous, « une Église inquiète dans un Québec tourmenté » [18], qui se demande si elle n'est pas en train de devenir une Église « non significative à la fois pour les croyants et pour ceux qui la regardent du dehors » et si elle parviendra à trouver « un nouveau rôle d'animation dans le projet encore flou de la collectivité d'ici » [19].

Sans doute, possède-t-elle encore une superstructure apparemment solide et présente-t-elle toujours une façade imposante, mais *à l'intérieur* rien n'est plus le même. Non seulement diminue sans cesse le nombre de ceux qui fréquentent encore l'édifice, surtout chez les jeunes, mais de graves conflits divisent ceux qui restent, tant chez les prêtres que chez les laïcs. Les uns défendent encore les positions de Vatican I, d'autres, celles de Vatican II, alors que d'autres marchent allègrement vers Vatican III, dont ils veulent hâter l'avènement [20]. Et n'aide pas à refaire l'unité le fait que le clergé est lui-même en crise, qu'il se cherche une raison d'être à la fois dans la société et dans l'Église et se laisse de plus en plus tenter par les tâches profanes, à commencer par l'engagement politique [21].

---

17. J.-B. METZ, *Pour une théologie du monde,* Paris, 1971, p. 68.

18. Bernard LAMBERT, O.P., « Une Église inquiète dans un Québec tourmenté », *Le Devoir,* 15 avril 1969.

19. Cf. Rapport Dumont, *op. cit.,* pp. 74, 84 et 104.

20. Voir à ce sujet la déclaration de Mgr Paul Grégoire, archevêque de Montréal, le 2 octobre 1973, sur « Le droit de l'Église à une juste image ». Ce qui cause difficulté, a-t-il dit, c'est que nous n'arrivons pas à nous entendre sur une même notion de l'Église et que « nous partons d'ecclésiologies différentes ». Cf. *Le Devoir,* 9 octobre 1973.

21. « En dernier ressort le prêtre en est arrivé à une bifurcation : être agent de changement social ou être socialement absent et dans ce cas perdre son sens comme interprète de l'Évangile » (Bernard LAMBERT, O.P., « Le défi du prochain Synode », *Le Devoir,* 20 septembre 1971.

Dans de telles conditions, tant extérieures qu'intérieures, on ne peut demander à l'Église d'exercer dans la société québécoise d'aujourd'hui une action aussi directe et aussi généralisée que celle qui fut la sienne dans la chrétienté d'autrefois. Les temps, le milieu, elle-même ont changé et changent encore. La société québécoise s'est découvert de nouvelles valeurs, des valeurs sur lesquelles elle entend désormais s'appuyer pour prendre son essor et voler de ses propres ailes ; comme l'Église, en vertu du principe de l'incarnation, ne peut demeurer en marge ni à l'écart d'un pareil phénomène, la question la plus importante en même temps que la plus délicate et la plus difficile qui se pose maintenant à elle est celle de savoir quelle sorte de contribution elle est encore en mesure d'apporter à la réussite d'un projet qui semble avoir pris naissance et s'être développé en dehors d'elle.

La nature et la qualité de son apport

Encore ici, ne prétendant pas refaire le rapport Dumont, je dois me contenter de brèves indications. Je tiens à noter tout d'abord qu'on ne saurait limiter la contribution de l'Église à ce projet d'une société nouvelle uniquement à celle de la hiérarchie ou du clergé et qu'il faut, au contraire, l'étendre le plus possible aux laïcs et aux communautés chrétiennes. C'est toute l'Église, en tant qu'institution et en tant que communauté, qui doit non seulement se faire entendre mais encore activement s'engager. La nature et la qualité de son apport, je les résumerais en trois mots : évangélisation, humanisation, libération, trois mots qu'il importe de distinguer, mais qu'on aurait tort d'opposer, puisqu'ils sont, dans la réalité, solidaires et complémentaires.

1. *Évangélisation.* L'action de l'Église dans une société déterminée peut s'envisager de deux manières : du point de vue de l'Église et du point de vue de la société. Dans le premier cas, on se demande à quelle tâche il convient, en pratique, de donner la priorité pour que cette action soit un succès : à l'évangélisation, à l'humanisation ou à la libération ? Dans le second, on recherche quel est le plus grand service que l'Église peut rendre à cette société. Seul, ce dernier cas entre ici en ligne de compte et je le traite en disant : *c'est en étant fidèle à elle-même, fidèle à sa première et spécifique fonction d'évangéliser que l'Église rendra*

le plus grand service à la société nouvelle en voie de formation au Québec.

Évangéliser, c'est-à-dire annoncer et apporter aux hommes et aux femmes de cette société le salut offert par Dieu en Jésus-Christ, leur faire connaître et vivre l'Évangile, leur faire comprendre le sens de leur vie et le véritable objet de leur espérance [22], telle doit demeurer la principale préoccupation de l'Église au Québec, celle qui préside à toutes ses réformes et adaptations [23]. Menacés dans leur dignité et dans leurs droits, divisés dans leurs options sociales et politiques, hantés par le désir des jouissances matérielles, victimes d'une sécularisation qui les laisse pratiquement sans défense devant la superstition, les idoles, les faux dieux et les collectivités — classe sociale, parti politique, nation, État — qui cherchent à les asservir en se posant en autant d'absolus, les Québécois — tous les Québécois, à quelque langue, religion et classe qu'ils appartiennent — ont plus que jamais besoin d'être évangélisés, afin de retrouver les vraies raisons de vivre et d'espérer, la force de vaincre leur égoïsme et de se dévouer au service des autres, d'affronter les défis de l'avenir et de travailler à faire triompher la justice, la fraternité et l'amour dans le projet de société qui s'élabore présentement au Québec [24].

En rendant ce service à la société québécoise, c'est-à-dire en transmettant, par ses prêtres et pasteurs, l'authentique parole de Dieu et en lui donnant, par tous ses membres, le témoignage d'une foi sincère et vivante, l'Église lui procure en même temps

---

22. Le document préparatoire au Synode de 1974 : « L'évangélisation du monde contemporain » explique longuement tous les aspects de cette question. Texte dans *L'Église de Montréal,* 18 octobre 1973, pp. 613-625.

Sur le plan pratique, voir Jacques GRAND'MAISON, *La seconde évangélisation,* 3 volumes, Montréal, 1973.

23. Cf. Rapport Dumont, *op. cit.,* pp. 14-15 et 87. À cette dernière page on lit : « C'est en définitive autour de l'évangélisation, c'est-à-dire de la pénétration de l'Évangile dans toutes les dimensions de la création, dans les activités séculières, que l'Église prend sa vérité et son unité profondes. L'Église n'existe pas pour elle-même, mais pour le salut du monde ».

24. Cf. *Constitution pastorale « Gaudium et spes »,* 1ère partie, chap. IV, où se trouve développée l'aide que l'Église cherche à apporter à l'homme, à la société et à l'activité humaine.

le moyen plus sûr dont elle-même dispose pour l'humaniser et la libérer [25].

2. *Humanisation.* Théoriquement, on peut se demander si « l'Église humanise en évangélisant » ou si elle « évangélise en humanisant » [26], mais, en pratique, il faut reconnaître que l'Église a toujours considéré que sa mission dans le monde comportait aussi une œuvre d'humanisation et que cette œuvre n'était pas, à ses yeux, quelque chose d'accessoire ni de secondaire. Elle ne cesse, en tout cas, de répéter qu'elle se veut au service de l'homme et qu'elle entend travailler, à sa manière et dans la mesure de sa compétence, à l'avènement d'un monde plus humain [27]. Paul VI s'est présenté devant les Nations Unies comme un « expert en humanité » [28] et il a, ensuite, écrit aux hommes pour leur dire

25. Des hommes comme André Malraux, Jean Fourastié et Paul Ricœur répètent et affirment que ce dont le monde d'aujourd'hui a le plus besoin, c'est de sens, de sacré, de religieux.

Dans sa *Lettre ouverte aux théologiens,* Jean FOURASTIÉ dénonce comme une faute grave la tendance contemporaine à évacuer le surnaturel, à minimiser ou à nier la transcendance. Il ajoute : « Le *populisme* est l'opinion que l'on sauvera l'Église et la foi en montrant au peuple que l'Église et la foi sont accordées aux revendications sociales et politiques du peuple. En fait, le peuple ne vient pas à l'Église pour entendre le prêtre dire les mêmes choses que Jacques Duclos, François Mitterand ou Michel Debré ; les militants politiques et syndicalistes le font mieux et avec plus d'efficacité. Le peuple, comme tous les autres hommes, attend tout autre chose de l'Église et de la foi : une explication du monde, une signification de la vie, l'affirmation et la participation du surnaturel qui donne cette explication et cette signification, la solennisation, la sacralisation des grands événements de l'existence... » (Cf. *Le Figaro,* sélection hebdomadaire, 11 juillet 1973).

De son côté, Paul RICŒUR écrit : « Nous découvrons que ce dont manquent le plus les hommes, c'est de justice certes, d'amour sûrement, mais plus encore de signification. L'insignifiance du travail, l'insignifiance du loisir, l'insignifiance de la sexualité, voilà les problèmes sur lesquels nous débouchons » (« Prévision et choix », dans *Esprit,* février 1966, p. 189).

26. C'est l'une des questions que pose le document préparatoire au Synode de 1974, *loc. cit.* à la note 22.

27. Toute la *Constitution pastorale « Gaudium et spes »* tend à ce but. Voir, en particulier, les numéros 40 et 42. L'Église, y est-il dit, par les services qu'elle rend au monde, « croit pouvoir largement contribuer à humaniser toujours plus la famille des hommes et son histoire » (no 40, 3).

28. *Discours à l'Assemblée des Nations Unies,* le 4 octobre 1965. Dans son message du 10 décembre 1973 au président de l'Assemblée générale des Nations Unies, à l'occasion du 25e anniversaire de la Déclaration universelle des Droits de l'homme, Paul VI appuie, de toute son autorité, les objectifs de cette Déclaration (Texte original français dans *L'Osservatore Romano,* 12 décembre 1973).

que l'Église désirait et pouvait les aider à atteindre leur plein épanouissement en leur proposant ce qu'elle possède en propre : « Une vision globale de l'homme et de l'humanité » [29].

Non pas qu'elle s'attribue le monopole de l'humanisme, mais elle veut qu'on reconnaisse qu'elle a, elle aussi, « le culte de l'homme » [30] et que l'humanisme qu'elle cherche à promouvoir est celui qui rend le plus service à l'homme, parce qu'il est « un humanisme plénier », visant au « développement intégral de tout l'homme et de tous les hommes », un humanisme vrai, ouvert « aux valeurs de l'esprit et à Dieu qui en est la source » [31].

Au Québec comme partout ailleurs, la mission de l'Église comporte aussi cette œuvre de défense et de promotion de l'humain, œuvre qui, encore une fois, n'est ni accessoire ni secondaire. En même temps qu'elle se modernise, la société québécoise aspire aussi à s'humaniser, mais il n'est pas sûr qu'elle réussisse aussi bien dans le second cas que dans le premier. Les progrès accomplis sur le plan de la modernisation ne se sont pas toujours accompagnés de progrès égaux sur le plan de l'humanisation, tant des structures que des conditions de vie, et même, en certains domaines, ils ont donné lieu à des reculs.

Chacun des grands objectifs que poursuit la société québécoise d'aujourd'hui dans sa marche vers l'avenir comporte, en même temps que d'indéniables avantages, des lacunes et des inconvénients dont l'humain chez l'homme risque d'être la première victime. L'Église s'offre à travailler, à sa place et à sa manière, pour combler ces lacunes et remédier à ces inconvénients et ainsi sauver l'humain dans l'homme. Loin de s'opposer à la poursuite de ces objectifs, elle entend faire sa part pour que l'entreprise réussisse et favorise le plein épanouissement et le développement intégral de l'homme d'ici. Elle reconnaît qu'il s'agit là de valeurs qui ont désormais leur place dans la société québécoise, mais, elle sait d'expérience, comme Vatican II l'a explicitement affirmé,

---

29. *Lettre encyclique « Populorum progressio »*, 1967, no 13.

30. S'adressant aux humanistes modernes, lors de la clôture du Concile, le 7 décembre 1965, Paul VI disait : « Sachez reconnaître notre nouvel humanisme car, nous aussi, et même plus que quiconque, nous avons le culte de l'homme. »

31. PAUL VI, *Lettre encyclique « Populorum progressio »*, 1967, no 42.

que la corruption du cœur humain atteint un jour ou l'autre toutes les valeurs que l'homme se donne et qu'en conséquence toutes « ont besoin d'être purifiées »[32] : les nouvelles comme les anciennes.

Plus particulièrement, ainsi que je l'ai noté au passage, l'Église veut faire sa part pour que la *rationalisation* qui étend de plus en plus son emprise dans la plupart des domaines, en particulier dans l'industrie et dans l'enseignement, ne réduise pas l'homme à l'état de numéro, de rouage anonyme dans une immense machine administrative toute tendue vers l'efficacité, toute centrée sur le profit et ne laissant plus guère de place à l'initiative personnelle et à la créativité. Pour que la *libéralisation* que l'on réclame et obtient aujourd'hui, tant dans le domaine légal que dans le domaine moral, n'aboutisse pas à une absence totale de discipline personnelle et au règne de l'égoïsme individuel face aux devoirs qu'imposent le respect de la vie humaine et les exigences du bien commun en société. Pour que la *démocratisation,* en même temps qu'elle se poursuit, s'accompagne d'une conscience sans cesse plus vive et plus élevée de la dignité, des droits et des devoirs de chaque citoyen et se manifeste par une participation personnelle aux décisions qui le concernent et un souci d'assumer ses responsabilités dans les diverses communautés et sociétés auxquelles il appartient. Pour que la *socialisation* qui grandit de plus en plus au Québec n'ait pas pour effet d'asservir davantage la personne humaine mais contribue plutôt à la libérer par une véritable diffusion de l'avoir, du savoir et du pouvoir et par un engagement actif dans la construction organique des solidarités sociales ; aussi pour que le *socialisme,* s'il s'instaure au Québec, s'appuie sur une idéologie humaniste ouverte au spirituel qui lui confère un visage humain et l'aide à se donner des structures démocratiques. Pour, enfin, que la *sécularisation* qui affecte déjà tant de nos institutions québécoises n'aille pas jusqu'à détruire les valeurs religieuses qui ont fait notre force dans le passé et de-

---

32. « Le Concile se propose avant tout de juger à cette lumière (de la foi) les valeurs les plus prisées par nos contemporains et de les relier à leur source divine. Car ces valeurs, dans la mesure où elles procèdent du génie humain, qui est un don de Dieu, sont fort bonnes ; mais il n'est pas rare que la corruption du cœur humain les détourne de l'ordre requis : c'est pourquoi elles ont besoin d'être purifiées » (*Constitution pastorale « Gaudium et spes »,* 1965, no 11, 2).

meurent encore nécessaires à la réussite humaine de la société de demain.

3. *Libération.* Pour exprimer la mission de l'Église dans le monde d'aujourd'hui, monde qui se caractérise, entre autres traits, par une conscience plus vive à la fois de la dignité humaine et des injustices, inégalités et oppressions, on a de plus en plus tendance à employer un autre mot : celui de libération. Sans revenir sur ce que j'ai déjà dit à ce sujet au chapitre XIII, je rappelle simplement ici que le mot est à conserver, à condition de bien s'entendre sur le sens et le contenu à lui donner [33].

Le pape Paul VI se dit d'accord à une double condition : que cette libération soit aussi celle du péché, de la haine et de l'égoïsme et qu'elle se poursuive par des moyens acceptables aux chrétiens. Le Synode de 1971 fait du combat pour la justice et de la participation à la transformation du monde « une dimension constitutive de la prédication de l'Évangile qui est la mission de l'Église pour la rédemption de l'humanité et sa libération de toute situation oppressive ». Il ne craint pas d'affirmer que « la mission de prêcher l'Évangile exige, aujourd'hui, l'engagement radical pour la libération intégrale de l'homme », mais il précise que cette libération et cet engagement n'atteindront leur fin que si le chrétien accepte de se convertir radicalement « de son autosuffisance à la confiance en Dieu et de son égoïsme à l'amour désintéressé du prochain ». On sait, enfin, que les évêques canadiens, dans leur Message de 1970, ont demandé aux chrétiens de se placer aux premières lignes du « front de libération qui ambitionne de bâtir une société authentiquement humaine ».

En ce qui concerne le Québec, le rapport Dumont exhorte vivement l'Église, pas seulement les évêques et les prêtres, mais aussi les laïcs, à s'engager dans cette voie, à radicaliser « les efforts de justice et d'amour, de libération et de promotion humaines », à ne pas hésiter à critiquer « toutes les formes d'exploitation et d'aliénation des hommes d'où qu'ils viennent », à « se

---

33. La Constitution pastorale *Gaudium et spes* de Vatican II nous donne cet avertissement : « Parmi les formes de l'athéisme contemporain, on ne doit pas passer sous silence celle qui attend la libération de l'homme surtout de sa libération économique et sociale... » (no 20, 2).

donner des mains pour servir l'homme et la société », « à donner une voix aux *non-représentés,* à les aider à sortir eux-mêmes de leur silence, à devenir les premiers agents de leur libération, à remettre en cause des structures sociales viciées » [34].

Dans un chapitre subséquent, ce même rapport a tenté d' « esquisser une vision plus claire des grandes requêtes de libération et de développement de la société québécoise francophone ». Il constate un double fait : « *Les francophones d'ici vivent dans une société pauvre* entourée par un vaste milieu anglo-saxon riche et de culture différente », et « ils veulent de plus en plus assurer les conditions nécessaires à leur libération et à leur affirmation collectives ». Si l'Église n'a pas à formuler un programme de développement et de stratégie socio-politique, elle a à donner un témoignage qui soit chrétien : un témoignage, par conséquent, impliquant « une préoccupation prioritaire pour le sort de ce million et demi de Québécois qui subissent les contrecoups des terribles inégalités de notre système économique », et rappelant aux chrétiens « leur solidarité évangélique avec les causes de libération et de promotion des plus démunis ». En bref, à l'action libératrice de l'Église dans la société québécoise, le rapport Dumont assigne trois critères, qui sont en même temps trois tâches déterminées : « Primat des plus pauvres, interpellation des *chrétiens moyens,* mais aussi soutien effectif des engagés temporels, des hommes qui, à leurs risques et périls, se consacrent vigoureusement aux tâches de libération collective » [35].

Cette libération collective passe-t-elle par l'avènement du socialisme ? Le rapport Dumont ne se prononce pas là-dessus, mais il est clair que ses sympathies et ses préférences vont à une société axée moins sur le profit que sur le service, à une société

---

34. A la fin du chapitre XIII, on trouvera les références à tous ces textes. — Un évêque de l'Amérique latine, Mgr Eduardo PIRONIO, s'est ainsi exprimé : « D'un côté, la libération implique l'affranchissement de toute servitude (en commençant par le péché qui rend esclave : Jean, 8, 33), oppression ou dépendance injuste. D'autre part, elle favorise la création de conditions telles qu'elles permettent à l'homme d'être un sujet actif de sa propre histoire. En termes bibliques, la libération coïncide avec la rédemption » (Conférence à la Semaine des Missions de Burgos, Espagne, 7-14 août 1972, citée dans le bulletin *Pro Mundi Vita,* no 46, 1973, p. 37).

35. Rapport Dumont, *op. cit.,* p. 137.

fondée moins sur la satisfaction des appétits individuels que sur le partage des biens et des responsabilités. De même, tout en exhortant vivement l'Église et les communautés chrétiennes à s'engager résolument dans les projets humains de libération et de développement de la société québécoise [36], tout en soutenant que « l'Église a un rôle politique » [37], ce même rapport ne va pas jusqu'à faire une obligation aux prêtres de s'engager sur le terrain de la politique électorale et partisane [38].

Ainsi, quel que soit le nom qu'on lui donne, que l'on parle d'évangélisation, d'humanisation ou de libération, l'action de l'Église vise toujours le salut de l'homme, un salut qui embrasse toute la réalité humaine et s'opère maintenant et dès ici-bas. Et c'est en accomplissant cette mission, en s'appliquant de son mieux à former des hommes à la fois évangélisés, humanisés et libérés,

---

36. *Rapport Dumont, op. cit.*, pp. 139-143. En conclusion, les auteurs écrivent : « Notre orientation de fond s'est concentrée autour de la tâche première de l'évangélisation : le signe par excellence de la présence active du Christ dans le monde, c'est d'abord la vie fraternelle de chrétiens profondément solidaires dans leur foi, leur espérance, et résolument engagés dans les projets humains de libération et de développement de leur société » (p. 293).

37. « Le témoignage que les croyants d'ici doivent rendre aux valeurs évangéliques devra donc se situer au sein d'une société particulière, la société québécoise que son histoire, sa culture, ses institutions, ses difficultés, ses aspirations, ses initiatives distinguent nettement des autres sociétés qu'on trouve sur le continent nord-américain. La théologie, la pastorale, l'activité missionnaire, les options sociales de la communauté chrétienne doivent tenir compte de ces différenciations » (*Ibid.*, p. 75).

38. *Ibid.*, pp. 129-137.

39. Voir, à ce sujet, la déclaration du Synode de 1971 sur *Le sacerdoce ministériel.* Dans cette déclaration, on lit que la mission du prêtre « n'est pas d'ordre politique, économique ou social, mais religieux ». Le prêtre, cependant, « dans la ligne de son ministère, peut apporter beaucoup à l'instauration d'un ordre temporel plus juste, là surtout où les problèmes humains dus à l'injustice ou à l'oppression sont plus graves, en gardant cependant toujours la communion ecclésiale et en répudiant la violence, aussi bien en parole qu'en acte, comme non évangélique. En réalité, la parole de l'Évangile qu'il annonce au nom du Christ et de l'Église, et la grâce de la vie sacramentelle qu'il administre, doivent libérer l'homme de ses égoïsmes personnels et sociaux et promouvoir des conditions de justice entre les hommes, de sorte qu'elles soient le signe de la charité du Christ présent parmi nous ». — Plus loin, ce même document précise à quelles conditions le prêtre peut s'engager dans les « activités profanes et politiques ».

que l'Église contribuera à assurer un meilleur avenir à la société québécoise, un avenir plus humain parce que plus juste, plus solidaire et plus fraternel [40].

40. On ne saurait attendre de l'Église une *efficacité* qui soit du même ordre que celle des sociétés profanes. A ce sujet, les remarques suivantes sont à méditer : « Vouloir pour l'Église le même type d'efficacité que pour les organismes profanes est une gageure. Le chrétien — en tant que chrétien — sera toujours battu dans le petit jeu démagogique qui consiste à concurrencer les entreprises de l'État, de l'industrie, — ou de la révolution. Il sera dépassé ou utilisé. Le rôle de l'Église n'est pas d'épauler les empires ni de comploter contre eux et de faire naître immédiatement des républiques nouvelles. Dans l'immédiat, le chrétien est souvent même appelé à se désolidariser des forces bio-sociales qui le sollicitent, parce qu'il ne peut aller jusqu'au bout de la route ni avec les sages ni avec les fous de ce monde. Il lui arrive alors de mécontenter les uns et les autres, sinon de finir dans le martyre, comme Thomas More » (Maurice NÉDONCELLE, *Le chrétien appartient à deux mondes,* Paris, 1970, pp. 243-244).

Voir aussi l'ouvrage d'Alain BIROU, *Combat politique et foi en Jésus-Christ,* Paris, 1972, en particulier le chapitre 5, « Peut-on parler d'une efficacité politique propre du chrétien ? », pp. 55-64.

CONCLUSION

Une communauté de destin qui commande la solidarité et appelle une réciprocité de services

Entre la communauté francophone et l'Église catholique l'histoire a tissé des liens très étroits, intimes même. Quels que soient les griefs que l'une puisse adresser à l'autre, il n'en reste pas moins que, compte tenu des circonstances difficiles où elle a été vécue, cette association s'est révélée bénéfique à l'une et à l'autre. L'Église, d'une part, a présidé à la naissance de la jeune communauté, l'a prise sous sa tutelle, lui a fourni des cadres de vie, défendu sa langue et ses institutions, partagé ses joies et ses peines, travaillé pour en faire une race saine et disciplinée, apte par conséquent à survivre dans un milieu hostile. La communauté francophone, de son côté, n'a jamais ménagé à l'Église catholique les effectifs dont celle-ci avait besoin pour remplir ses nombreuses tâches, tant d'évangélisation que d'éducation et de bienfaisance. En quantité comme en qualité, elle lui a fourni des laïcs, des religieux et des religieuses, des prêtres et des évêques, qui lui ont imprimé une vitalité rayonnante, au point que, lors de son discours à Notre-Dame en 1910, Henri Bourassa pouvait proclamer : « De cette petite province de Québec, de cette minuscule colonie française, dont la langue, dit-on, est appelée à disparaître, sont sortis les trois quarts du clergé de l'Amérique du Nord. » Ce n'est pas, ajoutait-il, que « les Canadiens français ont été plus zélés, plus apostoliques que les autres..., mais la Providence a voulu qu'ils soient les apôtres de l'Amérique du Nord ».

Aujourd'hui, cependant, cette situation s'est profondément modifiée, du moins au Québec. La communauté francophone, persuadée qu'elle est devenue adulte, semble vouloir prendre ses distances à l'égard de son ancienne compagne de route et affronter désormais seule le choc du futur. A la suite de la longue enquête que je viens de faire et du dossier que je me suis efforcé de rendre le plus complet possible, je suis plutôt porté à conclure qu'il existe encore, pour l'une comme pour l'autre, de grands avantages à ce que se continue l'association séculaire entre l'Église catholique et la collectivité francophone. Conclusion que je formule en ces termes : *entre les deux la communauté de destin est telle qu'elle commande la solidarité face à l'avenir et appelle la réciprocité des services.*

Une communauté de destin...

Qu'une communauté de destin relie entre elles la collectivité francophone et l'Église, il suffit, pour s'en convaincre, de rappeler quelques faits. Les deux se sentent aujourd'hui menacées dans leur existence, les deux sont en crise et cherchent fébrilement à s'adapter au monde moderne, les deux s'efforcent de se renouveler, de se refaire de l'intérieur afin d'être mieux en mesure d'affronter les défis de l'extérieur, les deux élaborent des projets d'avenir sans trop savoir si elles pourront les mener à bon terme.

En dépit de tous ses récents progrès, la communauté francophone ne peut encore se vanter de maîtriser son destin, même au Québec. Elle est de plus en plus menacée dans sa langue qui s'anglicise ou se « joualise », dans sa culture qui s'américanise, et dans ses libertés collectives — économique, sociale et politique — qui s'amenuisent. Quoi qu'elle fasse, elle n'aura jamais l'existence facile en Amérique du Nord, elle ne pourra jamais se reposer en se disant qu'elle n'a plus d'inquiétude à avoir et que son avenir est désormais assuré : toujours se posera pour elle, plus que pour toutes les autres nations, « le défi américain » et toujours elle devra lutter pour ne pas succomber à la tentation de se laisser vivre ou plutôt mourir en acceptant la colonisation économique, sociale et culturelle des États-Unis, ou en s'abandonnant aux idéologies d'évasion et de bonheur individuel.

Quant à l'Église — je parle de toute la communauté ecclésiale, pas seulement des prêtres et des évêques —, son présent apparaît sombre et son avenir incertain, du moins comme force sociale et culturelle dans le monde des francophones. Ce monde, ainsi que j'ai essayé de le montrer au chapitre XIV, est un monde qui se sécularise, c'est-à-dire qui à la fois se décléricalise, se déconfessionnalise et se déchristianise, un monde qui devient moins accueillant et moins généreux envers elle. Face à ces dures réalités que sont l'abandon de la pratique religieuse, la montée de l'indifférence et de l'incroyance, la diminution des vocations religieuses et sacerdotales, les menaces de scission au sein même de son clergé, l'Église a, elle aussi, un défi à relever, un défi redoutable qui met en cause son avenir même dans la société francophone.

...qui commande la solidarité face à l'avenir

Menacées l'une et l'autre dans leur existence et ayant, chacune pour sa part, à affronter un destin tragique, l'Église et la communauté francophone ont beaucoup à gagner à demeurer solidaires, à unir leurs forces, à se rendre mutuellement service et à travailler de concert à assurer leur avenir.

A l'Église, le premier et le plus grand service que la communauté francophone pourrait rendre serait précisément de lui rester fidèle, de lui fournir en particulier les laïcs et les prêtres, les religieux et les religieuses dont elle a besoin pour remplir sa mission dans le milieu québécois. L'Église, certes, est universelle, ouverte à toutes les nations, mais, concrètement, elle s'incarne dans des sociétés déterminées, dont elle parle la langue et acquiert la mentalité. Or, au train où vont les choses, il n'est pas téméraire de se demander si les catholiques seront toujours en majorité de langue française, même au Québec, et s'il ne viendra pas un temps où la plupart des pasteurs ne seront pas, du moins à Montréal, d'autre origine que française et ne devront pas utiliser l'anglais pour mieux se faire comprendre de leurs fidèles. Le phénomène s'est produit en Nouvelle-Angleterre et il est en train de se renouveler dans les autres provinces canadiennes ; la communauté francophone du Québec se ferait du tort à elle-même si elle laissait à d'autres la place et le rôle qui, majoritairement, lui reviennent dans l'Église.

D'autant plus que, dans une foule d'autres domaines, elle fait preuve aujourd'hui d'une vitalité et d'une créativité extraordinaires et ne cède à personne le premier rang, en particulier en littérature, au théâtre, dans la chanson, les moyens de diffusion comme la presse, la radio, la télévision et le cinéma. Elle pourrait, si elle le voulait, mettre davantage ces dons au service de l'Église et l'aider à sa façon, à réaliser ses projets d'avenir.

De son côté, l'Église peut lui apporter et, de fait, lui apporte une aide appréciable dans la poursuite de ses objectifs, tant nationaux que sociaux. A l'exception de quelques individus, la cause de la *survivance* a toujours trouvé et trouve encore en elle une alliée sûre et fidèle ; celle de la *coexistence* fait aujourd'hui l'unanimité au sein de l'épiscopat canadien ; quant à celle de l'*indépendance* du Québec, ces mêmes évêques ont déclaré, en avril 1972, que, pourvu qu'elle soit respectueuse de la personne et de la communauté humaine, elle constitue une option politique libre, ajoutant que, quoi qu'il arrive, ils entendent, comme évêques, « servir le peuple de Dieu là où il est et dans les options politiques, économiques, sociales et culturelles qu'il aura choisies ». On ne saurait, dans les circonstances actuelles, leur en demander davantage sans faire preuve d'un manque de responsabilité personnelle et de maturité politique, sans tomber dans un cléricalisme dépassé.

A la communauté francophone qui veut bâtir au Québec une société nouvelle, l'Église, j'ai essayé de le montrer tout au long de la deuxième partie de cet ouvrage, se présente encore aujourd'hui comme une collaboratrice à la fois intéressée et apte à rendre de grands services. Non pas sur le plan technique, lequel n'est pas de sa compétence, non plus en raison de suppléances à exercer comme dans le passé, mais sur le plan proprement humain, donc spirituel et religieux, et en raison de son essentielle mission d'évangélisation, d'humanisation et de libération.

Quelle que soit la forme que demain elle prenne, la société québécoise aura toujours besoin d'être *évangélisée,* c'est-à-dire d'entendre parler de Dieu, de s'ouvrir aux valeurs religieuses et de recevoir une injection de ferment évangélique. Quel que soit le système économique et social qu'elle parvienne à se donner, elle aura toujours également besoin d'être *humanisée,* c'est-à-dire d'avoir à la fois des lois qui soient autres que celles de la jungle animale où règnent les plus forts et les plus habiles, des structures qui favorisent le développement de l'humain dans l'homme et l'épanouissement de sa personnalité, un esprit qui engendre l'amitié et la communion des personnes. Quel que soit le régime sous lequel elle se décide à vivre un jour, même si ce régime en est un d'indépendance politique, elle aura encore toujours besoin d'être *libérée,* du moins sur le plan moral et spirituel qui conditionne tous les autres : des hommes et des femmes de cette société seront esclaves de leur égoïsme, de leur cupidité, de leur appétit de jouissance et de domination, de leur recherche effrénée de l'argent, du profit et du confort matériel.

C'est précisément la mission de l'Église de satisfaire, pour sa part, à ce triple besoin. Sa mission de dénoncer les idoles et les faux dieux, de rappeler à tous que seul l'amour évangélique est vraiment générateur de justice et que, là où on refuse de le mettre en pratique, il faut se résigner à employer la force et à subir la violence. Sa mission aussi de sensibiliser les citoyens aux injustices qui se commettent dans leur société, à l'exploitation dont sont l'objet les classes les moins riches et les plus faibles, aux inégalités comme aux ségrégations sociales qui semblent vouloir s'institutionnaliser sous leurs yeux. Sa mission encore de rappeler à temps et à contretemps que la libération de l'homme ne se fait pas uniquement par l'accumulation des richesses matérielles et les innovations du progrès technique, mais aussi par l'élévation de la conscience morale et les progrès de la liberté intérieure et spirituelle ; que la qualité de la vie n'est pas nécessairement liée à la quantité des biens possédés et qu'autre chose est la société d'abondance et de consommation, autre chose la société du bonheur.

Dans cette nouvelle société québécoise en train d'émerger, le devoir de l'Église est d'abord de s'intéresser à l'homme : au sort qui lui sera fait, à ses conditions de vie, à ses droits et à ses libertés ; à tout homme, à quelque race, langue et classe qu'il appartienne, mais tout particulièrement à celui qui a le plus besoin de son aide. Une longue expérience lui a appris qu'il y a des valeurs qui font et grandissent l'homme et l'habilitent à la vie en société, comme le respect de la vérité, le souci de la justice, la pratique de l'amour fraternel, le sens de la discipline et des responsabilités, et qu'il y a aussi des contre-valeurs qui le défont et le dégradent et ruinent toute vie communautaire, comme l'habitude du mensonge, l'indifférence aux injustices, l'appel à la haine et à la violence, le repli égoïste dans une liberté irresponsable et anarchique.

Il est aussi du devoir de l'Église de s'intéresser aux communautés linguistiques qui composent la société québécoise, de travailler à les faire vivre ensemble dans la justice et la paix, afin que chacune soit respectée dans ses droits et ses libertés et obtienne la juste place qui lui revient. Parmi ces communautés, comment ne s'intéresserait-elle pas d'une façon toute particulière à celle qui, depuis plus de trois siècles, a été sa compagne la plus proche et son alliée de tous les jours, avec qui elle partage maintenant un destin chargé d'interrogations et d'inquiétudes, et qui, aujourd'hui, parce qu'elle a le plus besoin de justice, a aussi le plus besoin de son amour et de son aide ?

La Constitution pastorale *Gaudium et spes* de Vatican II nous dit que « l'avenir est entre les mains de ceux qui auront su donner aux générations de demain des raisons de vivre et d'espérer », ainsi que « des valeurs qui les attirent et qui les disposent à se mettre au service de leurs semblables » (no 31, 3). A la communauté francophone qui s'interroge anxieusement sur son avenir et cherche à se donner un projet collectif capable de l'unifier, de la soulever en avant et ainsi de la sauver de la mort, c'est là précisément l'une des contributions les plus précieuses que le catholicisme et l'Église peuvent fournir, c'est-à-dire des raisons de vivre et d'espérer, et surtout des valeurs qui, si elle acceptait de les refaire siennes, affermiraient la nouvelle culture qu'elle est en train de se donner et lui procureraient à elle-même ces qualités de force, de discipline et d'endurance dont elle a impérieusement besoin pour persévérer dans la longue marche qu'elle a entreprise vers ces grands objectifs qu'elle a rêvés d'atteindre.

Quoi qu'il advienne et quelle que soit la forme que demain elles revêtent, il y aura toujours, sur le territoire actuel du Québec, une société humaine et une Église catholique, mais seront-elles l'une et l'autre de langue française ? C'est beaucoup moins sûr. Pour l'une comme pour l'autre, il n'est pas trop tard pour renouer leur solidarité devant un destin commun chargé de menaces et pour la traduire concrètement par un échange, par une réciprocité de services, mais il est grandement temps : le succès de leurs projets d'avenir est à ce prix.

TABLE DES MATIÈRES

DEUXIÈME PARTIE

Le projet de société : bâtir au Québec une société nouvelle à la fois moderne et humaine

Le peuple canadien-français a désormais les yeux tournés vers l'avenir. Dispersé par tout le Canada, il aspire ardemment à survivre, à vivre et à s'épanouir librement en tant que nation. Concentré massivement au Québec, il ambitionne de s'y bâtir une société bien à lui, une société nouvelle, à la fois tout à fait moderne et pleinement humaine.

Face à ces projets d'avenir, bien plus y étant mêlée bon gré mal gré, se tient l'Église, tant québécoise que canadienne. Sans doute, n'a-t-elle plus la puissance et l'influence d'autrefois surtout au Québec, mais elle demeure encore une force morale, spirituelle et religieuse. Qu'elle le veuille ou non, les projets d'avenir du peuple canadien-français la concernent et la questionnent. Va-t-elle l'accompagner ou le laisser seul poursuivre son chemin? Va-t-elle l'aider dans la lutte qu'il mène pour réaliser son *projet de nation,* c'est-à-dire pour atteindre le triple objectif que comporte un tel projet: la survivance, la coexistence et l'indépendance? et si oui, jusqu'où et comment? Va-t-elle auss offrir sa collaboration pour que réussisse l *projet de société* qu'il élabore présentement d peine et de misère, ce projet d'une société mo derne et humaine, laquelle, si on lit bien les si gnes des temps, serait une société à la fois ra tionalisée, libéralisée, démocratisée, socialisé et sécularisée? et si oui, jusqu'où et comment

Ces graves questions, le présent ouvrage, qu constitue le cinquième tome de la série *Notr Question nationale,* non seulement les pos mais s'efforce d'y répondre, en séparant moins possible ce que trois siècles d'histoir ont uni, c'est-à-dire l'action de l'Église et la lut toujours recommencée et jamais terminée d peuple canadien-français pour son avenir.